Une tasse de réconfort pour Noël

pour Noël

Histoires qui célèbrent la chaleur,
la joie et l'émerveillement de cette fête

 Publication sous la direction de
COLLEEN SELL

Traduit de l'américain par
Renée Thivierge

À la mémoire de Frank Joseph Baum et en célébration de Patrick Sell,
qui a illuminé tous les Noël de la famille Swell.

Copyright ©2003 F+W Publications, Inc.
Titre original anglais : A cup of comfort for Christmas
Copyright ©2005 Éditions AdA Inc. pour la traduction française
Cette publication est publiée en accord avec Adams Media Corporation, Avon, Massachusetts
Tous droits réservés. Aucune partie de ce livre ne peut être reproduite sous quelle que forme que ce soit
sans la permission écrite de l'éditeur sauf dans le cas d'un critique littéraire.

Éditeur : François Doucet
Traduction : Renée Thivierge
Révision linguistique : Véronique Vézina
Révision : Nancy Coulombe
Graphisme : Sébastien Rougeau
Illustration de la couverture : Eulala Conner
ISBN 2-89565-346-1
Première impression : 2005
Dépôt légal : troisième trimestre 2005
Bibliothèque Nationale du Québec
Bibliothèque Nationale du Canada

Éditions AdA Inc.
1385, boul. Lionel-Boulet
Varennes, Québec, Canada, J3X 1P7
Téléphone : 450-929-0296
Télécopieur : 450-929-0220
www.ada-inc.com
info@ada-inc.com

Diffusion
Canada :   Éditions AdA Inc.
France :   D.G. Diffusion
                   Rue Max Planck, B. P. 734
                   31683 Labege Cedex
                   Téléphone : 05.61.00.09.99
Suisse :   Transat - 23.42.77.40
Belgique :   D.G. Diffusion - 05.61.00.09.99

Imprimé au Canada

Participation de la SODEC.
Nous reconnaissons l'aide financière du gouvernement du Canada par l'entremise du Programme d'aide
au développement de l'industrie de l'édition (PADIÉ) pour nos activités d'édition.
Gouvernement du Québec - Programme de crédit d'impôt pour l'édition de livres - Gestion SODEC.

Catalogage avant publication de Bibliothèque et Archives Canada

Vedette principale au titre :

Une tasse de réconfort pour Noël
Traduction de : A cup of comfort for Christmas.
ISBN 2-89565-346-1

1. Noël. I. Sell, Colleen.

GT4985.C8614 2005   394.2663   C2005-940906-1

# Remerciements

Alors que l'écriture et la révision sont des actes solitaires, l'édition est un concert synchronisé où chacun des artistes joue un rôle essentiel. *Une tasse de réconfort pour Noël* est sans conteste un chant, et il chante ainsi grâce aux talents, aux efforts, à la collaboration, à la patience et à la générosité de l'équipe d'Adams Media et de tous les auteurs qui ont fourni leurs merveilleuses histoires à cette collection. Je leur fais une ovation et les applaudis tous bien fort.

Un merci très spécial et une énorme gerbe de fleurs à Kate Epstein et à Laura MacLaughlin, mes chefs d'orchestre associés à cette joyeuse composition. Je vous fais la révérence, mesdames.

Je suis infiniment reconnaissante à Bob Adams de m'avoir donné l'occasion de participer à la création de livres qui permettent à des gens « ordinaires » de partager leurs extraordinaires histoires. Je remercie aussi les centaines de personnes qui ont si gracieusement fait parvenir leurs récits, sachant que seule une partie d'entre eux seraient inclus dans les livres. Je suis de plus très reconnaissante à mon époux, à ma famille et à mes amis pour leur indulgence à mon égard et leur soutien dans ma profession et dans ma passion, la narration. Et merci à vous, bienveillants lecteurs, de célébrer avec nous la magie de Noël, et ces magiques histoires de Noël.

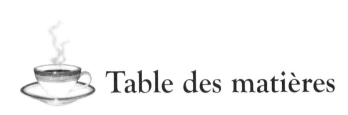

Table des matières

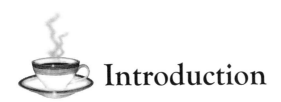 # Introduction

J'honorerai Noël du fond du coeur et tâcherai de le célébrer à longueur d'année.
                                        ~ Charles Dickens, *Un chant de Noël*

J e crois à l'esprit de Noël.

J'y crois, car lorsque la saison des fêtes approche, je *ressens* l'esprit de Noël dans l'air et dans mon cœur, peu importe mon âge ou mon humeur. Cet esprit est palpable, sans ambiguïté, et il est présent partout...

L'esprit de Noël réside dans l'émerveillement des enfants aux yeux écarquillés, chuchotant leurs souhaits les plus chers à un vieux lutin joyeux à la longue barbe blanche, vêtu d'un drôle de chapeau et d'un habit bouffant de couleur rouge. Un lutin qui traversera le monde entier dans un traîneau géant tiré par des rennes volants et qui permettra à ces enfants de réaliser leurs rêves.

On le retrouve dans les « assistants du père Noël » qui conservent bien vivants cette magie et l'espoir qu'elle inspire.

On le retrouve chez tous ceux qui possèdent peu mais qui donnent ce qu'ils peuvent, et aussi chez ceux qui possèdent beaucoup et qui donnent généreusement, afin que d'autres puissent vivre un Noël joyeux.

On le retrouve dans le merveilleux souhait « Joyeux Noël » et « Heureuses fêtes » que l'on offre aux êtres chers, tout comme aux étrangers.

On le retrouve dans les réjouissances et la communion, les brillantes décorations et les lumières éblouissantes, les couronnes et les arbres odorants, les gâteries et les festins culinaires — tous ces éléments permettant de célébrer la saison de l'amour et du partage, de même que la naissance du Christ, qui a enseigné la véritable signification de la compassion et de la charité.

On le retrouve dans les voix qui s'élèvent en vers et en musique, chantant les louanges au Berger de l'amour et à son message de paix et de joie dans le monde.

On le retrouve dans toutes les cartes et toutes les lettres de Noël qui, peu importe les mots écrits, disent : « Je pense à toi. J'éprouve de l'affection pour toi. Je t'offre mes meilleurs vœux. »

On le retrouve dans les fêtes familiales et les joyeuses réunions où l'on chérit bien plus les cadeaux d'amour et de rire, l'amitié et la famille, le temps passé ensemble, le simple fait d'être ensemble, que tous les cadeaux dispendieux que l'argent peut procurer.

On le retrouve aussi dans chaque cadeau « parfait » soigneusement choisi ou fabriqué à la main, et offert avec amour pour combler un besoin ou un vide, ou pour remplir un cœur de joie.

Durant ce merveilleux moment de l'année, on retrouve l'esprit de Noël dans chaque joie partagée et dans chaque geste de bonté. Pourtant, dans l'effervescence de la saison de Noël (qui semble commencer plus tôt chaque année) et avec la commercialisation de cette fête sacrée (qui semble encore plus éhontée chaque année), il est facile de perdre l'esprit de Noël. Je sais que cela m'est arrivé à l'occasion — enfin presque. Heureusement, j'ai la chance que ma famille et mes amis soient des enthousiastes incontestables de cette fête qu'est Noël et qu'ils me rappellent toujours sa véritable signification.

Un soir de Noël, il y a trente ans, ma deuxième enfant, Christine, est grimpée sur mes genoux pour se blottir contre moi. Habituellement turbulente (*hyper* était le mot qu'utilisaient la plupart des gens pour la décrire), Christie était tranquille et pensive ce jour-là. C'était en partie parce qu'elle et sa sœur aînée avaient passé leur temps à glousser, à chuchoter et à marcher sur la pointe des pieds jusqu'à la fenêtre de leur chambre à l'étage, dans l'espoir d'apercevoir le père Noël, et ce jusqu'aux petites heures de la nuit. Puis elles s'étaient éveillées à l'aube pour déballer leurs nouveaux cadeaux, et jouer avec eux, puis pour s'amuser et manger et se disputer, et pour se pourchasser, et pour jouer encore avec leurs cousins et tantes et oncles, et, oh mon Dieu, pour ouvrir encore plus de cadeaux des oncles et des tantes et des grands-mères et grands-pères, et des parrains et marraines, et des gardiennes, et des amis. Ouf ! Je suis fatiguée rien que d'y penser.

Alors que Christie et moi nous blottissions dans la chaise berçante, nous balançant tout en contemplant l'arbre, elle a soupiré profondément et a dit : « Tu sais quoi, Maman ? » (C'était durant l'année où elle commençait chaque phrase par « tu sais quoi ? ».)

« Quoi, Christie ? »

« J'aime Noël. »

« Moi aussi, ma chérie. »

« J'aimerais que ce soit Noël tout le temps. Tous les chaque jour. » (" Tous les chaque " était une autre fabrication de Christie, et je soupçonnais qu'elle l'avait empruntée à son arrière-grand-père Frank, qui adorait Noël, lui aussi.)

« S'il y avait Noël tous les jours, ce ne serait pas aussi spécial, ai-je répondu. D'ailleurs, petite chèvre gourmande, que ferais-tu avec tous ces cadeaux ? »

« Pas des *cadeaux* ! », a-t-elle protesté, en me regardant, le front plissé de fatigue et de sincérité. « Du *bonheur*. C'est ce que je veux dire. Alors nous aurons des tas de bonheur chaque jour. »

Nul besoin de dire que je ne pouvais lui promettre ou même lui offrir, chaque jour de sa vie, le bonheur d'un Noël quotidien tel qu'une fillette de quatre ans le concevait. Mais je fais tout pour garder vivant l'esprit de Noël à longueur d'année, m'efforçant de faire briller la lumière du bonheur chaque fois que c'est possible et sur le plus de personnes possible.

Oui, Christie, Noël est rempli de bonheur — des tonnes et des tonnes de bonheur. Et de bonté. Et de réconfort. Et d'amour, par-dessus tout.

Ces cadeaux de l'esprit de Noël — joie, compassion, paix, espoir, amour —, on peut les retrouver dans les histoires réconfortantes que vous lirez dans *Une tasse de réconfort pour Noël*. Puissent ces bénédictions embellir chaque jour de l'année, chaque année de votre vie.

— *Colleen Sell*

 # Un jour de Noël mémorable

Ryan s'approcha du salon en trottinant et s'arrêta net. Il était là, bouche bée, l'étincelle dans ses yeux rivalisant avec la lueur des lumières de l'arbre de Noël. Il avait aperçu deux gros camions Tonka tout luisants, un tracteur et une voiture de pompiers munie d'une échelle. D'autres paquets l'attendaient aussi, la plupart provenant de ses grands-parents et un ou deux petits de ma part. Mais ces présents devraient attendre. L'enfant n'avait d'yeux que pour les camions.

Je me tournai vers Mike, qui regardait Ryan. Je ne pouvais dire lequel des deux avait les yeux les plus lumineux.

« Ils sont à toi, Ry », lui dis-je.

C'était le signe d'encouragement qu'il attendait. Il courut vers la voiture de pompiers, grimpa dessus et fit trois fois le tour du salon. Puis il débarqua et se coucha sur le ventre, poussant le tracteur et émettant des bruits de moteur.

C'est un vrai gars, pensai-je. Jetant un coup d'œil vers Mike, je pouvais l'imaginer effectuant les mêmes gestes lorsqu'il était enfant.

Ryan eut bientôt renversé les deux Tonkas pour en examiner chaque recoin. Ryan voulait connaître absolument tout de chacun de ses jouets. Si les pièces du Tonka n'avaient pas été soudées, il les aurait certainement démontées pour les examiner de plus près. C'était le fils de Mike tout craché. De fait, en seulement quelques minutes, Mike se retrouva avec lui sur le plancher.

À deux ans et demi, Ryan avait l'âge idéal pour les camions Tonka. À trente-trois ans, Mike avait l'âge idéal pour jouer avec ces camions en compagnie de son fils. Je me demande lequel des deux avait le plus de plaisir.

Finalement, nous dûmes rappeler à Ryan qu'il lui restait d'autres cadeaux à ouvrir. Il sembla heureux et excité de les déballer. Pourtant, ce qu'il voulait vraiment, c'était juste de jouer avec les camions.

Mais il y avait quelque chose d'inusité dans ces camions que Ryan n'avait pas remarqué. La compagnie Tonka est reconnue pour son usage de couleurs standard pour ses jouets, la plupart arborant un jaune autobus scolaire. Le tracteur de Ryan était bleu marine, et sa voiture de pompiers, rouge vin avec une échelle argentée. Ce n'étaient pas des Tonkas comme ceux que l'on trouve de nos jours dans les magasins. Ils étaient fabriqués avec du bon vieux métal solide maintenant introuvable. Pendant des semaines, Mike s'était assis le soir dans sa petite remorque solitaire, nettoyant, réparant et sablant ces camions pour les remettre à neuf.

Puis il les avait peints. Maintenant, il recevait la récompense de son labeur d'amour. Ryan se trouvait au paradis des enfants.

L'année avait été difficile pour Mike, Ryan et moi-même. Il y avait déjà deux mois, j'avais demandé à Mike de quitter notre maison pour de bon. Nous avions encore de l'affection l'un pour l'autre, mais son alcoolisme et toutes ses répercussions négatives avaient fini par éteindre la flamme de notre mariage, et j'avais arrêté d'essayer de tout arranger. Même si notre mariage était bel et bien brisé, la présence de Ryan faisait en sorte qu'il resterait toujours de tendres liens entre nous.

La rupture nous avait laissés tous les deux dans une situation financière précaire. Après le jour de l'Action de grâces, je m'étais sentie très triste, me rendant compte que Noël approchait et que je n'avais pas d'argent. Je pouvais m'arranger pour trouver un petit arbre, et peut-être qu'ensuite, si j'économisais un peu plus, je pourrais trouver cinq dollars pour acheter quelques voitures de course à Ryan. C'était la situation. Mais si je me comparais à Mike, je roulais pratiquement sur l'or. Bien sûr, il passerait le jour de Noël avec nous et partagerait notre arbre. Mais je savais qu'il aurait du mal à trouver même un dollar pour acheter un quelconque cadeau à Ryan.

Au mieux, j'étais déprimée. Je voulais tellement que Ryan vive un Noël merveilleux. Non pas qu'il avait besoin de jouets, ni que les cadeaux soient le centre de la fête de Noël. Ryan serait entouré par l'amour, les célébrations et la reconnaissance de la vraie signification de Noël, cadeaux ou pas. Mais j'avais attendu longtemps pour avoir un enfant. Et j'avais hâte de vivre la joie des parents lorsqu'ils placent des cadeaux sous l'arbre sachant qu'ils combleront leurs enfants.

Un après-midi du début de décembre, je revenais à la maison en écoutant la radio quand j'ai entendu un homme raconter que sa cour était remplie de vieux camions Tonka qu'il vendait pour deux ou trois dollars chacun. Les jouets nécessitaient certes des réparations, mais ils étaient robustes et pouvaient être remis en état. Ryan avait joué avec des Tonkas dans la maison d'un ami et il les adorait. C'était le cadeau idéal pour lui, et je connaissais le gars idéal pour effectuer les réparations.

J'étais tellement excitée. Je ne me suis même pas arrêtée pour appeler Mike et lui demander ce qu'il en pensait. De toute façon, il était encore au travail. Je me suis directement dirigée vers l'adresse que l'homme avait donnée à la radio. C'était bien comme il l'avait expliqué : il y avait des douzaines de camions, mais ils avaient tous besoin de beaucoup de réparations. J'ai fait le tour de la cour pour trouver les plus beaux spécimens de la collection. Dans le cas de certains, des pièces en caoutchouc étaient brisées, et j'ignorais comment on pourrait les réparer. Finalement, j'ai trouvé deux camions vraiment usés, mais dont toutes les composantes étaient intactes. J'ai donné quatre dollars et cinquante au type, presque la totalité de ma réserve de Noël. L'homme a chargé les camions de métal dans le coffre de ma voiture, et je me suis dirigée vers l'atelier de carrosserie et de peinture où travaillait Mike.

Juste au moment où il se préparait à partir, je me suis arrêtée près de sa voiture et je lui ai expliqué mon idée. Nous pourrions offrir à Ryan un cadeau commun. J'avais acheté les camions et il pourrait les réparer et les remettre à neuf. J'étais sûre que Mike avait du papier-émeri et des outils, même si je n'étais pas certaine en ce qui concernait la peinture. Lorsque j'ai ouvert le coffre et que je lui ai montré les camions, il a compris mon enthousiasme — en partie parce que ce serait un fameux cadeau pour Ryan, un présent qui ramènerait Mike à sa propre enfance et aux joies de petit garçon, et en partie parce que ce serait un projet vraiment agréable pour remplir ses soirées solitaires. Je pensais bien que le projet l'intéresserait. Mais il était bien plus qu'intéressé, il était transporté de joie.

Alors que nous nous tenions là devant le coffre ouvert, le patron est venu vérifier la raison de toute l'excitation. Mel était devenu un ami de la famille, et il adorait Ryan. Il avait environ soixante ans, mais j'imagine que les hommes de tous les âges aiment les camions jouets, puisqu'il n'a pas pu s'empêcher de les retirer du coffre et de les examiner en même temps que Mike.

« Quelle idée extraordinaire, a-t-il lancé, retournant le tracteur dans ses mains. Du vrai métal… c'est pas possible ! Je vais te dire quelque chose, Mike. Sens-toi libre d'utiliser tous les outils ou le papier-émeri de l'atelier dont tu as besoin. Tu peux même en apporter à la maison ce week-end. Et quand tu seras prêt à peindre, tu peux utiliser les restes de nos travaux de peinture à jet. Ryan va adorer ces camions. »

Il avait raison. Ryan les a aimés à deux ans et demi et il les aime encore maintenant, à dix-huit ans ; il a conservé ses deux Tonkas. Quand il a été assez vieux pour comprendre, je lui ai expliqué comment son père avait passé des heures et des heures à remettre ces vieux camions complètement à neuf, seulement pour lui. Ryan ne joue plus avec ses camions, et son père est parti. Mais il peut les prendre dans ses mains en tout temps, les regarder et caresser leur surface lisse. Un jour, il les donnera à ses propres enfants. Mais pour le moment, ils sont une preuve métallique et solide qu'il avait été l'objet de beaucoup d'amour.

— *Teresa Ambord*

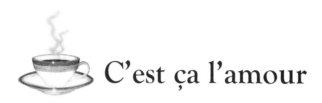 # C'est ça l'amour

Même si leur soixantième anniversaire de mariage approche, mes parents se font encore les yeux doux. Ils sont ensemble depuis le collège et manifestent leur amour si ouvertement que leurs petits-enfants se sentent parfois gênés.

Maman masse les pieds de mon père pendant qu'ils regardent la télévision. Elle lui fait la lecture à voix haute, taille ses poils d'oreilles et fait bouffer son oreiller chaque soir. Elle fait des croisières parce qu'il aime la mer ; elle s'assure toutefois d'apporter un best-seller dans ses bagages.

Elle le laisse faire l'épicerie puisque ça lui plaît. Elle sait qu'il rapportera à la maison au moins dix articles en plus et que trois d'entre eux seront une boîte de bouilli de bœuf Dinty Moore, un sac de haricots rouges séchés et une brique d'une sorte de crème glacée bizarre ; une fois, c'était de la crème glacée aux ananas et aux bleuets. Elle a même pu en déguster un bol, mais seulement un. Il a mangé lui-même tout le reste.

En fredonnant « L'amour est un violon », elle l'attire à ses pieds en disant « Bill, danse avec moi », et il s'exécute. Le chien jappe et saute sur eux pendant qu'ils valsent dans la pièce, et Papa la fait tournoyer dans ses bras.

Souriant de béatitude, mon père s'assoit pendant des heures dans la division de souliers de Nordstrom pendant que Maman essaie des chaussures sobres à talons hauts et des escarpins noirs lustrés. Il sourit en plaçant quatre paires de nouveaux souliers dans le coffre de leur Taurus.

Un jour, ses cheveux blancs brillant comme du glaçage à gâteau, Maman est sortie de sa chambre revêtue d'une combinaison à pois, sanglée par une large ceinture richement ornée d'une boucle d'argent. Mon père lui a dit qu'elle était « une maman super sexy ». Elle a souri, très satisfaite d'elle-même.

Mon père garnit le garde-manger de ses aliments préférés : des tablettes Hershey, des coupelles de beurre d'arachides Reese et des biscuits à la farine complète recouverts de chocolat. Il brasse une autre fournée de riche sauce au chocolat pour sa coupe glacée quotidienne. Il ne se moque pas d'elle quand elle place des piles à l'envers dans une lampe de poche. Il réchauffe la voiture pour elle en hiver, fait griller des steaks juste comme elle les aime, confectionne des biscuits maison le dimanche matin et ne manque jamais une chance de lui dire qu'elle est magnifique.

Mais il n'a jamais vraiment su quoi lui acheter comme cadeau de Noël. Il a l'habitude de sortir discrètement à 21 h la veille de Noël et de se rendre dans un grand magasin. De retour à la maison à 22 h avec des sacs de plastique remplissant la pièce de froissements, il veille tard en se débattant avec le papier d'emballage, le papier adhésif et le ruban. Année après année, les mêmes deux cadeaux apparaissent sous l'arbre pour ma mère : une boîte de chocolats assortis et un gros flacon de parfum Prince Matchabelli. Maman paraît toujours surprise en les développant. Puis elle se déplace tout spécialement à travers la pièce pour déposer un baiser sur sa joue.

Peu après l'Action de grâces, après cinquante ans de mariage, Papa laissa entendre qu'il avait acheté un cadeau de Noël pour son épouse. Je le regardai fixement. C'était la première fois qu'on entendait mon père dire qu'il avait fait des emplettes de Noël en novembre. Et de toute évidence, il était très content de lui.

Le matin de Noël, je fouillai sous les branches de l'arbre et je trouvai un énorme paquet qui ressemblait à une boîte contenant un manteau. Je retournai l'étiquette écrite de la belle écriture en pattes de mouche de mon père et lut : « À mon épouse bien-aimée ». Je le secouai. Pas de cliquetis. Ce n'était certainement pas une boîte de chocolats assortis ni un flacon de parfum camouflés.

Je le tendis à Maman. Elle me regarda en levant les sourcils. Je haussai les épaules, et nous tournâmes tous les deux notre regard vers mon père. Il était sur le point d'éclater.

« Ouvre-le. Ouvre-le », supplia-t-il, agitant ses mains.

Pendant que Maman grattait les coins de la boîte avec son ongle, pour ne pas déchirer le papier, mon père semblait au supplice.

« Dépêche-toi, dépêche-toi », dit-il, sautant sur sa chaise.

« Mais mon chéri, c'est un énorme morceau de papier. Je peux le réutiliser. »

« Je t'achèterai tout le papier d'emballage que tu veux et même plus. Ouvre-le seulement », implora-t-il.

Finalement, elle fit glisser le papier décoré de pères Noël, le plia en quatre, le mit de côté et commença à défaire le ruban adhésif sur l'un des côtés de la boîte. Mon père ne pouvait plus se contenir. Il bondit de sa chaise et déchira le ruban d'un mouvement brusque qui arracha presque le dessus de la boîte. Puis il changea d'idée, lui tendit à nouveau la boîte et s'assit en répétant : « Dépêche-toi, dépêche-toi. »

Maman enleva le papier de soie et en retira une sortie de bain matelassée rose, décorée d'applications de marguerites autour du collet et le long de l'unique poche. Elle sourit en murmurant : « Oh, Bill, mon chéri. »

Mais elle refusa absolument de me regarder dans les yeux.

Je contemplai mes genoux et me mordis les joues pour éviter de pouffer de rire.

Mon père déclara : « Dès que j'ai aperçu cette sortie de bain, Mary, je savais qu'elle était faite pour toi. Je l'ai regardée et j'ai pensé : *Cette robe de bain ressemble juste à ma Mary.* Je n'ai même pas vérifié le prix. J'ai simplement trouvé une commis qui semblait de ta taille et de ta grandeur et je lui ai demandé de trouver la bonne taille. Et je l'ai achetée. »

J'étais encore plus émerveillée par l'attitude de ma mère qui ne lui révéla jamais que la sortie de bain qui « lui ressemblait » était identique à celle qu'elle portait chaque matin depuis les cinq dernières années.

Elle donna la vieille robe aux bonnes œuvres et elle porta la neuve pendant encore cinq ans.

C'est ça l'amour.

— Peggy Vincent

 # Joey et le terrain d'arbres de Noël

Dans le quartier de mon enfance, chaque mois de décembre, un terrain d'arbres de Noël surgissait. Comme par magie, un lieu très ordinaire, un terrain sec sur un coin de rue, devenait une forêt qui sentait les hautes montagnes.

À peine quelques heures après l'arrivée du premier camion chargé de sapins et d'épinettes, tous les enfants de notre pâté de maisons connaissaient l'existence du terrain rempli d'arbres, et une douzaine d'entre nous nous précipitions vers le site. Les deux jeunes hommes responsables étaient chaleureux, des types généreux qui essayaient de gagner honnêtement de l'argent. Ils dormaient dans une tente à côté de la maison et mangeaient dans la section rafraîchissement de la pharmacie Thrifty, en face de l'avenue Vermont.

Ma famille vivait près de l'Université de la Caroline du Sud, à Los Angeles, dans une maison victorienne délabrée qui avait besoin de peinture. C'était un quartier de la ville fort animé. Les chiens jappaient, les conducteurs klaxonnaient, les enfants hurlaient, les tramways grondaient, les avions ronronnaient dans le ciel, les geais bleus poussaient des cris stridents et les colombes roucoulaient. Le soir, nous entendions les disputes de voisins, le miaulement des chats, la stridulation des criquets et le hurlement des sirènes dans le lointain.

Dans ce quartier, nous apprenions à connaître les étudiants des cycles supérieurs, les familles noires et latino-américaines, les Asiatiques qui tenaient de petits commerces dans le quartier et les Strelnikov dont les deux filles aux cheveux blonds écrivaient en langue russe. Sur la 35e avenue, deux résidences accueillaient des veuves âgées qui se berçaient sur le balcon avant et qui étaient toujours disponibles pour les enfants. Ils nous appartenaient, ils faisaient partie de notre univers particulier, un pâté de maisons qui ne ressemblait à aucun autre. Nous avions M. Parker qui était sourd et qui faisait l'entretien des appartements voisins. Dans l'un des appartements, Penny bûchait sur son doctorat en psychologie. Elle avait un amoureux et tout le monde chuchotait à ce sujet. Mme Clark, une dure à cuire fumant cigarette sur cigarette, qui vivait au-dessus de Penny, était cuisinière dans un café du centre-ville ouvert toute la nuit. Nous avions aussi les Richmond qui avaient huit enfants et mangeaient du steak le jour de la paie. Et nous avions Joey.

Joey apparut un automne, un peu avant l'ouverture du terrain d'arbres de Noël. Les enfants le connurent le jour où la famille emménagea. Gail Rinn l'aperçut sur la pelouse, assis seul ; c'était un petit garçon aux cheveux noirs, sans bras, arborant un grand sourire. Parce que ses jambes n'étaient pas normales, il ne pouvait marcher, mais il se déplaçait sur les fesses, examinant toutes sortes de choses sur la pelouse et les parterres de fleurs. Joey disait bonjour à tous ceux qui passaient devant lui.

Je pris mon vélo pour aller le voir. Je ne savais quoi lui dire. Alors je dis : « Salut ! »

Les immenses yeux souriants et lumineux de Joey m'assurèrent qu'il était heureux de me rencontrer. Nous bavardâmes.

Il me dit : « Même si tu as douze ans et que j'en ai neuf, nous lisons les mêmes livres, alors on peut être des amis. » Il me regarda dans les yeux et me charma. « Je t'ai vue faire des acrobaties avec ton vélo sur la rue. Tu es aussi bonne que les cyclistes de cirque. Tu devrais lancer ton propre cirque, tu sais. »

Quelles bonnes idées de la part d'un si petit garçon.

Je répondis : « Notre chat peut exécuter certains tours. Il pourrait en faire partie. Et ma sœur peut se tenir la tête en bas sur un trapèze dans l'arbre. »

« Si tu fais le cirque, je veux venir te regarder pratiquer. »

La mère de Joey, une femme aux cheveux foncés, arriva et s'assit sur une chaise sur la véranda. Son mari était étudiant au doctorat, m'expliqua-t-elle. Ils demeureraient à cet endroit pendant quelques années.

J'enfourchai mon vélo aux pneus immenses, muni d'un énorme panier rouillé sur la roue avant. « Qu'est-ce qui est arrivé à Joey ? »

Joey et sa mère ne cherchaient nullement à taire sa condition. Mais ce n'est que plus tard que je comprendrais la cause des terribles malformations de Joey alors qu'il était encore un fœtus en croissance.

Gail Rinn arriva de l'autre côté de la rue pour se joindre à nous. Elle invita Joey à sa fête d'anniversaire, la semaine suivante. Pendant la fête, nous découvrîmes plusieurs choses étonnantes sur Joey. Tous les invités étaient assis en cercle sur le tapis pour manger, surveillant avec une crainte mêlée d'admiration Joey qui prenait sa fourchette entre ses orteils et coupait soigneusement son gâteau, puis le mangeait, morceau par morceau, sans en laisser tomber une seule miette sur le tapis. Nous découvrîmes aussi qu'il dessinait et qu'il écrivait, et même qu'il jouait à des jeux de société avec ses pieds. En quelques jours, tous les enfants du voisinage avaient d'emblée accepté Joey.

C'est ainsi que le jour de l'arrivée des arbres de Noël, je conduisis mon vélo jusqu'au pâté de maisons, espérant y trouver Joey et être la première à lui apprendre les nouvelles.

« Je le sais déjà, déclara-t-il. Ça semble merveilleux. »

« Je voulais te le dire en premier ». Je voulais faire de bonnes actions pour Joey. Il était une force tranquille, un être de courage.

Il dit : « Peut-être que je peux m'arranger pour que ma mère m'emmène et que je jette un coup d'œil. »

Je répondis : « Tu connais l'odeur d'un arbre de Noël ? Imagine qu'il y en a des centaines. C'est comme dans les montagnes. » Je pris une petite inspiration, respirant l'air de l'après-midi, et je roulai mon vélo d'avant en arrière alors que je me tenais sur le trottoir.

Ses yeux s'agrandirent pendant qu'il me regardait. « De quoi ça a vraiment, vraiment l'air ? »

« Les arbres de Noël ? »

« Non, conduire ton vélo. » Bien sûr, il ne pouvait pas savoir. « Raconte-moi ce que c'est. »

Si je pouvais seulement lui expliquer assez bien, peut-être qu'il pourrait l'imaginer. « C'est merveilleux de pédaler fort et d'aller vite. Quelquefois, c'est très difficile de monter une côte, et c'est terrifiant quand une voiture passe trop près ou quand on sort d'une courbe et qu'on tombe en faisant un bruit sourd. Mais c'est super amusant. »

« J'aimerais comprendre comment on se sent. » Il soupira et il regarda autour comme s'il cherchait un moyen.

Pour la première fois, je me plaçai dans la peau et dans le cœur d'une personne handicapée. Il ne conduirait jamais un vélo. Il y avait là cet enfant extraordinaire avec sa vivacité et son bon cœur, et il ne ferait jamais quelque chose que moi j'adorais, une simple action comme conduire un vélo.

Il se déplaça rapidement à travers la pelouse pour se rapprocher de moi et se mit à examiner mon engin. Les manches vides de son chandail flottaient dans le vent léger qui soufflait. « Il semble assez gros pour les objets que tu transportes. Comme j'aimerais que tu me places dans ce panier et que tu m'emmènes faire un tour. Mais je sais que tu ne pourras jamais. »

Son visage était délicat, ses joues roses respirant la santé. Je clignai des yeux. Puis je sentis le défi et je ne pouvais l'ignorer. « Je suis capable, tu sais. Je sais comment. Mais ce serait beaucoup trop dangereux. »

« Ça ne me fait rien. » Il jeta un regard sur le vélo, ses yeux brillant d'espoir. « Je n'ai pas peur. Je veux le faire plus que toute autre chose. »

« Mais qu'est-ce qui va arriver si j'ai un accident ? »

« Ça ne t'arrivera pas. Je sais que ça ne t'arrivera pas. Je t'ai vue faire des acrobaties de cirque avec Gail et je t'ai vue conduire avec ta sœur à l'arrière. Tu n'auras pas d'accident. »

« Ta mère sera fâchée contre moi. » Avais-je déjà décidé que je pouvais tenter l'aventure ?

« Ce n'est pas ton idée. C'est la mienne. Je lui dirai que je t'ai convaincue. Je ne te laisserai pas avoir des problèmes. Crois-moi. Il faut le faire. »

Mon cœur battait plus vite. C'était un gros risque, beaucoup plus grand que de sauter du toit du garage au moyen de la corde attachée à l'avocatier.

Je me penchai sur le vélo, observant ses yeux brillants, évaluant les options. La dernière fois que j'avais eu un accident, c'était quand nous avions pratiqué à nous tenir debout sur nos sièges de vélo en faisant des arabesques de ballet. La question était : *Est-ce que je serais assez sérieuse, est-ce que je porterais assez attention pour être totalement certaine que Joey serait en sécurité ?*

« S'il te plaît, demanda Joey, tout petit sur la pelouse. Je veux réellement que tu m'emmènes. Je le veux tellement. Tu dois faire ça pour moi. Personne ne serait jamais capable, seulement toi. » Il hésita : « Rien ne va arriver, allez. »

Je descendis, abaissai la béquille pour que le vélo se tienne solidement sur le trottoir et marchai vers Joey. Il ne paraissait pas tellement lourd.

« Oh, oui, dit-il. Fais juste me prendre et place-moi là. »

Je le levai maladroitement, alors que ses vêtements glissaient autour de son corps. Il était plus lourd que je ne le croyais. Immobilisant la roue avant de mon vélo à l'aide de mes jambes, je l'installai avec soin dans le panier. « Est-ce que ça va ? »

Il se roula légèrement en boule, ses jambes croisées devant lui. « D'accord. C'est bien. Où allons-nous d'abord ? »

Tenant le guidon bien fermement, je montai sur le siège, je donnai un coup sur la béquille pour la relever, et je poussai doucement pour mettre le vélo en marche.

Joey commença immédiatement à siffler d'allégresse. « C'est super, dis donc. C'est super, le vent. » Il se mit à donner des ordres. « Va pas trop vite. Ne roule pas dans la rue. Fais attention. Va plus vite. Tu peux maintenant aller plus vite. »

Son poids à l'avant compliquait la conduite. Nous roulâmes sur le trottoir, dépassant les maisons et les pelouses et les voitures stationnées. Nous nous engageâmes sur la pente d'une allée, et Joey eut le souffle coupé. Loyale et responsable, je faisais bien attention de conduire doucement et de garder la roue avant bien droite, sans secousses et sans mouvements brusques. Puis la pente d'une autre allée, Joey sifflait, riait et poussait des cris perçants. Je riais. Puis il poussa un hurlement, un long hurlement plaintif de triomphe. « Ouuuuuuiiiiiihhhh ».

« Tu n'as même pas peur », lançai-je.

« C'est tellement extraordinaire. » Il haleta d'excitation. « C'est extraordinaire. Allons tout droit au coin de la rue. »

C'était simplement une ballade en vélo, juste une ballade. Mais Joey avait le vent dans le visage, les gens passaient à toute vitesse, et tout ce risque pour la première fois.

Habituellement autoritaire avec de plus jeunes enfants, j'étais heureuse de satisfaire aux demandes de Joey. La ballade lui appartenait. Je demandai : « Veux-tu aller voir les arbres de Noël ? »

« Oui, allons-y. Mais fais bien attention. Pas trop vite. C'est super. Je les vois ! Ralentis. »

Nous nous approchâmes des rangées denses d'arbres à feuillage persistant, rigides dans leurs supports en forme de X. Je cassai une petite branche et je la plaçai sous le nez de Joey. Je dis : « J'adore cette odeur. »

« Allons à l'intérieur, dit Joey. Allons directement entre les arbres. Comme dans une vraie forêt. »

Les types responsables des arbres étaient occupés avec des clients. Je poussai le vélo dans l'espace secret caché entre deux rangées. Les branches souples frôlaient mes bras et le visage de Joey. Il se pencha en avant pour protéger ses yeux, riant nerveusement et poussant de petits cris perçants. Une odeur franche de forêt se détachait des aiguilles pendant que nous roulions dans l'allée étroite.

« J'adore ça, dit Joey. C'est la chose la plus merveilleuse. »

Quand nous retournâmes à sa maison, la mère de Joey sortit, surexcitée et furieuse. « Je ne peux croire que tu l'as emmené. C'était de la bêtise pure. » Sa voix était aussi stridente que celle d'une désaxée. Elle attrapa son fils dans ses bras, hurlant encore. « C'est mon garçon, mon garçon. »

Je voulais lui dire que nous avions vécu une merveilleuse aventure. Je voulais lui expliquer. Sa mère le tenait droit, criant par-dessus la tête quelle stupide fille j'étais.

Joey hurlait sans s'arrêter. « Tout ça, c'était mon idée à moi. » Il essayait de se faire entendre par sa mère. Mais elle était trop bouleversée. Les deux se crièrent des mots jusqu'à ce qu'elle l'emmène à l'intérieur de la maison et me laisse debout dans leur cour.

Dans sa peur, la mère de Joey ne pouvait imaginer que ce qu'elle aurait pu perdre et ne pouvait concevoir la joie qui avait été donnée à son enfant. Mais je le savais et Joey le savait aussi. Et nous saurions toujours le pouvoir étonnant de notre glorieuse aventure au terrain d'arbres de Noël.

— *Barbara Hazen Shaw*

Inestimable et éternel

Papa fixa le support de bois sur notre arbre de Noël étendu sur le plancher du salon, dont le faîte pouvait atteindre le plafond. Pendant ce temps, ses cinq enfants l'encourageaient, décorations à la main.

« Ça devrait fonctionner », dit-il, remuant le support pour s'assurer de sa solidité.

Attrapant le milieu du tronc, il le tira vers lui pour relever l'arbre énorme qu'il poussa jusque dans un coin au fond de la pièce. En sifflant « Ça bergers », il attacha les lumières. Puis, hissant sa puissante charpente sur une chaise, il fixa en haut de l'arbre un ange aux cheveux bouffants dont le halo déformé me fit sourire.

« Nous avons besoin d'un nouvel ange, lança mon frère Clifford. Ses ailes ressemblent à un planeur prêt à décoller. »

« Chut ! » murmurai-je. Nous étions en 1944, et avec la pénurie du temps de guerre, je savais qu'il était impossible de remplacer des anges, ou n'importe quoi d'ailleurs, de manière irréfléchie.

La plupart de nos voisins avaient choisi des arbres du terrain d'arbres de Noël des Anderson, mais Papa avait emprunté le camion de M. Tatton, remonté la pente froide et enneigée du flanc de la montagne et coupé lui-même notre arbre — son cadeau de Noël pour ses enfants.

Bientôt, nous fûmes occupés à suspendre des décorations fabriquées à la main, à confectionner des guirlandes de maïs soufflé et à défroisser chaque glaçon de papier d'aluminium avant de le placer soigneusement sur l'arbre géant. Celui-ci jetait une faible lueur chatoyante.

Mon frère de seize mois, Stan, montrait du doigt son reflet dans une décoration rouge vif. « Bébé », rit-il, en pressant son nez contre la boule rougeoyante.

Papa rit, se pencha et embrassa Stan sur la joue. Je pouvais presque sentir la douce moustache de Papa sur ma propre peau. Je souris et m'assis sur le sofa, attendant que Papa lise comme tous les ans le conte de Noël, une tradition de la veille de Noël dans notre foyer.

J'avais alors neuf ans et demi. Pendant des semaines et des semaines, mes frères, Charley, onze ans, et Clifford, sept ans, et moi, avions épargné tout l'argent que nous avions pu gagner et trouver. Nous avions tous trois ratissé des feuilles, pelleté de la neige, livré des journaux et fait du baby-sitting. Nous nous étions rendus jusqu'au champ de foire après la fête foraine de la ville pour trouver des pièces de monnaie qui pourraient avoir été échappées. Papa l'ignorait, mais nous, les enfants, avions concocté un plan et même notre mère était dans le coup.

« Qu'est-ce que vous aimeriez recevoir pour Noël ? » demanda Papa lorsqu'il nous vit feuilleter le catalogue de Noël de Sears.

Maman sourit et fit un clin d'œil. Je lui rendis son clin d'œil.

« J'aimerais une trousse de médecin », répondirent Charley et Clifford.

« Moi aussi ! » ajoutai-je.

Haussant les sourcils au-dessus de ses lunettes, Papa nous regarda l'un après l'autre de ses yeux noisette. « C'est ce que vous avez eu l'année dernière, répondit-il. N'aimeriez-vous pas quelque chose de différent ? »

Mes frères et moi échangeâmes des airs complices et hochâmes la tête. Nous savions que, en plus des trousses de médecin, un énorme bas de Noël plein à craquer de bonbons et de noix, une pomme rouge acidulée à l'extrémité et une orange juteuse au niveau du talon, attendrait chacun de nous le matin de Noël. Nous savions aussi que le frère ou la sœur qui aurait choisi notre nom nous ferait la surprise d'un yoyo, d'une boîte de couleurs aquarelle ou d'un précieux livre acheté à la vente de bienfaisance de la bibliothèque. En plus, avec nos trousses de médecin, nous pourrions donner à chacun des piqûres imaginaires, écouter les battements de cœur avec les stéthoscopes de plastique et rationner ces pilules de bonbon miniatures multicolores pour qu'elles durent jusqu'à Pâques. Le plus important, nous savions que nos parents avaient les moyens d'acheter ce que nous avions choisi.

Maman enseignait la cinquième année. Papa était le directeur de son école et de deux autres. Ayant dix-huit ans de plus que ma mère, qui était plus désinvolte, Papa appartenait à ce qu'il aimait appeler « la vieille école ». Cela signifiait qu'il faisait passer périodiquement des tests standardisés à tous les élèves de ses trois écoles pour évaluer leurs progrès scolaires, et il vérifiait personnellement chaque réponse au moyen d'un corrigé, crayon rouge à la main. Chaque test comportait plusieurs sections, chacune étant chronométrée. La surveillance de l'heure était quelque chose que Papa faisait souvent.

La correction des tests ne le dérangeait pas, mais leur administration le perturbait quelque peu. Plusieurs semaines plus tôt, lorsqu'il était venu faire passer les tests dans ma classe, je l'avais observé alors qu'il attendait que la trotteuse de l'horloge sur le mur soit en haut, puis il prononçait ces mots terrorisants : « Vous pouvez commencer ! », et plus tard, « Arrêtez ! » C'est alors que m'est venu l'idée du cadeau de Noël.

« Si on veut que ça arrive à temps, je dois passer la commande dès demain », expliqua ma mère dix jours avant Noël.

Chaque soir avant d'aller au lit, Charles, Clifford et moi comptions l'argent que nous avions épargné. Nous avions besoin de trois dollars supplémentaires.

« On pourrait vendre des bonbons de Noël fabriqués à la main », suggérai-je.

« Ou peut-être de la tire au vinaigre ? suggéra Clifford. On pourrait en colorer une partie en rouge et l'autre en vert. »

Maman hocha la tête. « Bonne idée. Je vais vous aider. »

Charley mesura le sucre, l'eau, le beurre et le vinaigre et plaça le tout sur la cuisinière pour faire bouillir le mélange. L'odeur dans la cuisine était pire que lorsque Maman avait versé le produit de rinçage au vinaigre après m'avoir lavé la tête. Lorsque le mélange fut réduit, Maman en laissa tomber une goutte dans l'eau froide.

« C'est prêt ! déclara-t-elle. Vous voyez la boule solide ? »

Elle versa la tire dans des moules à tarte pour la laisser refroidir et ajouta le colorant alimentaire. Nous beurrâmes nos mains, et tirâmes, étirâmes et torsadèrent jusqu'à ce que la tire change de texture. Rapidement, nous plaçâmes les rubans de tire sur du papier ciré couvert de sucre en poudre. Empoignant ses longs ciseaux de cuisine, Maman coupa la tire en morceaux de la taille d'une bouchée.

« Habillez-vous chaudement », ordonna-t-elle pendant que nous nous préparions à faire du porte-à-porte à travers le quartier pour vendre nos rubans de bonbons. « C'est froid à l'extérieur. »

« Tu prends ce côté-ci de la rue, dis-je à Charley. Clifford et moi irons de l'autre côté. »

Pendant une heure, nous marchâmes péniblement dans la neige, frappant aux portes, recevant le plus souvent un « Non, merci ! », vendant à l'occasion quelques morceaux de tire. Mes mains et mes orteils étaient gelés comme des glaçons.

« Ce bonbon est probablement gelé bien dur, dit Charley. Je sais que moi je le suis. »

Clifford souffla sur ses mains. « Moi aussi. Est-ce qu'on peut retourner à la maison ? »

Je lui lançai un de mes regards. « Essayons l'autre pâté de maisons. »

Pendant que nous grimpions la côte abrupte, le vent sifflait à travers nos manteaux et les branches glacées des grands chênes s'entrechoquaient. En haut de la côte, au coin de la rue, de la musique émergeait de la maison du Dr Whiting. Un feu brûlant brillait à travers la baie vitrée, et le salon était rempli d'invités.

« Laissons tomber cette maison, déclara Charley. Ils ont une fête de Noël. »

C'était trop tard. Mme Whiting devait nous avoir repérés. La porte s'ouvrit grande, et une grande femme au visage chaleureux sourit à trois enfants à moitié gelés.

« Voulez-vous acheter de la tire de Noël ? » demanda Charley, en claquant des dents.

« Je crois que oui », répondit-elle. Sans demander le prix, elle prit les bonbons qui restaient et, après avoir échangé quelques mots avec son mari, elle glissa trois dollars dans la poche du manteau de Clifford.

Dévalant la côte jusqu'à notre maison, nos pieds touchaient à peine le sol.

À présent, c'était la veille de Noël. Le bois craquait dans le foyer, et une chaleur douce remplissait la pièce.

Le reste de la famille m'avait rejointe sur le sofa, où nous nous assîmes pour contempler notre arbre nouvellement décoré avec l'ange à la couronne légèrement abîmée.

« C'est le temps du conte de Noël », annonça Papa.

Il ouvrit la Bible familiale et commença à lire le récit habituel de la naissance de l'enfant Jésus, pendant que Maman, ses yeux bruns tout brillants, berçait son propre jeune fils dans ses bras.

À la fin du conte, nous nous réunîmes autour de notre ancien piano droit. Charley joua de l'instrument, et nous chantâmes tous les couplets de mon chant de Noël favori « Sainte nuit ». Je pensai à Marie, à Joseph et à l'enfant Jésus. Je pensai aussi aux bergers dans les champs et aux Rois mages qui avaient voyagé de si loin, apportant des présents à partager avec l'enfant saint. Pendant que je chantais, l'esprit de Noël m'enveloppait, remplissant mon cœur, touchant mon âme.

Plus tard, alors que je reposais en haut dans mon lit, je pensai à un autre cadeau… le cadeau spécial.

« Il est enveloppé et caché sous l'arbre, murmura Maman, m'enveloppant dans les couvertures et m'embrassant sur la joue. Je vais le dire aux garçons. »

Lorsque le matin de Noël se leva, nous nous plaçâmes en ligne dans le corridor au rez-de-chaussée, du plus jeune au plus âgé. Nous ne pouvions pénétrer dans le salon, pas avant que Papa y ait jeté un coup d'œil furtif, ait allumé les lumières de l'arbre et ait annoncé de sa voix tonitruante : « Le père Noël est passé ! »

Nous attendions joyeusement, mais la période d'attente ne dura pas longtemps. Les yeux rayonnants, nous entrâmes dans le salon en trottinant. Sous l'arbre, des cadeaux emballés de couleurs gaies nous attendaient, et nos bas se trouvaient au même endroit que chaque Noël, suspendus sur le dos du sofa comme des poupées de guenilles colorées et remplis à craquer de bonbons et de noix.

Nous prîmes chacun notre bas et nous installâmes à un endroit du plancher pour récolter les surprises qui nous attendaient. Maman présenta à Papa les cadeaux un à la fois il lisait « À Mary, du père Noël » ou à Charley, de Kaye » — jusqu'à ce que tous les cadeaux aient trouvé un propriétaire.

Un seul enfant à la fois ouvrait ses cadeaux, en commençant par le plus jeune. Ceux qui restaient savouraient la joie et l'excitation de l'heureux destinataire. J'aidai mon petit frère Stan.

Étant le plus vieux, Papa ouvrait toujours son cadeau en dernier. Ce Noël lui avait apporté la panoplie habituelle de produits de première nécessité : une paire de bas, une énorme gomme à effacer pour son travail à l'école, trois crayons rouges, et un petit portefeuille rabattable de cuir pour la petite monnaie. Il reçut chaque cadeau avec un sourire expansif et un « merci » qui venait du cœur.

« Bien, annonça Papa alors que seul du papier d'emballage usagé jonchait le tapis usé, nous avons eu un merveilleux Noël. »

« Attends une minute, lança Maman. Je crois qu'il y a un autre cadeau. »

Allongeant le bras dans les branches odorantes du pin, elle en tira un petit paquet enveloppé de papier doré et attaché avec du ruban. « À Papa », annonça-t-elle en lui tendant le cadeau.

Papa déballa lentement la boîte et regarda à l'intérieur. Un long soupir rompit finalement le silence. Des larmes glissèrent sur les joues de mon père alors qu'il tenait par sa chaîne dorée un chronomètre de dix-huit dollars pour que nous puissions tous admirer son trésor. Puis, il ouvrit le boîtier et d'une voix frémissante, lut l'inscription : « À Papa, avec notre amour. »

Bien des années ont passé depuis ce temps, et de nombreuses fêtes de Noël sont venues et s'en sont allées, mais le jour de Noël où Papa a reçu son cadeau spécial demeurera toujours mon préféré.

— *Mary Chandler*

Cette histoire a d'abord été publiée dans la revue *GRITT*, le 12 décembre 2000, sous le titre « Dad's Special Gift ».

Simplement magique

Il fait noir. La brillante luminosité des étoiles lointaines fait étinceler le ciel. Il fait froid. Et les rires et les bavardages d'anticipation excitée font s'exhaler des bouffées de fumée de chaque souffle joyeux. Tout le monde est heureux. Maman, Papa, et les cinq enfants — de onze mois à sept ans. Nous revenons de la messe de la veille de Noël et nous avons hâte de déguster un délicieux repas.

D'accord, en vérité, c'est un McDonald's. Mais il n'y a pas trop de monde au comptoir de vente à l'extérieur et les serveurs ont finalement bien pris notre commande. Nous nous assoyons devant notre repas. Les chants de Noël jouent doucement. L'arbre de Noël brille. Des frites à la lumière des chandelles. La soirée s'écoule rapidement.

Il est presque temps d'aller dormir.

« Maman, les biscuits ! » La voix de notre fille traduit une urgence suggérant que le père Noël sera frappé par la famine si nous ne lui offrons pas de biscuits.

J'ouvre le contenant de plastique, et notre fille dispose soigneusement les biscuits sur une assiette décorative de carton. Pendant qu'elle s'affaire méticuleusement à choisir la palette de couleurs, les formes et la saveur de l'assiette, le bébé a flairé la délicieuse occasion. Pendant que notre artiste culinaire réfléchit à l'effet d'un morceau supplémentaire de biscuits aux pépites de chocolat ou de biscuits saupoudrés de sucre sur la composition du goûter du père Noël, notre rusé bébé s'est avancé. Ses minuscules doigts potelés se cramponnent à l'extrémité de la table. Furtivement, il se hisse. Aussi rapidement que le scintillement du nez d'un renne, le bébé empoigne un biscuit, tombe sur son derrière et s'éloigne en rampant à la vitesse d'un guépard.

« Maman ! » hurle notre petite fille.

Je soulève le bébé au moment où il avale sa prise sucrée. « Ne t'en fais pas. Je vais le mettre au lit. »

Je gravis l'escalier avec lui ainsi que son frère de deux ans. Aucun ne proteste vraiment ; ils sont fatigués après une journée passée à jouer. Pendant que notre fille termine son chef-d'œuvre de biscuits, notre deuxième fils, qui éprouve des problèmes à prononcer certaines consonnes, l'examine d'un œil critique.

« Et si le 'ère Noël a foif ? » demande-t-il.

Notre aîné réfléchit sérieusement au problème, puis va chercher un crayon et du papier. Il appuie la gomme du crayon sur ses lèvres, se penche vers le papier et, résolument déterminé, il commence : *Cher père Noël*, écrit-il soigneusement en lettres carrées, formant chaque lettre suivant les instructions précises de son professeur de deuxième année.

« Qu'est-ce que tu écris ? » demande sa sœur toujours curieuse.

« Chut ! Il faut que je me concentre. » Il continue : *Le lait est dans le… — il est frappé de panique. « Papa, Papa. Comment ça s'épelle "frigidaire"? »*

Mon mari interrompt son balayage des frites. « R-é… »

« Comment ça se fait que "frigidaire" commence par un *r* ?, interrompt notre fille qui s'y connaît en phonétique. Frigidaire. *F-r-i… F-r-i. Je pense que c'est un f.* »

« Bien, en réalité, ça s'appelle un réfrigérateur », explique mon mari pendant qu'il balaie une frite mystérieusement mêlée à des aiguilles de pin.

« Ré-fri-gé-ra-teur. Ré-frigérateur », répète notre petite fille.

Le crayon de notre fils frappe la table avec impatience. « Comment ça s'épelle ? »

« *R-*, répond notre fille, *é-…* »

« Non ! » proteste notre élève de deuxième année, insulté. « Papa ! »

« Je voulais juste aider », répond notre élève de première année, blessée, en faisant la moue.

Mon mari commence : « *R-é…* tu l'as écrit ? »

« *F-r-i* — il vide le ramasse-poussière rempli de frites —, *g-é-r-a-t-e-u-r.* »

« Je l'ai. » Notre écrivain réfléchit, puis ajoute : *Merci d'être venu.*

Toutes les personnes présentes signent la note après le mot *Avec amour.* Mon mari écrit les noms des bébés.

Je descends les escaliers et j'annonce qu'il est temps d'aller au lit. Ce soir, ils sont consentants, et même pressés d'obéir, mais ils veulent d'abord vérifier une dernière fois la progression du père Noël. Nous nous connectons à Internet et nous nous rendons sur le site de NORAD, le Commandement de la défense aérospatiale de l'Amérique du Nord. De son poste situé dans le Nord canadien, cet organisme gouvernemental suit la trace du traîneau du père Noël et des rennes depuis le moment où ils sont partis du pôle Nord pour leur voyage à travers le monde. Nous atteignons le site et un dernier rapport nous est présenté. Une voix officielle annonce qu'actuellement, le père Noël quitte Rio de Janeiro. Nous visionnons le film qui montre son traîneau qui vole gracieusement autour du monument du Christ rédempteur et qui se dirige vers les États-Unis. NORAD prévoit que le père Noël arrivera dans notre ville natale autour de minuit.

« Il arrive ! Il arrive ! » applaudissent-ils.

« Venez. C'est le temps d'aller au lit », dis-je.

Ce soir, personne ne proteste. Ils courent tous en montant l'escalier. Je les suis lentement pour m'assurer qu'ils brossent leurs dents et récitent leurs prières. Ils savent qu'ils devront s'endormir. Le père Noël ne viendra pas tant qu'ils ne seront pas endormis. Mais c'est difficile de dormir. C'est impossible de dormir. Tout est tellement merveilleux. Demain, c'est Noël. Demain ! Un coup d'œil à travers la fenêtre. Puis un long regard fixe. La lumière rouge qui scintille sur le pylône radio — c'est… Est-ce que ça pourrait être ? Je voudrais aussi y croire. Mais si c'est Rudolf, ils doivent aller dormir. Maintenant. Le père Noël s'en vient.

Une course folle de petits pieds chaussés de bas, et des sauts rapides dans le lit. Les couvertures tirées avec amour sur eux et un moment de silence. Soudain, la tranquillité.

Puis une petite voix demande. « Est-ce que tu entends déjà le père Noël ? »

« Chut ! »

« Je pense que je l'entends ! »

« Chut ! »

Des gloussements et de doux murmures, et des murmures qui augmentent en intensité, et puis « Chut ! » Encore et encore. Mais finalement le « Chut ! » dure. C'est tranquille et ça demeure tranquille.

Dormir. Et puis, un bruit. Il est tard ou tôt, c'est le milieu de la nuit. Je suis réveillée et je fais ma ronde de mère, jetant un œil sur les enfants. Les bébés dorment à poings fermés, pelotonnés dans leur lit d'enfant, leur petit derrière vers le ciel. Mon autre petit homme est bizarrement installé dans le lit ; presque tout son corps évite la douceur du matelas et recherche le plastique dur de son lit en forme de piste de course. Je replace la couverture autour de ma fille dans le lit du bas, et comme je lève les yeux vers celui du haut, mon plus vieux se montre la tête.

« As-tu entendu ça, Maman ? »

« Tu dois dormir. »

« Je pense que c'est le père Noël. »

« Couche-toi. Je t'aime. »

« Est-ce qu'on peut vérifier, Maman ? »

« Vérifier ? »

Ses yeux brillants et sa foi innocente gagnent mon cœur. Peu importe quelques moments de sommeil de plus de perdus. Dans seulement une ou peut-être deux autres années, un bruit sur le toit la veille de Noël le fera peut-être simplement se retourner. Pour le moment, tout ce qui nous réveille tient la promesse de la magie de l'enfance.

« D'accord, mais nous ne descendons pas. Nous jetterons seulement un coup d'œil à partir de l'escalier. »

Il bondit de son lit, nullement fatigué.

« Oh, d'accord. » Et il commence une marche exagérée sur la pointe des pieds à travers la porte et dans le corridor.

Je prends sa main alors que nous descendons les marches. Mon propre cœur bat la chamade d'excitation. Un, deux, trois… à partir de la sixième marche, nous pouvons voir. Il y a seulement une veilleuse. L'arbre n'est pas allumé. La pièce est presque sombre, mais d'une certaine façon, les ombres brillent. Je regarde mon petit garçon, avec ses yeux grand ouverts et son large sourire. Il rayonne d'émerveillement et de bonheur.

« Tous ces cadeaux… Regarde ! Regarde les bas de Noël… Maman ! Maman, il a mangé les biscuits. Il a mangé les biscuits.

« Chut ! » Mais je suis encore plus heureuse.

Nous nous serrons de bonheur. Nous nous assoyons sur les marches et nous nous attardons dans cette merveilleuse nuit. Mais il est très tard, ou très tôt, et nous devons dormir un peu.

Mon petit garçon se précipite vers son lit. J'arrange sa couverture et lui donne un baiser sur la joue. Il tombe immédiatement endormi. Je demeure éveillée. Mes rêves sont des visions de joie. Demain, c'est Noël, mais le plus beau cadeau, c'est cette nuit.

— Barbara L. David

# Grand-mère, grand-père et Karen

Je n'avais pas vu mon grand-père depuis plus de cinq ans, même si je lui avais parlé au téléphone et que je lui avais écrit des lettres. La dernière fois que nous nous étions rencontrés, c'était aux funérailles de ma grand-mère. Lorsque mon mari Frank et moi avons finalement trouvé du temps et de l'argent pour voler vers l'Illinois pour passer Noël avec lui, j'étais surexcitée à la perspective de le revoir.

Je m'imaginais en train de traverser la porte de la même maison douillette dont je me souvenais des visites de mon enfance, la maison que Grand-père avait construite lui-même dans sa jeunesse. Sur le dessus des comptoirs, il y avait d'irrésistibles desserts maison. Une neige vierge, crissant sous les pas, recouvrait la cour avant, n'attendant que le prochain combat de balles de neige. Grand-père avait même promis d'acheter un véritable arbre de Noël.

Je pouvais parfaitement me représenter chaque détail, sauf… la nouvelle petite amie de Grand-papa.

Je ne l'avais jamais rencontrée et ne lui avais pas encore parlé, mais j'avais appris la nouvelle de membres de la famille. Elle se nommait Karen, et elle avait vingt-cinq ans de moins que mon grand-père de quatre-vingts ans — elle était même plus jeune que mon père. Elle vivait avec Grand-papa au moins une partie du temps. J'ai découvert qu'elle le connaissait depuis de nombreuses années. De fait, avant la mort de son mari, Karen et son époux avaient l'habitude de fréquenter mes grands-parents. Malgré leur différence d'âge, les deux couples avaient sympathisé du premier coup. Je rencontrerais une étrangère, mais ce n'était pas le cas de Karen ; elle me « connaissait » depuis ses années d'amitié avec Grand-maman et Grand-papa.

Même si je pouvais avoir des raisons de me méfier, j'avais déjà décidé que je l'aimerais. Mon grand-père avait été marié avec ma grand-mère pendant plus de cinquante ans avant qu'elle ne meure d'un cancer, et son décès l'avait accablé. Grand-papa méritait d'être à nouveau heureux et, d'après ce que j'avais entendu, Karen le rendait heureux.

Lorsque Frank et moi arrivâmes dans l'Illinois trois jours avant Noël, Grand-papa et Karen nous attendaient à l'aéroport. Karen, qui avait des cheveux bouffants blonds et portait des lunettes, m'embrassa chaleureusement. Alors que nous nous tenions tous les quatre dans la zone de récupération des bagages, il n'y avait pas de doute que Karen et mon grand-père étaient contents d'être ensemble.

La maison de Grand-papa ressemblait à celle de mes souvenirs. De fait, je la trouvais un peu sinistre. La présence de ma grand-mère se faisait sentir partout — par ses photographies sur les étagères, par l'afghan fait main sur le sofa, par son écriture sur les anciens contenants de plastique. Après avoir passé des décennies avec mon grand-père, il n'était pas question que son souvenir soit effacé, mais je trouvais étrange que Karen puisse être à l'aise de déambuler parmi ses objets.

Chaleureuse et gracieuse, Karen fut impeccable. Elle cuisina pour nous, nettoya, fit en sorte que nous nous sentions les bienvenus, et fit sourire Grand-papa. Je l'aimai réellement. Pourtant, je ne pouvais m'empêcher de me demander comment Grand-maman se serait sentie si elle avait su que sa vieille amie s'était glissée sans heurts dans la vie qui lui avait jadis appartenu. Se serait-elle sentie réconfortée ou trahie ?

La question me préoccupait, et j'y pensais de temps en temps alors que j'observais Grand-papa et Karen ensemble. Ils se blottissaient l'un contre l'autre sur le sofa, leurs jambes recouvertes de l'afghan de grand-mère. Je pensais à ma propre histoire, et aux moments où je m'étais sentie trahie. Si Grand-maman avait pu choisir la future petite amie de Grand-papa, est-ce qu'elle aurait voulu que ce soit une étrangère, une personne n'ayant aucun rapport avec le lien que Grand-maman et Grand-papa avaient partagé, ou aurait-elle préféré qu'il choisisse l'une de ses amies, quelqu'un qui connaissait tout — peut-être trop — du passé ?

L'habileté d'une autre femme de se souvenir et de parler de Grand-mère pouvait être un cadeau ou une malédiction, mais sans aucun doute, il s'agissait d'un élément de pouvoir. Bien sûr, je savais que le souhait de Grand-maman était une question hypothétique ; Grand-maman était partie et c'était Grand-papa qui décidait de son propre avenir. Karen était une bonne femme et elle le rendait heureux, et en cela, je lui étais reconnaissante. Fin de l'histoire.

Le matin de Noël, j'entendis murmurer. À mi-chemin de notre célébration d'ouverture des cadeaux, Karen marmonna : « Je ne peux plus attendre ! » Brusquement, elle était devant moi, paraissant excitée, enthousiaste et nerveuse. Elle me tendit un énorme paquet et me demanda ensuite de l'ouvrir.

L'étiquette me rendit perplexe : le présent venait de « Grand-maman et Grand-papa et Karen ». Qu'est-ce que cela voulait dire ? Ma première pensée fugace fut que Karen s'était appelée elle-même « Grand-maman » puis était revenue sur sa décision, mais cela n'avait aucun sens. Tout le monde me regardait ouvrir le cadeau.

Comme je déballais ce qui finit par révéler une énorme courtepointe colorée, Karen expliqua : « Ta grand-mère avait mis de côté le tissu des robes et des ensembles qu'elle avait cousus pour toi lorsque tu étais petite. »

La courtepointe était exceptionnelle. Montée sur un fond mauve et blanc, elle était faite de carrés lumineux et joyeux de tissu représentant des ensembles de mon enfance, commençant avec l'année de ma naissance en 1972, jusqu'en 1980. De la calligraphie brodée de ma grand-mère, chaque carré de tissu y était expliqué.

« Barboteuse, un an, 1973 » était un motif écossais rouge, bleu et noir parsemé de chiens écossais blancs et duveteux. Le tissu qui se lisait « Noël 1976, chemisier, 4 ans et demi » était un amas de fleurs, de triangles et de formes en escalier jaune, orange, vert, fauve, brun, noir et blanc — très années 1970. Un carré, datant aussi de l'année 1976, était plus familier que tout le reste. C'était du satin blanc moucheté de minuscules pois turquoise et de minuscules tulipes. À l'extrémité de chaque délicate tige des tulipes, saillait un duvet fleuri couleur bleu ciel. Lorsque j'avais quatre ans, j'avais adoré le chemisier fait de ce tissu. Je n'avais probablement jamais songé qu'un jour j'aurais abandonné de tels joyeux vêtements pour des couleurs foncées et unies qui n'attiraient pas l'attention.

Karen donna d'autres explications. « Elle avait terminé toute la broderie et avait choisi le patron. Je n'ai eu qu'à réunir les morceaux. » Elle regarda mon grand-père. « Ton grand-papa a choisi la bordure. »

Sur le pourtour de la courtepointe, Garfield souriait d'un air coquin, alors qu'Odie laissait pendre sa langue sur les carrés de la courtepointe. Garfield avait été mon personnage de bande dessinée préféré quand j'étais une petite fille.

Grand-papa dit : « Ta grand-mère a commencé cette courtepointe avant de tomber malade, mais elle ne l'a jamais terminée. J'avais l'intention de me débarrasser de cet ouvrage, mais Karen a offert de le terminer pour toi. »

Je laissai courir mes mains sur les tissus de la courtepointe — soyeux, cotonneux, duveteux et texturés — puis je levai les yeux vers le sourire plein d'espoir de Karen.

Je me levai immédiatement et je l'embrassai, la tenant serrée contre moi et la remerciant pour la courtepointe. Toutes sortes de sentiments m'habitaient — j'étais reconnaissante, heureuse, honorée —, mais, par-dessus tout, j'étais consternée. Ce qui me consternait, ce n'était pas la courtepointe elle-même ou son histoire, mais plutôt le fait que je prenais conscience d'avoir trouvé réponse à mes questions. Soudainement, j'ai pensé que je savais quels auraient été les sentiments de Grand-maman au sujet de Karen.

Il était possible d'interpréter le geste de Karen de deux manières différentes, mais mon cœur connaissait la bonne réponse. Elle n'essayait pas de rabaisser ma grand-mère ou de prendre sa place. Malgré le fait qu'elle était maintenant la compagne du mari de ma grand-mère, qu'elle habitait la maison de ma grand-mère et qu'elle avait même terminé la courtepointe de ma grand-mère, les déplacements de Karen parmi les affaires de Grand-maman ne se faisaient en rien dans un geste de domination, mais bien dans le respect.

Elle respectait assez ma grand-mère pour préserver sa présence ; elle la respectait assez pour ne pas se faire du souci quand Grand-papa parlait de Grand-maman ; elle la respectait assez pour savoir ce qu'un demi-siècle de mariage pouvait signifier. Karen avait fabriqué cette courtepointe non pour écarter ma grand-mère, mais pour lui rendre honneur. Son travail de finition de cette courtepointe que Grand-maman n'avait pas eu la force de terminer était autant un cadeau à ma grand-mère qu'à moi-même.

Je pense que Grand-maman approuverait.

— *Alaina Smith*

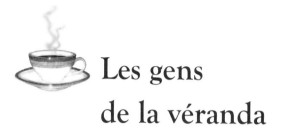

Les gens
de la véranda

Cet hiver-là, les choses allaient plutôt mal pour notre jeune famille en pleine expansion. J'étais enceinte de notre sixième enfant, et mon mari n'avait pas occupé d'emploi régulier depuis près de deux ans. Acceptant tout le travail temporaire qu'il pouvait trouver, nous arrivions à boucler nos fins de mois, mais avec la fête de Noël qui arrivait dans quelques jours, nous nous attristions d'être incapables d'offrir des cadeaux à nos enfants.

Un soir, on sonna à la porte. Nous ouvrîmes et trouvâmes une grosse boîte sur la véranda — mais personne en vue. Nous tirâmes la lourde boîte à l'intérieur et découvrîmes qu'elle était remplie de nourriture et de friandises. Les enfants dansèrent autour de la boîte pendant que nous en retirions des aliments de tous les jours comme du macaroni et du fromage, en même temps que tout ce qu'il fallait pour cuire un délicieux repas de dinde avec tous les accompagnements, incluant une garniture de tarte aux pommes et une croûte de tarte préfabriquée.

Le soir suivant, alors que nous étions en train d'aider les enfants plus âgés à faire leurs devoirs, et à préparer les plus jeunes pour aller au lit, la sonnette d'entrée résonna de nouveau. Cette fois, nous trouvâmes une boîte plus petite, mais son contenu nous transporta autant de joie que le soir précédent. Il y avait là une petite crèche en céramique incluant tous les personnages. Encore une fois, celui qui avait apporté le colis avait disparu, le temps d'ouvrir la porte.

Nous laissâmes les enfants choisir une place d'honneur pour notre nouveau présent. Après qu'ils eurent décidé qui serait installé près de Joseph, et que l'agneau devait être placé près des bergers, mon mari et moi passâmes quelques moments à réfléchir avec nos enfants sur la signification de la fête qui approchait. Nous leur rappelâmes que Marie et Joseph avaient été terriblement pauvres, sans même assez d'argent pour obtenir une chambre où Marie pourrait donner naissance à son fils. Je demandai aux enfants comment ils se sentiraient s'ils apprenaient que leur mère enceinte devait se rendre dans une étable pour y accoucher de son nouveau-né. Ils nous écoutaient avec beaucoup de sérieux. Je leur expliquai gentiment que Marie et Joseph n'avaient pas assez d'argent pour offrir des cadeaux, mais que cela ne voulait pas dire qu'ils n'aimaient pas leur enfant.

Notre petit de quatre ans nous rappela que nous n'avions pas besoin d'argent puisque le père Noël nous apporterait des cadeaux. Nous nous couchâmes très malheureux, nous demandant comment nous pourrions expliquer à nos enfants pourquoi ils n'avaient pas reçu de cadeaux le matin de Noël.

Les deux soirs suivants, nos enfants attendirent avec impatience le retour des « gens de la véranda ». Ils étaient surtout déçus de ne pouvoir les attraper sur le fait, car, chaque soir, une autre boîte remplie de friandises et de décorations de Noël apparut sur notre balcon avant.

Deux jours avant Noël, j'ouvris la porte arrière pour secouer les tapis et je découvris une autre boîte. Celle-ci était remplie de cadeaux emballés portant des étiquettes amusantes au nom de chacun de nos enfants. Il y avait plusieurs cadeaux pour chaque enfant, et même quelques-uns pour mon mari et moi. Je cachai les cadeaux pour que les enfants ne les découvrent pas, et j'attendis impatiemment de partager le secret avec mon mari. Après une journée décourageante consacrée à la recherche d'un emploi, je savais qu'il aimerait entendre de bonnes nouvelles.

Quand mon mari revint à la maison ce jour-là, je rayonnais pendant que je lui racontais la découverte de la boîte sur le balcon arrière. Voulant lui réserver une petite surprise le matin de Noël, je ne lui dis pas qu'il y avait aussi un colis pour lui. Il me gratifia d'un sourire las, et se dirigea vers la douche.

Ce soir-là, j'eus de la difficulté à empêcher mes enfants de regarder par les fenêtres. Ils passèrent un bon moment à jeter des coups d'œil furtifs pour essayer d'apercevoir les gens de la véranda. Ils offrirent même de sortir les ordures. Finalement, je sortis le jeu de Monopoly du placard, et bientôt les plus vieux s'intéressèrent à acheter des propriétés et à éviter le carré « Allez en prison ». Chaque fois qu'ils entendaient un bruit inexpliqué, tous les enfants regardaient, l'air d'attendre quelque chose, et demandaient : « Est-ce que ce sont les gens de la véranda ? » Je ne pouvais gâcher la surprise du matin de Noël en leur disant que nous avions reçu une boîte tout à fait spéciale ce jour-là ; j'essayai donc de les distraire avec des jeux et des histoires.

Je fis aussi en sorte que mes enfants apprennent quelque chose d'important sur les gens de la véranda. Alors, je leur demandai pourquoi ils croyaient que ces gens nous avaient apporté de si belles choses ? Étaient-ils des membres de la famille ? De l'église ? Des voisins ? Qui qu'ils soient, nous décidâmes qu'ils devaient nous aimer.

Mon petit de neuf ans fournit ensuite une analogie et j'en eus les larmes aux yeux. « Les gens du balcon sont comme les Rois mages qui ont apporté des cadeaux à l'enfant Jésus, seulement parce qu'ils l'aimaient. »

Plusieurs mois plus tard, mon mari trouva un emploi permanent et je donnai naissance à un fils robuste. Noël approchait bientôt. Notre situation financière s'était améliorée et nous étions en mesure de procurer de charmantes fêtes à notre famille, mais les gens de la véranda nous avaient appris une leçon inestimable. Ce Noël-là, nous devînmes des gens de la véranda pour une autre famille dans le besoin, car, comme jadis les Rois mages, nous L'aimions ainsi que tous ses enfants.

— *Kenya Transtrum*

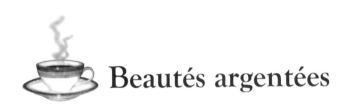 # Beautés argentées

Ma meilleure amie Olivia et moi avions passé
tout l'après-midi du samedi au centre commercial, à la recherche d'une robe que je pourrais
porter à la fête de bureau de mon mari à l'occasion de
Noël. J'avais l'intention de trouver une robe qui me
ferait paraître mince. Pour sa part, Olivia voulait utiliser à fond sa carte de crédit. Chaque ensemble
qu'Olivia essayait récompensait sa perte de poids à la
suite de son divorce. Chaque robe dont j'essayais de
remonter la glissière me faisait paraître aussi ronde
que les biscuits au sucre en forme de bonhomme de
neige que j'avais cuits, et mangés, la semaine dernière.

Au milieu de l'après-midi, j'avais mal à la plante
des pieds et Olivia était en manque de nicotine.
J'achetai un peignoir pour mon mari Ed, des gants
pour ma belle-mère et une nouvelle spatule.

Pendant que je scrutais l'allée bondée à la recherche d'une boutique de robes qui aurait pu nous avoir

échappé, Olivia me dressait un rapport détaillé de ses vacances avec son petit ami à Sedona, en Arizona.

« Puis, un après-midi ensoleillé, Harrison et moi avons grimpé jusqu'au sommet d'une montagne, expliqua Olivia d'une voix rêveuse. Peux-tu le croire que ça me soit arrivé à moi, qui ai la tête qui tourne simplement à regarder de la fenêtre de mon appartement du deuxième étage ? »

Depuis son divorce, Olivia avait fait toutes sortes de choses remarquables. Elle avait fait de la randonnée et de la pêche en haute mer ; elle s'était fait teindre des mèches blond clair ; et elle était devenue monitrice de la méthode Pilates au centre local de culture physique.

Pendant que nous esquivions un carrosse de bébé, puis une vieille femme en fauteuil roulant, Olivia continua : « Harrison et moi nous tenions les mains sur le sommet de la montagne. Nous étions entourés de rochers rouges et d'arbres verts et du ciel bleu le plus clair et le plus immense que je n'avais jamais vu. Et tout d'un coup, une plume blanche a atterri sur mon bras. Juste comme ça. Harrison m'a dit que c'était un signe. »

« Un signe de quoi ? »

Olivia rit. « Je ne peux m'en souvenir maintenant. Il trouve toujours du sens dans les choses les plus ordinaires. Ce dont je me souviens, c'est la manière dont il a commencé à m'embrasser dans le cou, eh bien, tu sais ce que c'est. »

« Bien sûr », répondis-je, essayant d'imaginer Ed et moi se blottissant l'un contre l'autre au sommet d'une montagne. J'essayai de me rappeler si nous avions échangé récemment des paroles significatives, mais mon seul souvenir remontait à notre discussion sur l'éventuel refinancement de notre maison. Je pouvais nous imaginer sur le sofa devant le téléviseur, mais pas devant un panorama. Nous avions besoin de sortir un peu plus.

Olivia et moi passâmes devant une vitrine exposant des mannequins filiformes revêtus de robes noires ajustées et des arbres en aluminium ornés de décorations rouges et vertes.

« Ooh, regarde les arbres argentés », dis-je.

« Genre années 1960, répondit Olivia. J'ai besoin d'une cigarette. »

Je touchai le bras de mon amie. « Quand j'étais une petite fille, ma famille avait un arbre en aluminium, car ma mère était allergique aux arbres naturels. Quand mon père tirait la grosse boîte rangée dans le placard, je devenais toute excitée. Il y avait aussi cette roue électrique colorée et funky qui tournait et changeait la couleur de l'arbre. Je restais là à regarder l'arbre pendant des heures, essayant de décider laquelle était ma couleur préférée. »

« Vraiment ? demanda Olivia, en retirant un paquet de cigarettes de son sac. Quelle couleur préférais-tu ? »

« J'étais toujours incapable d'en choisir une, répondis-je. Durant le jour, quand le soleil brillait sur l'arbre, il étincelait comme si les branches étaient saupoudrées de diamants. »

Olivia ne tenait plus en place. « Trouvons un endroit où je peux fumer. »

« Ça prendra seulement une minute pour regarder à l'intérieur. Peut-être que les arbres en aluminium

nous indiquent que nous trouverons ici la robe parfaite pour moi. Tu sais, comme ta plume », ajoutai-je.

Olivia regarda avec convoitise le paquet de cigarettes. « D'accord, mais rappelle-toi, sans nicotine, je
deviens grincheuse. » Elle soupira. « Je suis censée
cesser de fumer. Harrison déteste quand je fume. Il dit
que je souille mes poumons. »

Quinze minutes après, nous nous retrouvâmes
dans des cabines connexes à essayer des vêtements.
Pendant que j'aspirais les odeurs d'une robe rose, je
criai à Olivia : « Si j'entends "Mon beau sapin" une fois
de plus, je forme un piquet de grève pour protester
contre les chants de Noël. »

« Susanna, ma chérie, détends-toi. Tu ne fais que
montrer les signes typiques d'une femme désespérée
de trouver la robe idéale. Détends-toi et laisse-la venir
à toi », suggéra Olivia.

Les vacances à Sedona et le petit ami professeur de
yoga avaient donné à Olivia une attitude nouvel âge
envers la vie. Les années précédentes, alors qu'elle
était encore mariée, elle se serait plainte avec moi des
foules du temps des fêtes, des commis impolis, et des
vêtements dispendieux. Ces derniers temps, elle était
tellement absorbée par son propre monde bienheureux
que j'avais l'impression qu'elle n'écoutait rien de ce
que j'avais à dire.

« Facile pour toi de dire cela, Madame Sérénité,
rétorquai-je. Tu portes du sept. Moi, j'espère seulement
ne pas faire éclater les coutures de ce douze ans. »

« Susanna, ne penses-tu pas qu'il est totalement
complaisant de ma part de m'acheter un autre déshabillé ? » demanda-t-elle.

« Qu'est-ce qu'il y a de mal avec la complaisance ? », répondis-je, tout en pensant que j'en avais beaucoup fait preuve à mon égard ces derniers temps, mais pas en ce qui concernait la lingerie. Après la fête du Travail, j'ai oublié toutes mes promesses de perdre six kilos. J'ai dévoré du chocolat à l'Halloween, mangé de la farce à l'Action de grâces et cuit des fournées de biscuits au sucre chaque week-end. J'étais la seule à blâmer pour un sérieux cas de ventre ballonné.

Je me regardai dans le miroir de la salle d'essayage. La robe rose en taffetas qui paraissait si jolie sur le cintre était devenue minable.

Olivia appela : « De quoi ça a l'air ? »

« Les mots " tente de cirque " me viennent à l'esprit. Je dois faire mieux que de risquer des couleurs pastel. Le noir est la seule couleur sécuritaire, bougonnai-je. L'éclairage est horrible ici. À voir la couleur de ma peau, on dirait que je suis atteinte de l'hépatite. Quand j'ai quitté la maison, ma peau sous les bras n'était pas si flasque. »

« Ne sois pas si critique, dit Olivia. Laisse-moi voir. »

« Je veux t'épargner, répondis-je, me battant pour libérer mes hanches de l'étau de la robe. J'étais certaine que ces arbres en aluminium dans la vitrine étaient un signe que ma robe idéale se trouvait ici. »

À l'extérieur de la salle d'essayage, je trouvai Olivia qui admirait un léger déshabillé violet décoré de plumes blanches. « J'ai déjà dépensé trop d'argent, mais je veux l'acheter. J'aime paraître sexy pour Harrison. »

Je pensai au tee-shirt délavé que je portais pour dormir et je dis : « Allons manger. J'en ai assez des miroirs de parc d'attractions et des robes conçues pour des adolescentes. »

Comme nous nous frayions un chemin parmi les groupes de jeunes adolescentes riant nerveusement, les jeunes couples qui se tenaient la main, et les femmes à l'air fatigué accompagnées d'enfants, je n'écoutais qu'à moitié les plans d'Olivia de passer Noël à faire du ski avec Harrison au Colorado. Dernièrement, j'ai commencé à me demander si nos vies respectives n'étaient pas en train de diverger. Nous étions des amies depuis l'université ; nous sommes devenues enceintes la même année, nous nous sommes soutenues dans les poussées de dents, l'apprentissage de la propreté des enfants, et le premier jour d'école de nos enfants. Nous avons pleuré ensemble quand ils ont quitté la maison pour l'université.

À mesure que les années passaient, il est devenu impossible d'ignorer la tension, les commentaires cruels et les tons de voix coléreux qui étaient apparus entre Olivia et son mari Dan. J'ai passé d'innombrables heures au téléphone à écouter Olivia déverser son cœur à propos de son mariage qui s'écroulait. Le jour où Dan est parti, elle est arrivée chez moi en sanglots. Puis nous avons pris du vin rouge et dansé pieds nus à la musique d'un CD de Cher.

Je me sentais méchante et mesquine de ne pas être plus heureuse du nouveau bonheur de ma chère amie. Mais c'est qu'il y avait des moments où j'avais l'impression qu'elle me devançait, essayant toutes sortes de nouvelles choses, rencontrant de nouvelles personnes et me laissant derrière. J'avais le même mari, le même emploi comme journaliste pigiste pour un journal local, les mêmes cuisses bosselées et un ventre flasque. Elle semblait être une jolie hase, mince et célibataire contre la tortue laborieuse, vieillissante et mariée.

Nous décidâmes de faire une folie et, au lieu de manger dans l'aire de restauration, nous nous rendîmes dans un joli restaurant du centre commercial où nous nous ferions servir notre salade de pâtes et du vin blanc par un beau serveur.

Pendant que « Sainte nuit » jouait doucement en toile de fond, Olivia harponna une tomate cerise et me demanda ce que je pensais de la chirurgie esthétique. « Tu sais, pour me rafraîchir un peu. Je pensais faire remonter mes sourcils. Enlever ces poches au-dessus des yeux. »

Je croquai dans une carotte et je répondis : « Ed prétend qu'il m'aime comme je suis. Mais lorsqu'il voit une mannequin mince avec de longs cheveux blonds à la télévision, il a les yeux vitreux. Je m'attends à tout moment à ce qu'il se mette à baver. »

Olivia fit signe de la tête. « Dan bavait à propos du golf. Mais, ma chérie, tu sais qu'Ed t'aime encore. »

Je pinçai légèrement son bras. « Merci de me le rappeler. C'est seulement que j'aimerais avoir la même étincelle de vie que toi ces jours-ci. J'ai l'impression d'avoir le moral bien bas. »

Olivia regarda par-dessus ma tête et fit signe au serveur d'apporter l'addition, et je ne protestai pas.

Ce jour-là, je quittai le centre commercial sans avoir acheté de robe, même si la fête de bureau avait lieu dans moins d'une semaine. Les jours suivants, je m'occupai à rédiger un texte sur l'immigration illégale, ce qui me donna une bonne excuse pour ne pas faire de courses. À vrai dire, je ne voulais pas me retrouver en face d'un autre miroir de salle d'essayage. Je décidai de mettre une robe de lainage noire que j'avais portée plusieurs années auparavant à des funérailles.

Le jour de la fête de bureau, je revins à la maison après avoir fait l'épicerie et je trouvai une immense boîte en carton devant ma porte avant. Après avoir rangé le lait et le poulet, j'ouvris la boîte et en retirai une robe argentée à hauteur du genou. Elle était douce et sexy et on aurait dit qu'il y avait des milliers de minuscules miroirs cousus ensemble. Elle brillait comme le soleil sur la neige nouvellement tombée. Non seulement la robe me faisait parfaitement, mais elle amincissait ma taille et aplanissait la ligne de ma poitrine ; de plus, avec sa fente sur le côté, je me sentais sexy. Je demeurai là devant le miroir et je virevoltai.

La petite carte incluse se lisait ainsi :

C'est seulement quelque chose pour allumer cette étincelle.
Joyeux Noël, ma très belle amie.
Tout mon amour, ta meilleure amie pour la vie,
Olivia

Ce soir-là, je mis des boucles d'oreilles de diamants et une paire de souliers à talons hauts argentés que j'eus la chance de trouver dans le placard de ma fille. J'appliquai un peu du rouge à lèvres que j'avais acheté quelques mois plus tôt sur l'inspiration du moment, mais que j'avais été trop timide pour porter. J'utilisai du eye-liner bleu océan pour rehausser le bleu de mes yeux.

Essayant de paraître plus confiante que je ne l'étais, j'entrai dans le salon, où m'attendait Ed qui regardait les nouvelles du soir.

« Ta da ! » dis-je, étendant mes bras et souriant.

« Wow ! » dit Ed, et il ferma le téléviseur.

« Est-ce que c'est trop ? » demandai-je.

Il sourit. « C'est juste ce qu'il faut. »

Le soir, comme je dansais dans les bras de mon mari, je ne pouvais m'empêcher de penser à Olivia. Elle m'avait offert un cadeau de Noël bien plus important que la robe étincelante argentée : le réconfort que notre amitié passerait le test du temps, peu importe les changements dans nos silhouettes et dans l'univers autour de nous.

— *Susanna Anderjaska*

 # Sainte nuit

Le premier jour de la saison de magasinage de Noël, je me retrouvai à faire la queue à la caisse d'un magasin à prix réduit, attendant pour payer des palmes et un masque de plongée. Un énorme étalage de papier d'emballage et de décorations de Noël scintillantes était disposé près de la caisse, et des pères Noël rembourrés se tortillaient et se balançaient jour et nuit. Nous n'étions même pas en septembre.

Les journées passèrent. Mon restaurant préféré arborait des napperons de papier, mettant à l'épreuve ma compréhension des rennes du père Noël. Des arbres artificiels commencèrent à surgir dans les magasins, d'abord dans les endroits isolés, introduits furtivement comme des objets honteux de contrebande, puis déplacés vers les allées tout près des caricatures de pères Noël remuants. Je portais encore des sandales blanches.

Dans les épiceries, des cadeaux de Noël bon marché étaient en vente. Les organismes caritatifs récoltaient les demandes de personnes dans le besoin et sollicitaient des dons pour matérialiser ces souhaits de Noël. Un de mes enfants pratiquait son alto pour le concert de Noël. L'autre avait besoin d'une photographie pour me fabriquer un cadeau de Noël à l'école. Les carillonneurs de l'Armée du Salut m'attrapèrent comme je sortais des magasins où les bonbons d'Halloween encombraient les tables de marchandises en liquidation.

Il finit par faire assez froid le soir pour porter un chandail. Les fêtes annuelles scolaires battaient leur plein. À l'école, mon fils jouait le rôle d'une dinde dans une reconstitution historique, et trois des plumes de sa queue tombèrent. Chaque soir, ma fille était absorbée par ses répétitions de « Les Rois mages » en préparation pour le concert. Tout le monde ne cessait de demander : « As-tu déjà fini ton magasinage ? » Nous étions presque rendus à l'Action de grâces.

Des années auparavant, je faisais mes emplettes de Noël tout le long de l'année, j'emballais mes cadeaux en octobre, et je décorais tout en vert et rouge sauf le chien. Je faisais de la cuisine jusqu'à ce que je m'évanouisse dans un nuage de farine. Mais la saison officielle de Noël démarrait le lendemain de l'Action de grâces.

Puis, la saison des fêtes commença à prendre de l'ampleur et à commencer plus tôt, s'insinuant dans la première partie de novembre. Ensuite, les marchandises de Noël partagèrent les étagères avec les costumes d'Halloween, puis avec les fournitures de la rentrée scolaire. Et puis, ce jour du mois d'août, je dus contourner les étalages de Noël pour trouver le matériel de plongée. Je décidai que j'en avais assez.

« Je suis fatiguée de Noël. Je souhaite que cette fête disparaisse et que j'aie enfin la paix », confiai-je à mon mari.

Mais elle ne disparut pas ; tout empira seulement. Mes enfants dressaient des listes de cadeaux assez longues pour soutenir les budgets des nations du tiers-monde. La cuisine et le magasinage étaient tout simplement devenus des tâches redoutables. Je refusais de jouer le jeu plus longtemps.

Puis mon mécontentement s'éleva d'un cran : je m'enfuis de la maison.

Quelques jours avant Noël, nous chargeâmes la mini-fourgonnette et roulâmes jusqu'aux montagnes de la Caroline du Nord, où je louai une cabine. L'air était clair et frais et il y avait un avertissement de neige abondante. Mais encore, même entourés d'une beauté à couper le souffle, Noël ne ressemblait pas à Noël. La magie était disparue.

Nous passâmes deux ou trois jours à faire du tourisme. Un après-midi, alors que nous nous installions en face du foyer de notre cabine, l'estomac de mon fils se rebella et il vomit tout sur son lit. *Bien*, pensai-je, *maintenant il faut trouver un endroit pour laver les vêtements... deux jours avant Noël, pas moins.* Même si j'avais essayé d'échapper à la frénésie des fêtes, elles semblaient s'être cachées dans les coulisses de mon cerveau, criant : « Prêt, pas prêt, nous voilà. » Pour ma part, je n'étais certainement pas prête.

Le lavage des vêtements semblait s'accorder parfaitement avec ma mauvaise humeur. Je déposai le linge souillé à l'arrière de la fourgonnette, et nous roulâmes jusqu'à une petite ville, à quelques kilomètres au-dessus de la montagne, où je me souvenais avoir passé devant une laverie automatique.

Plusieurs personnes se trouvaient à l'intérieur de l'immeuble jadis de couleur blanche, mais qui était maintenant d'un gris défraîchi et dont l'immense baie vitrée était jaunie par la fumée de cigarettes. Un couple de travailleurs saisonniers était en train de plier des vêtements à l'autre bout de la pièce, pendant qu'un jeune couple accompagné d'un petit garçon insérait des pièces de monnaie dans les machines. Je remplis deux laveuses et m'affalai littéralement sur une des deux chaises de plastique dur pour attendre. Mes enfants boudeurs avaient décidé de s'asseoir dans la voiture ; mon mari se promenait à l'extérieur.

La porte s'ouvrit. Une femme d'âge mûr et une jeune fille d'environ seize ans entrèrent. Elles s'étaient extirpées d'une épave automobile, une vieille familiale recouverte de plus de rouille que de peinture, et traînaient à l'intérieur un énorme panier de plastique débordant de vêtements sales. Les deux remplirent les machines à laver avec tout le contenu du panier.

La femme, que je supposais être la mère de la jeune fille, s'assit sur une chaise près des sécheuses, me tournant le dos. Même de dos, elle paraissait fatiguée, avec ses cheveux grisonnants tirés vers l'arrière en une queue de cheval embroussaillée, dénudant ainsi son visage. Elle portait un chandail comportant plus de trous que de laine et le maintenait serré contre elle. La fille anguleuse, aux cheveux blonds sales et emmêlés, se tenait à ses côtés. Elle massait gentiment l'épaule de sa mère et lissait ses cheveux.

Puis la fille commença à fredonner, si doucement que je pouvais difficilement l'entendre au milieu des machines à laver haletantes et des sécheuses bourdonnantes. Après un moment, le fredonnement devint un chant.

D'une voix douce, elle continua à chanter les premières mesures de « Sainte nuit ». Ses doigts minces et longs tapotant sans cesse les cheveux de sa mère, elle ferma les yeux et sa voix s'éleva progressivement jusqu'à remplir la pièce. D'une voie douce et pure d'alto, elle chanta la dernière strophe du classique chant de Noël.

« Dors, Jésus radieux ! »

La chanson m'était aussi familière que dans mon enfance lorsque mon grand-père se tenait près de moi la veille de Noël, les yeux rivés sur l'énorme livre de cantiques, pendant que nous nous joignions à son chant. À l'extérieur, les voitures passaient rapidement sur l'étroite bande asphaltée, dessinant des courbes à travers la ville de montagne. Alors que les derniers faibles rayons du soleil sillonnaient le ciel, la femme plus âgée se pencha vers sa fille, comme les dernières notes nous enveloppaient, chaleureuses et familières.

« Dors, Jésus radieux ! »

La porte s'ouvrit, laissant pénétrer une rafale glacée dans la pièce. C'était mon fils. Le temps reprenant son cours normal, je retirai le linge propre de la sécheuse et me mis à le plier. Mon mari entra pour m'aider. Comme nous marchions à l'extérieur, je sentis quelque chose de froid et mouillé frapper mon visage.

« Il neige ! » dit mon fils.

« En effet, il neige, répondis-je. Que pensez-vous de retourner à la maison. »

« Tu veux dire à notre cabine ? » demanda mon mari.

« Non, répondis-je. Notre maison. »

Il sourit. « Allons chercher nos affaires. »

Je grimpai dans la fourgonnette. Au moment de partir, je vis les deux femmes inondées de la faible lueur des lumières fluorescentes, fouillant dans leurs poches pour trouver de la monnaie, riant, échangeant quelque blague intime. Je me calai dans mon siège et me mis à observer la danse des flocons épais et paresseux dans la lumière des phares. Je pensai à la jeune fille et au chant qu'elle avait offert en cadeau à sa mère. Je pensai aussi à la façon, par un effet de la Providence, dont elle me l'avait aussi offert à moi, une étrangère. Et je me souvins de l'enfant qui s'était un jour tenue près de son grand-père, chantant « Sainte nuit » de sa voix fluette, faisant contrepoint à la riche voix de ténor de son aïeul. Je me rappelai aussi comment, à la fin du cantique, qui était autant son préféré que le mien, il se baissait et prenait ma main, la repliant dans sa paume géante, irradiant son amour pour son Dieu et pour moi.

Oui, je crois, *il est vraiment temps de retourner à la maison.*

— *Carole Moore*

 # Mon beau sapin

C'était le premier Noël sans mes deux grands-parents. Ils avaient vécu des vies riches et remplies jusque dans leurs quatre-vingts ans, laissant derrière eux cinq enfants, quatre petits-enfants, et cinq arrière-petits-enfants. Après un bref combat contre le cancer des os, Grand-papa était décédé le premier, à la maison le soir de l'Action de grâces. Plusieurs années plus tard, une insuffisance cardiaque congestive a finalement vaincu Grand-maman et l'a prise dans son sommeil un soir de janvier. Il avait été préférable que Grand-papa parte avant son épouse de plus de cinquante ans. Je ne comprends pas le sens. Était-elle âgée de plus de cinquante ans ou est-elle décédée plus de cinquante ans plus tard que son mari ? J'ignore comment il aurait pu s'en sortir sans elle — non que son absence ait été facile pour elle, mais elle s'était débrouillée.

Dans ma famille slovaque, la tradition veut que l'on ouvre les cadeaux la veille de Noël, après avoir savouré un repas préparé à la maison, composé de soupe aigre (que seuls les héritiers des traditions slovaques peuvent apprécier) et de poisson. Comme Grand-mère n'était plus là pour préparer le repas traditionnel de la veille de Noël, nous discutâmes pendant des semaines pour déterminer si nous allions perpétuer la tradition. Mais nous décidâmes que la veille de Noël ne serait plus la même sans notre poisson slave et notre soupe aigre.

Ma mère et sa plus jeune sœur sortirent les recettes de leur mère écrites à la main et firent de leur mieux. Après tout, elles avaient bien aidé à leur préparation pendant des années. Cela ne devait pas être bien difficile. Ma mère confectionna les petits pains aux noix et au pavot, qui étaient même plus savoureux que ceux de Grand-maman. Et elle réussit à se procurer juste la bonne sorte de poisson pour l'entrée et les bons champignons pour la soupe. Les autres firent ce qu'ils pouvaient : peler et faire bouillir les pommes de terre, nettoyer et préparer les légumes, dresser la table. Nous nous rappelâmes même les prunes bouillies et sucrées de ma grand-mère.

Seize d'entre nous partagèrent le nouveau repas traditionnel de la veille de Noël, qui finit par être presque aussi délicieux que celui de Grand-maman. Tout le monde était heureux d'avoir décidé de ne pas abandonner au moins cette tradition.

Après la corvée de vaisselle et l'ouverture des cadeaux de Noël, les adultes s'assirent autour du salon, évoquant des souvenirs comme le font les familles durant les fêtes, et les enfants allèrent jouer dehors. Mon cousin germain du Wisconsin et moi avions passé chaque veille de Noël de notre enfance ensemble, et nous avions maintenant des filles ayant pratiquement le même âge. C'était amusant d'observer nos enfants qui apprenaient à se connaître. L'arbre fraîchement coupé était magnifiquement décoré comme toujours, avec des lumières et des décorations d'autrefois. Il était érigé dans un coin du salon où les chaises favorites de nos grands-parents se trouvaient depuis toujours, comme pour remplir le vide de leur absence.

Alors que j'étais assise de l'autre côté de la pièce à contempler l'arbre, le plus bizarre des incidents se produisit. L'arbre se mit à trembler. Doucement, comme si quelqu'un avait glissé sa main à l'intérieur, l'avait empoigné par le tronc et lui avait donné une simple secousse. Toutes les têtes se tournèrent vers le son mélodieux des décorations qui tintaient doucement, joliment. Tous furent momentanément hypnotisés jusqu'à ce que les décorations s'immobilisent. Personne ne parlait. Puis nous prîmes tous la parole en même temps.

« Qu'est-ce qui est arrivé ? »

« Qui a fait ça ? »

« Où sont les enfants ? »

Un oncle saisit sa caméra et prit une photographie de l'arbre.

Nous fîmes de notre mieux pour trouver une explication à l'événement, mais en vain. On était au mois de décembre, en Illinois ; aucune fenêtre n'était ouverte, aucune porte n'avait été ouverte ou fermée, ce qui aurait pu causer un courant d'air. Personne ne marchait autour ; tout le monde dans la pièce était assis. Nous regardâmes sous l'arbre pour voir si un bébé ne s'y trouvait pas ; tous les enfants étaient dans une autre pièce de l'autre côté de la maison. Nous sautâmes sur le plancher. L'arbre ne bougea pas. (Le plancher de la maison était en béton. Rien ne pouvait bouger.) Nul besoin de dire que cet incident constitua notre seul sujet de conversation pour le reste de la soirée.

Quelques semaines plus tard, mon oncle apporta ses photographies. Sur celle qu'il avait prise de l'arbre tremblant, il y avait une paire de points gris, ronds, flous, mais évidents. Un éblouissement de la lentille ? Peut-être. Des esprits des Noël passés ? Nous ne saurons jamais. La pellicule est sensible ; il pouvait y avoir une explication technique. Puis encore une fois, peut-être pas.

Nous parlons encore de l'événement dans les rencontres de famille, particulièrement le jour de Noël, quand nous nous assoyons tous ensemble à regarder l'arbre, dans l'espoir, je crois, qu'il remuera encore. Mais il n'a plus bougé. Et nous n'avons jamais trouvé d'explication physique au tremblement de l'arbre. Ce que nous savons certainement, c'est que nous avons tous eu la même impression lors de l'événement : Grand-maman et Grand-papa avaient trouvé un moyen de nous dire qu'ils étaient encore ensemble et qu'ils étaient heureux de constater que nous avions repris la tradition familiale de Noël.

— *Mauverneen Blevins*

# Et si on donnait un bas de Noël à Maman ?

« **G**lenn ? » C'était ma mère au téléphone. *Pourquoi m'appelait-elle à l'université au milieu de la semaine ?* « Il faut que tu viennes à la maison. »

J'eus un serrement de cœur. Je ne voulais pas entendre la suite.

« Il y a eu une tempête… » Un sanglot interrompit le flot de paroles.

« Allo, Glenn ? » C'était la voix d'un homme. « Je suis le pasteur Richards. Votre mère voulait vous le dire elle-même, mais elle en est incapable en ce moment. Glenn, c'est votre père. Il était dans l'avion-navette qui a heurté des câbles haute tension. Il n'y a pas eu de survivants. »

Mon père avait travaillé avec des politiciens et des groupes communautaires à travers tout l'État. Des centaines de personnes vinrent assister aux funérailles. Mais avant la fin de la semaine, la parenté retourna chez elle, les amis reprirent leur vie, et le jour de l'Action de grâces arrivait à grands pas — il ne restait que ma mère, ma sœur Lori et moi.

J'étais content de retourner à l'université. Même si je me sentais coupable, j'étais soulagé d'échapper aux pleurs étouffés provenant de la chambre de ma mère qui sanglotait dans son oreiller.

Trois semaines plus tard, je revins à la maison pour le congé de Noël. Le deuil pesait lourd sur ma mère. Lori et moi aurions bien aimé pouvoir alléger son fardeau.

Dans notre famille, la tradition voulait que nous, les enfants, accrochions des bas sur le foyer. Il n'y avait jamais eu de bas pour mes parents. Mais plus tôt dans la semaine, Maman dit qu'elle sauterait la tradition des bas cette année. Lori avait quatorze ans et j'en avais vingt. De toute façon, nous ne croyions plus au père Noël, et c'était une tâche de moins pour elle.

Après le souper, la veille de Noël, Maman alla dans sa chambre. Lori et moi regardions la télévision.

Lori se tourna vers moi et me demanda : « Pourquoi ne remplirait-on pas les bas nous-mêmes ? Au moins, il y aura quelque chose de plus à faire demain matin. »

« Ouais, tu as raison. »

Nous fouillâmes dans la pile de cadeaux sous l'arbre et découvrîmes un certain nombre de petits présents à mettre dans les bas. Puis nous prîmes quelques bonbons du bol du petit Rudolf et les versâmes à l'intérieur.

« Hé, suggérai-je, pourquoi ne pas aussi fabriquer un bas pour Maman ? »

Lori parut surprise. « Un bas pour Maman ? Maman et Papa n'ont… je veux dire… ils n'ont jamais… bien… Certainement. Voilà une bonne idée ! »

Nous tournâmes notre regard vers les deux bas qui pendaient sur la cheminée. « Lori » était écrit en paillettes sur le premier et il y avait des points brodés au nom de « Glenn » sur l'autre.

« Est-ce qu'on ne devrait pas utiliser l'un de ceux-ci pour Maman ? » demandai-je.

Lori réfléchit. « Elle possède bien des bas. »

Je regardai mes pieds, puis les bas, puis Lori. « Son bas paraîtrait terriblement petit. »

« Pourquoi pas un collant ? »

« Parfait ! » Nous nous regardâmes en souriant.

Plus tard, quand Maman alla se brosser les dents, Lori entra furtivement dans sa chambre et s'empara d'un collant. Nous le fixâmes sur le manteau de la cheminée à l'aide de punaises insérées à travers le nylon.

Nos parents avaient toujours placé une orange dans le fond du bas. Je saisis donc une orange dans le réfrigérateur et Lori la laissa tomber dans le collant.

Nous sursautâmes tous les deux quand l'orange frappa le plancher. Nous pouffâmes de rire en cachant notre visage avec nos mains. Une jambe était étirée de plus d'un mètre avec une bosse ronde au bout pendant que l'autre jambe pendait, minuscule et tire-bouchonnée.

« On fait quoi avec celle-ci ? demandai-je.

Lori alla chercher une autre orange et la déposa dans le collant. *Boom !* Nous rîmes de voir le collant allongé aux pieds bulbeux fixé à notre foyer.

Nous ramassâmes les petits cadeaux pour Maman gisant sous l'arbre et les plaçâmes dans le « bas ». Ils disparaissaient dans les jambes extraordinairement longues, sans laisser vraiment de traces.

« Qu'est-ce qui arrive maintenant ? » demanda Lori.

Je pris quelques bibelots sur les tables de bout. « En voilà. Enveloppons-les. »

Des bibelots, une brosse à cheveux, une brosse à dents, une serviette de cuisine, tous ces articles étaient destinés à remplir un bas. Le collant s'affaissait encore plus et il restait encore beaucoup d'espace à combler.

Nous y insérâmes le reste du sac de bonbons de Noël.

« Il reste encore de la place », dit Lori.

« Que penserais-tu de l'assiette de bonbons dans la salle de jeu ? »

« Je vais la chercher. »

Nous introduisîmes les bonbons dans le bas, ainsi que l'assiette, non sans avoir bien sûr tout emballé. Mais là encore, le bas n'était pas rempli. Nous effectuâmes une rafle dans le garde-manger, ajoutâmes un paquet de bonbons déjà ouvert (bien refermé avec du papier adhésif) et une boîte de cerises. Bombé de tous les angles, le collant étiré en demandait encore.

« Ça ne tiendra pas. »

« Je vais aller chercher quelques clous. »

« Le marteau se trouve au sous-sol. »

Une bouteille de crème à mains, des pains de savon, un coupe-papier. Pendant une heure, nous enveloppâmes des objets que nous trouvâmes un peu partout dans la maison.

Nous reculâmes pour admirer notre œuvre. « Ayoye ! C'est comme si la mère de Godzilla s'en était servi ! »

Nous dûmes nous couvrir la bouche pour éviter de réveiller Maman avec nos rires.

Le matin suivant, le premier Noël en vingt-six années sans son bien-aimé à ses côtés, Maman était peu enthousiaste. Elle prit du temps à sortir de sa chambre.

Lori et moi attendions dans le salon. Lorsque nous nous tournâmes vers le monstre bosselé sur le foyer, nous nous esclaffâmes. Mais nous étions aussi inquiets que ma mère soit trop triste pour accepter une blague.

Finalement, elle entra et s'assit — passant directement devant le foyer. Elle nous servit un de ses sourires humides, comme nous en avions trop vus récemment. Puis elle jeta un regard vers le foyer.

Elle eut une réaction de surprise à retardement et parut troublée. Nous ne pouvions nous empêcher de sourire.

Elle marcha jusqu'aux bas de nylon tan clair couvrant presque tout le foyer. Elle regarda à l'intérieur des jambes bosselées du collant, étiré jusqu'à deux fois sa taille normale et contenant la moitié de nos fournitures de ménage. Et elle éclata de rire. Nous rîmes autant pendant que nous ouvrions tous ces cadeaux qu'il fallait retirer de plus d'un mètre de tissu extensible et adhérent en les remuant en tous sens. En ce jour de Noël, notre père nous manquait à Lori et à moi, et son mari manquait à Maman, mais notre amour mutuel s'était, hum, élargi pour couvrir l'occasion.

— *Andria Anderson,*
tel que raconté par son mari Glenn

 # Le père Noël porte des bottes de cowboy

Lorsque mon fils Erik avait neuf ans, il m'a donné une leçon que je n'oublierai jamais.

Cette année-là, mon mari Walt, qui travaillait dans ma ville natale de St. Louis, au Missouri, fut transféré à Fort Huachuca, en Arizona. Au début, ce départ du Midwest pour une autre partie des États-Unis ressemblait à une aventure. Je me sentais ravie de voir les imposantes montagnes, le vaste désert et le ciel immense de l'Arizona.

Nos enfants Julie et Erik adoraient pouvoir conduire leur vélo toute l'année et de ne pas avoir à tondre la pelouse. Des rochers décoratifs et des cactus ornaient notre cour avant, aménagée dans le style du Sud-Ouest. De la terre presque sèche recouvrait l'arrière, sauf pour une fine couche de mesquites d'environ la même taille que les buissons de houx de notre ancien chez-nous.

Pendant les week-ends, nous explorions notre nouvel environnement. Nous fîmes de la randonnée dans les montagnes Coronado et visitâmes les villes historiques de Tucson, de Tombstone et de Bisbee. Lors de l'une de nos sorties, nous nous aventurâmes de l'autre côté de la frontière vers Nogales, au Mexique, où nous achetâmes des cadeaux aux vendeurs de rue. À Nogales, trois jeunes adolescentes aux cheveux couleur corbeau se précipitèrent sur Erik et frottèrent le dessus de sa tête blond clair.

Quand je demandai « Pourquoi faites-vous cela ? », une fille cria par-dessus son épaule « Pour la chance ! » pendant qu'elle courait dans la rue en riant.

Par ce petit geste, je me rendis compte à quel point notre nouveau foyer était différent de celui du Missouri, où il était aussi habituel de voir des enfants aux cheveux blonds et aux yeux bleus que des cornouillers au printemps.

À l'automne, Walt voyageait beaucoup pour son travail. Les enfants étaient occupés avec leurs travaux scolaires et leurs nouveaux amis, pendant que je devais affronter les tempêtes de poussière, les scorpions et les serpents. Chaque jour, les prévisions météorologiques semblaient battre des records : ensoleillé et doux, ensoleillé et doux, ensoleillé et doux. Au Missouri, les gainiers du Canada, les copalmes d'Amérique et les érables — « de vrais arbres » — seraient recouverts de leurs glorieuses couleurs d'automne. Et bien plus que les saisons changeantes, mes parents, mes frères et mes sœurs, et les amis que j'avais laissés derrière, me manquaient.

À mesure que les jours raccourcissaient, je commençai à me sentir seule, isolée et dépressive. Je m'ennuyais de l'odeur du gazon coupé, de la vue d'un orage grondant dans le ciel de la nuit, et du son de la pluie tombant en cascades sur le toit. Un après-midi, alors que Walt était au travail et les enfants à l'école, je retirai un parapluie du fond d'une armoire, le dépoussiérai et l'ouvris dans la douche de la salle de bains. Debout sous le parapluie, j'essayais de m'imaginer sous un ciel gris pâle du Missouri sous la pluie battante. Mais c'était différent.

Le jour de l'Action de grâces, je descendis à mon point le plus bas. Durant une conversation téléphonique avec ma famille au Missouri, ma sœur Kathleen me rappela notre marathon de magasinage le lendemain de l'Action de grâces, avec nos enfants et notre plus jeune sœur Bridget.

« Demain au petit-déjeuner, ce ne sera pas pareil sans toi et les enfants avec le père Noël, me confia-t-elle. S'il neige, nous aurons moins de temps pour magasiner. Bien sûr, avec votre belle température de l'Arizona, on peut faire des courses toute la journée. »

Ce soir-là, je ne terminai même pas mon souper et j'allai au lit avant les nouvelles du soir. Je ne pouvais supporter d'entendre une autre prévision météo ensoleillé-et-doux.

Le matin suivant, je décidai d'essayer de tirer le meilleur parti de la journée. J'avais promis à Erik une visite au père Noël et à Julie, qui à douze ans n'y croyait plus, une séance de magasinage pour acheter des cadeaux de Noël. Je pensais que si nous restions attachés à au moins une de nos traditions des fêtes, nous nous sentirions plus dans l'esprit de Noël. Mais les choses ne s'améliorèrent pas, elles empirèrent plutôt.

À la table du déjeuner, Julie et Erik se disputèrent pour savoir à qui revenait le tour de lire la boîte de céréales, qui était censé nourrir le chien, et qui s'assoirait sur le siège avant lorsque nous irions faire des courses.

« Vous vous assoirez tous les deux à l'arrière, déclarai-je. Et si vous ne cessez pas de vous disputer, nous resterons à la maison. »

Ma menace sembla produire son effet ; les enfants se calmèrent, mais quand nous eûmes mis nos shorts et nos T-shirts et nous retrouvâmes dans la voiture, j'étais de nouveau d'une humeur grincheuse. Je haussai le son de la radio au cours de notre trajet vers la ville pour ne pas avoir à entendre les enfants se chamailler pour déterminer qui était responsable de ma colère. Je manquais de l'énergie nécessaire pour rebrousser chemin et passer la journée à l'intérieur.

En arrivant dans le grand magasin, Julie se hâta vers la section de la musique, pendant qu'Erik et moi nous mettions en ligne derrière les cordons de velours et la fausse neige du pôle Nord. En avant de la file, je jetai un regard incrédule vers la version magasin du père Noël. Au lieu de joues rouges joyeuses et d'une barbe immaculée, son visage était bronzé et très ridé. Sa barbe était maigrichonne et grise. Des bagues argent et turquoise ornaient ses doigts tachés de nicotine. Je regardai à ses pieds et je hochai la tête. Au lieu de bottes bien cirées et toutes noires, ce père Noël du Sud-Ouest portait des bottes de cowboy en peau de serpent à bouts pointus. Il ne manquait que les éperons et le chapeau de cowboy.

Je soupirai et marmonnai : « Je n'en crois pas mes yeux. Est-ce que ces gens ne font jamais rien de la bonne manière ? »

« Qu'est-ce qui ne va pas, Maman ? » demanda Erik.

« Rien, soupirai-je en le poussant du coude vers l'avant. Vas-y. Tu es le prochain. »

« Bien, maintenant, petit ami, dit le père Noël, en plaçant son bras autour des épaules d'Erik. T'es-tu bien conduit et as-tu écouté ta maman et ton papa ? »

Erik me jeta un regard, et fit signe que oui.

« Est-ce bien vrai, Maman ? » s'enquit le père Noël, en regardant dans ma direction.

« La plupart du temps, répondis-je. Il se conduit habituellement bien. »

Mon fils avait l'air plus grand après avoir entendu le compliment.

« Et qu'est-ce que tu veux que le père Noël t'apporte, petit ami. »

Le visage d'Erik s'éclaira alors qu'il récitait la liste des cadeaux qu'il espérait trouver sous le sapin de Noël. Il finit par : « Une planche à roulettes et un nouveau vélo. »

Santa demanda : « Quelque chose d'autre ? »

Erik baissa les yeux. « Que ma maman ne soit plus si triste tout le temps. »

Mon visage devint aussi rouge que le costume du père Noël et j'eus un serrement de cœur quand j'entendis les paroles de mon fils. Avant ce moment, je ne m'étais pas rendu compte à quel point mon mal du pays l'avait affecté.

Regardant par-dessus ses lunettes à monture, le père Noël me demanda : « Qu'est-ce qui arrive, Maman ? Ne pouvez-vous pas sourire quelquefois à notre petit ami ici ? »

Retenant mes larmes en clignant des yeux, je hochai la tête. Le père Noël tendit à Erik deux cannes en bonbon et dit : « En voici une pour toi et une pour ta maman. »

Après avoir quitté la section des jouets pour rejoindre Julie, je serrai très fort Erik. « Je suis tellement désolée », lui dis-je, en essuyant mes yeux.

Quand Julie nous vit, elle dit : « Qu'est-ce qui ne va pas, Maman ? Qu'est-ce qu'il a encore fait ? »

« Rien, répondis-je. C'est ce que moi j'ai fait, mais les choses vont changer à partir d'aujourd'hui. Qu'est-ce que vous diriez, les enfants, si on retournait à la maison et qu'on fabriquait des biscuits de Noël ? »

« Super ! »

Nous arrêtâmes à l'épicerie et remplîmes notre panier de pépites de chocolat, de noix, de noix de coco, et d'autres ingrédients sucrés. Sur le chemin du retour, je baissai les fenêtres, fermai la radio, et nous chantâmes tous les trois des cantiques de Noël. Lorsqu'un coucou terrestre se précipita sur la voiture, nous rîmes bien fort *ce qui ne m'était pas arrivé depuis très longtemps. Alors que nous passions près des montagnes et sous un baldaquin de ciel bleu clair, je compris que, même si chaque endroit possède sa propre beauté particulière, rien n'est aussi beau que le rire d'un enfant.*

Ce jour-là, mon fils m'a appris que Noël, ce n'était pas seulement les flocons de neige ou les arbres à feuillage persistant, ou les buissons de houx ou les pères Noël à la face ronde en habits rouges et en bottes noires. C'était aussi se montrer reconnaissant pour les bénédictions de notre vie... et les partager avec ceux que nous aimons.

— *Donna Volkenannt*

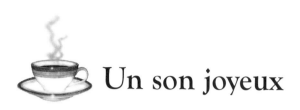 # Un son joyeux

Je n'étais pas tellement transportée de joie à l'idée de jouer de la musique de Noël dans une maison de retraite. J'avais quinze ans, c'était la première journée de mon congé de Noël, et je voulais faire dix mille autres choses. Et ces dix mille autres choses n'avaient rien à voir avec le fait de traîner ma trompette et mon lutrin pour aller divertir les personnes âgées du Wesley Glen Home for the Elderly. Cet engagement personnel me permettait d'effectuer une partie des heures requises dans le cadre de mon projet de service de ma deuxième année de collège. Bien entendu, ma mère avait insisté pour que je m'y rende.

Maman me déposa sur place avec la familiale, m'assurant qu'elle courrait à la pharmacie pour faire remplir une prescription et qu'elle reviendrait dans environ trente minutes. Les yeux suppliants, je me retournai vers elle.

« Vas-y, me dit-elle. Tu vas rendre des gens heureux. »

Je roulai des yeux et je descendis de la voiture. Comme je pénétrais dans le triste immeuble aux épaisses portes tournantes, aux lampes fluorescentes et aux multiples tons d'ivoire, de blanc et de taupe, la panique me gagna.

Est-ce que Maman est déjà partie ? Peut-être ai-je encore le temps de reculer. Je ne veux pas y aller.

Ce n'était pas réellement que je voulais quitter les lieux pour aller glisser avec mes amis ou me rendre au centre commercial ou aller au cinéma. Les centres de soins de longue durée me rendaient mal à l'aise. Je n'avais pour seule expérience dans ces établissements que mes visites annuelles pour voir Grand-père Grzegroczyk au Midland Home for the Elderly. Ces visites incluaient habituellement les brèves présentations récurrentes de ma mère.

« Papa, tu te souviens de Sarah ? C'est la deuxième de la famille. Et celle-ci, c'est Bridget, elle a neuf ans et elle grandit tellement. »

Mes sœurs et moi nous mettions en ligne pour lui donner un baiser sur la joue même s'il ne nous reconnaissait pas, ou pour lui prodiguer une timide caresse. Après les présentations routinières et les étreintes obligatoires, mon père nous entraînait rapidement vers la Maison des saveurs pour permettre à ma mère de rester seule un moment avec son père souffrant. C'était là toute mon expérience avec les maisons de repos et les gens qui y vivaient.

Perdue dans ce retour en arrière momentané, ma joue posée pour un bref instant contre le visage froid et décharné de mon grand-père, je sursautai lorsqu'une infirmière en uniforme blanc m'interpella.

« Bien, tu es là ! » lança-t-elle, plongeant la main dans un casier de rangement pour trouver un quelconque article.

« Euh, avez-vous vu un saxophone ou un trombone ? » demandai-je timidement. (Les membres de mon orchestre de cuivres et moi nous référions les uns aux autres par le nom de notre instrument.) Je pouvais ne pas vouloir être là, mais au moins je ne serais pas seule. Je parcourus le foyer du regard pour retracer le reste du trio de cuivres.

Mais l'infirmière s'occupait d'un million de choses à la fois et n'avait pas entendu ma question. Au lieu de cela, elle passa devant moi à la hâte, les bras chargés de draps. Rendue à la moitié du couloir, elle se retourna et cria : « La cafétéria est au bout du couloir, à droite ! »

Incertaine, j'errai à travers les corridors. J'essayai de résister à l'envie de regarder dans les chambres individuelles, mais la plupart des portes étaient ouvertes et j'entrevis des corps immobiles et des visages à la mâchoire relâchée. Certains des résidants dormaient, quelques-uns regardaient la télévision, et d'autres scrutaient vaguement le corridor. Je surprenais trop de regards en regardant dans les chambres ; je rivai donc mes yeux au sol et je continuai ma recherche.

Je découvris la cafétéria, guidée par les odeurs peu appétissantes des pommes de terre en purée réhydratées, des tranches de dinde dégelées et des légumes en conserve. Comme j'entrais dans la pièce, je reçus la guirlande pendante faite de cannes de Noël en plein visage. Un arbre de Noël artificiel orné de décorations en papier était installé avec les meubles institutionnels apparaissant en arrière-plan. Les aides vêtues de blanc sortirent de la cuisine en tenant des piles de plateaux en équilibre qu'elles distribuèrent aux gens qui attendaient tranquillement aux tables ou dans des fauteuils roulants.

Où était donc le reste de mon trio ? Est-ce que j'avais la bonne heure ? Est-ce que le concert avait été annulé ? Je ne pouvais vraiment jouer une version cuivres de « God Rest Ye Merry Gentlemen » sans la ligne d'harmonie. J'aurais l'air idiote. Il me fallait seulement expliquer que je ne pouvais jouer sans les deux autres musiciens.

Mais avant que je ne puisse m'excuser, une voix résonna : « Mesdames et Messieurs, nous avons une invitée spéciale aujourd'hui de la Bishop Watterson High School. Elle est venue jouer de la musique de Noël pour notre fête de Noël ! »

Je figeai. En ce moment de confusion, je jetai un regard autour de moi et repérai un vieux piano droit installé contre un mur de la pièce.

Je me rendis au piano et m'assis. Les notes blanches étaient décolorées et certaines des noires étaient écaillées. Après avoir joué quelques gammes, je fus surprise de constater à quel point l'instrument était en général bien accordé.

Mais je n'avais pas de partitions, et je n'avais pas joué de piano depuis une éternité. Il me fallait donc simplement improviser et me fier à ma mémoire de musicienne.

« Joy to the World » fut le premier morceau, et puis « Mon beau sapin ». Je jouai les versions élémentaires et je dus improviser à certains endroits, mais dans l'ensemble, c'était bien.

Je venais de me lancer dans le deuxième couplet de « Sainte nuit » lorsque je sentis une présence chaleureuse à côté de moi sur le banc de piano. Un bras, recouvert d'une manche bleue appartenant à un très vieil homme, reposait près du mien. *Qu'est-ce qu'il veut ?* me demandai-je. *Est-ce qu'il pense me connaître ?* Ne sachant quelle attitude prendre, je continuai à jouer jusqu'à ce que je voie ses larges mains noueuses s'avancer vers les notes.

Il tourna la tête et me regarda dans les yeux.

« Heu, bonjour, bégayai-je. Est-ce que vous, euh, jouez du piano ? »

Lentement, il baissa les yeux, regardant intensément les notes.

J'essayai encore. « Je ne suis pas très bonne. Je joue seulement de la trompette maintenant, dans le groupe de l'école. »

Son silence me mit encore plus mal à l'aise. La seule manière de soulager mon inconfort était de recommencer à jouer. Je levai mes mains, puis j'hésitai quand je vis les siennes qui tremblaient.

Silence.

Puis la musique. Une merveilleuse musique.

Des mélodies grandioses, éclatantes, remplirent la pièce. Ses mains se croisaient l'une sur l'autre, s'étirant pour atteindre les notes les plus basses. *Chopin ? Grieg ? Liszt ?* Une pièce familière classique, riche en crescendo et en pianissimo, vivante de glissandi passionnés. Il regardait rarement ses mains alors qu'elles flottaient d'une extrémité à l'autre du clavier au-dessus des notes d'ivoire. Je ne pouvais m'en détacher les yeux.

Les infirmières, qui quelques instants plus tôt couraient un peu partout, avaient cessé toute activité. De fait, la pièce entière était immobile. Les fourchettes avaient été posées, et même les cuisiniers avaient cessé leur travail pour regarder et écouter.

Il continua pendant encore une dizaine de minutes et, finalement, il interpréta délicatement la finale de la pièce. Il reposa humblement ses mains sur ses genoux, en baissant les yeux. La pièce était chargée, les notes résonnant encore dans l'air.

Je murmurai : « C'était merveilleux. Ils doivent être heureux de vous avoir ici. »

Une infirmière apparut près de nous, le visage électrisé. « Oh, John ! » Elle rayonnait : « Nous ne savions pas que vous pouviez jouer ainsi ! »

Je me retournai vers la femme, confuse.

« Êtes-vous nouvelle ici ? » demandai-je.

« Non, je ne suis pas nouvelle. » Elle sourit.

« Oh ! Est-ce que c'est John qui est nouveau ? »

La femme se pencha plus près de moi et, nos visages se touchant presque, répondit ouvertement : « Je suis ici depuis quatorze ans. John est ici depuis onze ans. Il n'avait même jamais touché ce piano. Nous ignorions absolument qu'il savait jouer, à plus forte raison de cette manière. »

Un autre membre du personnel s'approcha de moi et posa sa main sur mon bras. « Qu'est-ce que vous avez fait ? Qu'est-ce que vous lui avez dit ? »

« Rien, répondis-je. Je me suis juste assise ici et j'ai joué. »

« Vous devez avoir fait quelque chose ! » insistè-rent-elles toutes deux.

« Je vais chercher Kathy ! » ajouta l'une d'elles, courant vers le poste de réception.

Puis, John tira mes mains vers lui et les tint dans les siennes. Je n'étais pas effrayée. Je me sentais profondé-ment reliée à lui. En ce moment, je sentais la présence du grand-père étranger que j'avais embrassé, et je compris pourquoi j'étais ici ce jour-là.

John serra gentiment mes mains et les laissa aller. Il plaça ses poignets au-dessus des notes et recommença à jouer. Je glissai du banc pour lui faire de la place. Je le regardai un moment alors que la pièce entière était éclairée par la joie de la musique. Ramassant mes affai-res, je repartis pour retrouver ma mère qui m'attendait dans le parc de stationnement.

« Comment ça s'est passé ? » demanda Maman.

« Très bien », répondis-je, trop déconcertée et trop émue pour lui raconter ce qui était arrivé.

Mais je n'oublierai jamais comment une corvée de Noël est devenue un miracle de Noël, alors que deux étrangers, l'un dans la fleur de l'âge et l'autre à son cré-puscule, ont joint leurs âmes et leurs cœurs pour pro-duire un son joyeux qui résonne encore dans mon cœur.

— *Sarah Thomas Fazeli*

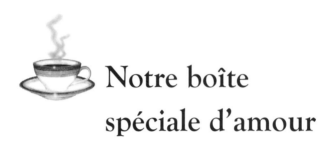

Notre boîte
spéciale d'amour

C'était notre troisième Noël ensemble. Mon mari
et moi vivions dans le logement du haut d'une
petite maison de briques à Cleveland, en Ohio. Notre
propriétaire et son mari, Mme et M. Webber, qui
étaient des gens charmants et attentionnés, logeaient
en bas. Pour Noël, cette année-là, ils nous ont offert
une boîte d'un kilogramme de chocolats variés, pour
laquelle nous leur avions été très reconnaissants. Nous
étions un couple marié avec deux bébés et un autre en
route, nos finances étaient très limitées et nous pouvions nous payer très peu d'extras.

Les chocolats étaient arrivés dans une jolie boîte,
décorée de branches de houx et de petits fruits merveilleusement dessinés. Une fois tous les chocolats
consommés, j'ai entreposé nos photographies de
famille dans la boîte pendant des années. À mesure
qu'ils grandissaient, nos enfants adoraient tous fouiller
dans notre boîte de photographies, et j'ai toujours

beaucoup tenu à cet objet, qui me rappelait les gentilles gens qui nous l'avaient offert, il y avait bien des années de cela. Après un certain temps, notre réserve de photographies a excédé la taille de notre boîte à friandises, et nous l'avons remplacée par un contenant plus grand. Les années ont passé et j'étais toujours incapable de jeter la boîte qui signifiait tant pour moi. Je pensais que ce serait une boîte parfaite pour un cadeau d'amour — un présent exceptionnel choisi avec soin pour faire plaisir à quelqu'un d'exceptionnel dans sa vie, un cadeau qui dit : « Je te connais et je t'aime. »

Cette année-là, j'ai décidé d'utiliser la boîte d'amour pour un cadeau que je souhaitais offrir à ma fille Cindy. J'ai inclus une note lui demandant d'y faire bien attention et lui disant que j'espérais la ravoir le Noël suivant. Et elle est revenue — avec un cadeau spécial pour moi. Ce fut le début d'une tradition mère-fille consistant à acheter ou à fabriquer un petit cadeau gentil pour celle dont c'était le tour de recevoir la boîte l'année suivante.

Année après année, notre boîte spéciale d'amour avait contenu quantité de cadeaux différents : des chemises de nuit, des articles artisanaux, des chemisiers, des gourmandises de fillette, toutes sortes de babioles et, bien sûr, du chocolat et des photographies. Les cadeaux les plus précieux avaient été les présents personnels dotés d'une valeur sentimentale, comme l'année où j'avais donné à ma fille un ancien oreiller de plumes fait main et couvert de satin noir orné de broderie. Il avait appartenu à son arrière-grand-mère et avait été fabriqué vers la fin des années 1800. Grand-maman s'en servait comme d'un oreiller pour le cou sur le dos de sa chaise berçante. J'ai recouvert l'oreiller de dentelles et ajouté de nouvelles attaches de ruban, et je l'ai placé dans notre boîte spéciale d'amour. J'ai récemment aperçu l'oreiller sur le lit de ma fille ; je sais donc que Cindy aime beaucoup l'oreiller, même si elle n'a jamais connu son arrière-grand-mère.

Un autre cadeau qui a éveillé de nombreux souvenirs est une petite couronne que j'ai fabriquée pour Cindy, ornée de simples objets de famille servant de décorations : un dé à coudre, une cuiller d'argent, des broches à cheveux à l'ancienne que portait son arrière-grand-mère, et bien d'autres articles, tous appartenant à ses grands-mères ou à ses arrière-grands-mères, ou à moi-même.

Le dernier Noël, j'ai reçu la boîte. Quand je l'ai ouverte, il y avait, à ma grande surprise, un cadre de porcelaine avec une photographie de Cindy et de moi prise lors de mon soixante-cinquième anniversaire. Autour du cadre, je pouvais lire : « J'aime ma maman ! » Ce cadeau m'a fait monter les larmes aux yeux, mais c'étaient des larmes de joie, parce que Cindy et moi avions toujours été proches, non seulement comme mère et fille, mais aussi comme meilleures amies.

Ce qui avait débuté en 1954 comme un très joli mais simple cadeau de Noël de notre propriétaire devint une tradition de toute une vie entre une mère et une fille. Si Mme Webber était de ce monde, je sais qu'elle rirait doucement en voyant ce qui est advenu de la boîte de friandises : les taches, les empreintes digitales, les branches de houx et les baies décolorées, le ruban adhésif qui tient tout cela ensemble, et les expressions d'amour tant chéries et parfois humoristiques qu'elle a contenues toutes ces années.

Et je sais que, quelques semaines avant Noël, je recevrai un appel téléphonique de Cindy, qui me dira : « Maman, est-ce toi qui as la boîte, cette année ? » Dans tout le brouhaha du rangement des affaires de Noël, nous oublions parfois laquelle des deux a la boîte en sa possession. Cette année, c'est mon tour et elle est déjà remplie d'un assortiment de petits bonshommes de neige que ma fille collectionne.

L'an dernier, mon mari et moi avons célébré notre cinquantième anniversaire de mariage, et Cindy et son mari, leur trentième. Nous avons maintenant huit petits-enfants et dix arrière-petits-enfants. Peut-être est-il temps de remplir encore une fois la boîte de Noël avec des photographies de Noël. Ou peut-être mes petites-filles et mes arrière-petites-filles perpétueront-elles la tradition, échangeant des cadeaux d'amour avec leur mère, leur grand-mère, et leur arrière-grand-mère. Quels que soient les simples trésors dont nous la remplirons, je suis certaine que notre boîte spéciale d'amour débordera certainement de souvenirs… et d'amour.

— *Junella Sell*

# Un Noël swahili

« Aimerais-tu participer à un safari photo en Afrique de l'Est pour Noël ? »

« Un safari en Afrique de l'Est ? » répétai-je à mon mari.

L'idée évoqua des images de grande aventure — et une pointe de réticence. « Ça semble merveilleux, mais ça ne ressemblerait pas à Noël, et les garçons ne voudraient pas laisser leurs amis… »

Il me tendit un dépliant touristique ; les photographies colorées de zèbres, de girafes, d'éléphants et de gnous du Kenya et de la Tanzanie rendaient le dépliant des plus attrayants. Mais cela nous obligerait à renoncer aux dépenses habituelles de Noël.

Une partie de mon cerveau disait : *Vas-y. C'est la chance de ta vie !* Mais une autre partie de moi refusait. *Ce ne serait juste pas réellement Noël sans un arbre et des cadeaux.*

Il montra le dépliant à nos deux jeunes fils. Ils regardèrent les animaux sauvages et poussèrent des cris. « On y va ! »

« Pas d'arbres de Noël ni de cadeaux ? » les avertis-je.

« Qu'est-ce que ça peut faire ? » répondirent-ils en chœur.

Nous fîmes les réservations pour le voyage de deux semaines.

Comme le jour du départ approchait, j'étais déchirée entre l'excitation de partir, et la tristesse d'abandonner nos traditions. Le météorologue ajouta à mes regrets en prédisant un Noël blanc. En Afrique, ce serait l'été.

Le 23 décembre, nous nous envolâmes vers Londres, et nous changeâmes d'avion pour nous rendre au Kenya. Épuisés, nous atterrîmes à l'aéroport de Nairobi, et nous fûmes conduits en fourgonnette à la périphérie de la ville, où les indigènes vivaient dans des huttes au toit couvert de chaume.

Nous demeurâmes dans un hôtel moderne de Nairobi. Il y avait là comme décorations murales des lances, des boucliers et des tentures africaines toutes colorées. Les boutiques de l'hôtel exposaient des bustes d'Africains en acajou sculpté, ainsi que des sculptures de leurs animaux. Nous étions bien en Afrique.

Nous nous enregistrâmes, puis nous dirigeâmes vers la banque de l'hôtel pour encaisser nos chèques de voyage. À la porte de la banque, un garde africain imposant tenait un bâton de baseball sur son épaule, apparemment pour repousser les voleurs de banque potentiels. Il semblait que les responsables de la sécurité de la banque étaient autorisés à porter des bâtons de baseball, mais pas de revolvers. Un Noël africain serait effectivement différent.

Le matin suivant, la veille de Noël, nous rencontrâmes à l'extérieur de l'hôtel notre chauffeur indigène, Adam. Il nous accueillit avec un joyeux « Jambo, Mama. »

Son sourire chaleureux me convainquit qu'il n'avait pas dit « jumbo maman ». Une fois les bagages installés, nous partîmes dans un minibus aux rayures zébrées.

À travers la campagne, nous cahotâmes sur les routes remplies d'ornières avant de faire halte dans un hôtel colonial, où des lauriers roses poussiéreux fleurissaient et où l'on servait le thé sur la véranda. À ce moment-là, Adam conserva nos boîtes-repas pour plus tard.

Tout près, sous les arbres, des vendeurs avaient installé des kiosques pour vendre des tambours, des paniers fabriqués à la main, des tissus colorés, des boucliers en peau de vache et des calebasses masaïs pour transporter le lait et le sang des vaches.

« Sentez dans la calebasse », nous conseillèrent-ils vivement, enlevant le couvercle et le tenant vers nous.

Je m'éloignai rapidement de l'odeur putride.

Ils rirent.

Nous achèterons des souvenirs ailleurs, songeai-je, mais les garçons pensaient différemment.

« S'il vous plaît, est-ce qu'on peut en acheter un ? supplièrent-ils. S'il vous plaît ! Nous prendrons notre propre argent. »

« Attends qu'on les emporte à l'école ! s'exclamè-rent les garçons en examinant les calebasses peu dispendieuses. Certains enfants ne croient même pas que nous allons en Afrique. En voyant ça, ils vont le croire ! »

Nous continuâmes à rouler, dépassant les villages clairsemés qui regroupaient d'autres huttes au toit de chaume. Ici et là, des hommes masaïs rassemblaient leur troupeau décharné à travers la campagne poussié-reuse. Les hommes portaient des lances immenses qui servaient aussi de cannes, comme s'ils posaient pour des photographies de Masaïs à paraître dans le *National Geographic*.

Nous arrêtâmes pour que les troupeaux et les bergers puissent traverser la route. Mon mari ouvrit une fenêtre latérale de la fourgonnette et pointa la caméra vers eux.

Adam cria : « Non, non, pas photographier ! » Il appuya sur l'accélérateur, contourna les Masaïs furieux et partit à vive allure. « La semaine dernière, un Masaï a transpercé de sa lance un touriste qui le photographiait ! Les Masaïs croient que les photogra-phies leur enlèvent leur âme. »

Après quelques instants, nous nous redressâmes sur nos sièges, nous rappelant que nous étions des visi-teurs dans *leur* pays. Mais cette rencontre avait ajouté à mes appréhensions.

L'après-midi était avancé quand nous nous appro-châmes du parc national du lac Manyara. Mon mari lut le dépliant : « L'hôtel donne sur une forêt d'acajous, des marécages et la brousse, où l'on trouve des lions perchés dans les arbres et des troupeaux d'éléphants. »

Mais c'est demain, songeai-je. *Ce soir, nous passerons la veille de Noël dans cet endroit bizarre.*

C'était un long trajet d'une journée, interrompu que pour manger le poulet frit de nos boîtes-repas et boire du jus d'orange et de l'eau en bouteille.

Nous arrivâmes à l'hôtel rustique à temps pour nous débarbouiller et nous changer pour le repas. Plus tard, dans la salle à manger, un sapin de Noël en aluminium fut érigé dans le coin opposé. Quelques personnes dirent : « Joyeux Noël », mais l'esprit des fêtes était absent.

Après le déjeuner, le gérant de l'hôtel annonça une activité se déroulant sur le patio. Nous nous dirigeâmes à l'extérieur pour trouver des chaises près d'un feu de jardin ronflant. Derrière le feu, se tenaient des femmes portant des caftans clairs et des rubans colorés haut sur leur tête ; les hommes étaient alignés derrière elles, vêtus de chemises blanches et de pantalons foncés.

Lorsque nous nous installâmes, ils fredonnèrent une note, puis commencèrent à chanter en swahili : « Oh, petit village de Bethléem, combien tu es tranquille ! » Pendant qu'ils chantaient, leur foi irradiait comme les étincelles du feu de camp.

J'avais la gorge serrée.

Peu après, la soirée se remplit de « Hark ! The Herald Angels Sing » et « It came Upon a Midnight Clear ».

J'avais l'âme secouée.

En un mauvais anglais, le directeur nous demanda de chanter la dernière chanson avec eux.

Ma voix trembla pendant que je chantais, mes mots se mêlant à leurs paroles swahilies. « Nuit de paix, sainte nuit, dans l'étable aucun bruit, sur la paille est couché l'enfant, que la vierge endort en chantant… »

Des larmes chaudes inondaient mes joues. C'était Noël, un vrai Noël, pas un Noël limité par les cultures et les traditions.

En Afrique, la merveilleuse histoire était revenue pour me toucher.

— *Elaine L. Schulte*

Les soldats de plomb

es trajets vers la Pennsylvanie étaient remplis d'anticipation. Je préférais le train à l'automobile, car ce moyen de transport avait quelque chose d'envoûtant pour moi. J'attendais impatiemment que le train entre en gare, pressée de voir mon nouveau petit cousin, qui représentait les frères et sœurs que j'aurais malheureusement bien aimé avoir.

Mais il y avait un inconvénient au voyage : ma mère et mes grands-parents logeaient toujours dans un motel, tandis que moi, je dormais chez ma tante et mon oncle. Même si je détestais passer la nuit en dehors de chez moi, ils étaient adorables avec moi et leur appartement était assez agréable le jour, inondé qu'il était par la lumière du soleil et pourvu d'un balcon qui donnait sur une butte verdoyante. Mais les nuits à la campagne étaient sombres et angoissantes, et leur fraîcheur insaisissable m'effrayait. J'étais une fille de la ville habituée aux lumières urbaines. Comme je leur rendais visite presque chaque Noël et pendant les vacances d'été ou en d'autres occasions particulières, je devais, bien sûr, suivre leurs règles. Autre chose, il y avait un homme dans leur maison — mon oncle. Je n'avais pas l'habitude de voir un homme dans la maison ni même d'autres enfants. J'étais habituée à vivre seule avec ma mère depuis son divorce avec mon père.

Pire encore, dans la maison de ma tante, j'étais la plus âgée des enfants. On attendait de moi que je sois « raisonnable » et que je fasse les bonnes choses. Seulement, je n'étais pas raisonnable et il semblait que je faisais rarement les bonnes choses. Dans ma maison à moi, j'étais la seule enfant. Ma mère m'adorait et me choyait, tout comme mes deux adorables grands-parents. Mais chez ma tante, j'étais seulement une personne parmi trois, en plus d'être la « grande fille ». J'étais donc mal à l'aise de leur dire à quel point j'avais peur et me sentais seule la nuit.

À notre arrivée, ma tante nous attendait à la gare. J'étais tellement excitée de voir mon petit cousin ! Mais lorsque nous franchîmes la porte de leur maison, ma tante m'annonça qu'elle avait trouvé le parfait compagnon de jeu pour moi, un garçon qui venait juste de déménager dans l'appartement voisin. Un *garçon*. Cela signifiait des problèmes. Les garçons, c'étaient ceux qui vous agaçaient à l'école, vous tiraient les cheveux et vous disaient des mots grossiers que vous ne compreniez pas et que votre mère refusait de vous expliquer. Ils mettaient à exécution leurs menaces de vous frapper à l'estomac, tellement fort que vous en perdiez le souffle. À cinq ans et demi, j'avais appris qu'il était préférable de se tenir éloignée des garçons, et j'étais loin d'en vouloir un pour ami.

Malgré mes ferventes protestations, ma tante se rendit chez les voisins et ramena Freddie. Il était un peu plus jeune que moi, venant tout juste d'avoir cinq ans, mais il était beaucoup plus grand. Il entra, et on nous présenta. Aucun de nous ne parlait. Je me savais en sécurité tant que des adultes se tenaient à proximité, mais je n'avais pas tellement envie de demeurer seule avec lui. J'hésitai lorsqu'il me demanda de venir chez lui pour voir ses soldats de plomb « parce que, dit-il en examinant avec méfiance ma collection de poupées, il n'y a rien d'intéressant pour jouer ici ».

« Vas-y, dit ma tante. Vas-y. Tu es une grande fille. » (Encore une fois.) « C'est seulement de l'autre côté du couloir. »

Je détestais paraître stupide et m'y rendis donc. Et ils étaient là. Deux cents petits soldats, alignés pour le combat. Des colonels, des commandants, des lieutenants, des officiers, de simples soldats et des sergents, prêts pour l'action, attendant Freddie. Ils étaient tous habillés de vert. En fait, tout était de couleur vert armée, jusqu'aux tanks et aux jeeps.

Freddie se laissa tomber sur le plancher : « Bang, bang ! cria-t-il. Attention, les gars. L'ennemi ! *Vroom, vroom ! Chuck, chuck !* » La jeep arriva. « Bang, bang. Touck. Ouvrez le feu ! Chargez ! »

J'étais figée.

Freddie me regarda. « Alors, qu'est-ce que tu attends ? Viens. On va jouer ! »

Il voulait vraiment que je joue. Je me jetai par terre, mais je ne savais pas quoi faire. J'avais l'habitude d'habiller mes poupées bébés et de les tenir dans mes bras. Je pris timidement un soldat et je risquai une faible tentative de « bang, bang ».

« Non, me dit Freddie, paraissant vraiment scandalisé. Tu viens juste de tuer un de nos hommes. Les ennemis sont là-bas ! » Il les montra du doigt.

« Ils se ressemblent tous », osai-je.

« Les filles ! » murmura-t-il. « De l'autre côté de cette ligne — là ! ajouta-t-il, les montrant encore du doigt. Ceux-là sont les ennemis. »

Puis il fit une chose bizarre. Il prit ma main et la plaça dans la sienne, par-dessus le soldat. « Maintenant tu dis " bang, bang " », dit-il.

« Bang, bang ! »

« C'est parfait, affirma-t-il. Maintenant, essaie toute seule. »

Nous jouâmes pendant des heures. Ce n'était pas comme lorsque je jouais avec mes poupées, mais Freddie s'arrangeait pour que ce soit amusant. Tellement que j'eus de la difficulté à attendre le matin suivant quand Freddie projeta de revenir pour une visite.

Le jour suivant, j'essayai de jouer avec l'arc et les flèches de mes cousins, en manquant chaque fois la cible. Freddie s'approcha et plaça ses bras autour de moi. « Comme ça », expliqua-t-il, guidant doucement et patiemment ma main. Je tirai mon bras vers l'arrière et je réussis à atteindre le centre de la cible. Les yeux de Freddie brillèrent de joie. Je m'en souviens comme si c'était hier. « Oui, c'est super ! » dit-il, vraiment heureux pour moi.

Une partie de moi commençait à faire confiance à cette créature masculine tandis que l'autre s'attendait à ce qu'il m'agace ou me frappe. Mais ça n'arriva jamais. Quand Freddie avait placé ses bras autour de moi, j'avais ressenti quelque chose comme jamais auparavant. C'était une nouvelle sensation, une sensation plaisante. Une sensation de grande douceur et d'une profonde intimité. Et elle venait d'un garçon. Pour la première fois de ma vie, j'avais l'impression d'être une fille. Une vraie fille.

Les visites subséquentes chez ma tante et mon oncle me semblèrent de moins en moins moroses, et les nuits, jadis terrifiantes, étaient maintenant remplies du plaisir anticipé du jour prochain qui ramènerait Freddie et ses soldats de plomb. Freddie et son peloton semblaient constituer une même entité. Si Freddie arrivait, les soldats l'accompagnaient aussi. Si je me rendais chez Freddie, les hommes en vert étaient là et attendaient, prêts à agir.

Je retins quelque chose en jouant avec Freddie. J'appris à abandonner momentanément mes poupées et à jouer avec des soldats, même si ce n'était pas aussi intéressant. Parce que Freddie aimait ce jeu. Et lui aussi, je crois, compris que ce n'était pas la fin du monde de jouer le père avec mes poupées. Et je pense même que, parfois, il aimait ça.

Je n'avais aucune idée de ce qu'était le romantisme, mais j'avais vu plusieurs films, et Freddie et moi commençâmes à nous donner un baiser avant de partir, d'abord sur la joue, et une autre fois sur les lèvres en cachette. Je me sentais belle pour la première fois de ma vie. Ma famille et les autres adultes avaient l'habitude de dire à quel point j'étais jolie. Mais les garçons de l'école me donnaient l'impression que j'avais la peste ou quelque chose de semblable. Avec Freddie, bien, je sentais que, après tout, je n'étais peut-être pas si mal.

Nous visitâmes à nouveau la Pennsylvanie pour Noël. Ma mère me donna la poupée que je désirais et ma tante m'offrit un collier de perles véritables. Freddie et moi nous connaissions maintenant depuis environ un an et demi. Lors de cette visite, nous demeurâmes pendant plusieurs jours ; j'avais donc beaucoup de temps pour jouer avec Freddie. Quand le dernier jour de vacances arriva, je me sentais triste. Les vacances avaient été merveilleuses et j'appréhendais mon retour à l'école.

Ma tante, ma grand-mère et ma mère allèrent faire des courses. Freddie arriva peu après leur départ. Il transportait un énorme sac en papier brun froissé. Freddie leva les deux bras et poussa le sac dans mes mains.

« Qu'est-ce que c'est ? » lui demandai-je.

« Ouvre-le, répondit-il. Joyeux Noël. »

Je jetai un regard dans le sac, puis je regardai Freddie. Dans le sac, il y avait les soldats de plomb de Freddie.

« Quoi ? » lançai-je.

« C'est pour toi », dit-il.

« Mais ce sont tes soldats », répliquai-je, étonnée.

« Non, je veux que tu les aies », dit-il, et il sortit en courant, en claquant la porte derrière lui, ne restant même pas pour jouer.

Je restai là à regarder la porte, ne comprenant pas pourquoi Freddie ne restait pas avec moi pour jouer. Finalement, je m'assis sur le plancher et je vidai le contenu du sac. Puis je comptai. Deux cents. Les deux cents étaient là. Les chars d'assaut, les fusils, les soldats, tout.

Je disposai chaque soldat à sa place, les mettant en ligne comme Freddie me l'avait enseigné. Je les classai selon leur camp : les alliés et les ennemis. Je plaçai sur la ligne de front les hommes agenouillés munis d'un fusil. Puis je commençai. « Bang, bang. *Vroom, vroom. Chuck, chuck.* » Mais c'était inutile. Sans Freddie, ils étaient inanimés. Je restai assise très longtemps, à simplement regarder les soldats. Freddie me manquait.

Quand ma mère revint, elle jeta un coup d'œil aux soldats, tous soigneusement alignés sur le plancher et demanda : « Où est Freddie ? » La question était normale. « Je sais qu'il ne doit pas être bien loin. » Elle sourit et pointa du doigt : « Les soldats… »

Après tout, Freddie et ses soldats ne faisaient qu'un.

« Il n'est pas ici », lui dis-je.

Elle me regarda d'un air perplexe.

« Freddie m'a donné tous ses soldats. Il voulait que ce soit moi qui les aie. »

Ma mère eut le souffle coupé. Je me souviens de cela. Elle eut le souffle coupé.

« Tu ne peux les garder, me dit-elle. Freddie adore ces soldats. Tu dois les lui remettre. »

Je savais qu'elle avait raison. Ils appartenaient à Freddie. Mais quelque chose en moi voulait que je les conserve. Ma mère devait l'avoir senti dans mon expression.

« J'ai une idée, dit-elle. Redonne à Freddie ses soldats, mais tu en gardes un. » Puis elle demeura silencieuse.

Bien sûr ! C'était l'idée la plus brillante que j'eus jamais entendue. Je pouvais en garder un !

« D'accord ! » répondis-je, complètement soulagée, soupçonnant que ma mère l'était aussi.

« Je vais aller à côté et parler à la mère de Freddie », dit-elle. J'étais d'autant plus soulagée que je n'étais plus seule maintenant dans cette histoire.

Ma mère revint après environ dix minutes. « Je vais te dire quelque chose, dit-elle, mais tu dois me promettre de ne pas en parler à Freddie. »

J'acquiesçai de la tête. J'adorais que ma mère me fasse des confidences.

« Freddie a pleuré pendant des heures, dit-elle. Ses soldats lui manquent, mais il a dit à sa mère qu'il ne voulait pas les redemander. Il veut que ce soit toi qui les aies. »

Mon cœur se serra. Je me sentais tellement exécrable que j'avais mal au-dedans de moi. J'avais fait pleurer Freddie, mon meilleur ami Freddie.

« Tu dois remettre les soldats à Freddie. Dis-lui que tu les aimes et que tu les désires plus que tout, mais que tu veux qu'il les garde. »

Je replaçai les soldats dans le sac en papier brun froissé, un par un, prenant bien soin de n'endommager aucun de ses trésors. Je pris la main de ma mère et le sac, et nous nous rendîmes à côté et sonnâmes à la porte de Freddie. La mère de Freddie répondit et appela son fils. Il arriva à la porte, les yeux rouges et gonflés à force d'avoir pleuré. Je ne dis rien.

Puis, « Freddie, je ne peux les garder. Je les aime plus que tout, mais tu les aimes aussi et ils t'appartiennent. »

Freddie n'avait pas l'air heureux. Il avait l'air plutôt déconfit. Puis je compris.

« Mais j'aimerais en garder un. Celui-là, dis-je pendant que je cherchais dans ma poche et en retirais un soldat. Voici le sergent Freddie ! »

Le visage de Freddie s'éclaira.

« Est-ce que je peux le garder ? » demandai-je timidement.

Freddie fit un signe enthousiaste de la tête. « C'est une idée formidable ! » répondit-il, étirant les bras et reprenant le sac brun. Puis il vida les 199 soldats et commença à les disposer.

« Est-ce qu'elle peut rester un peu ? » Il leva les yeux vers ma mère.

« Juste pour quelques minutes, répondit ma mère, en souriant. Nous devons prendre le train de 18 h. »

Je me jetai sur le plancher et je commençai à jouer, regardant Freddie qui ramenait encore une fois ses soldats à la vie. C'était magique.

Sur le train qui nous ramenait à la maison, ma mère et moi nous assîmes ensemble derrière mes grands-parents. Nous étions toutes les deux très silencieuses.

« As-tu le soldat ? » me demanda ma mère.

« Tu veux dire *Sergent Freddie* », corrigeai-je, et je le retirai de ma poche. « Regarde. Il est juste là. Je rapporte Freddie à New York et je vais le garder à côté de mon lit. Je vais le garder pour toujours, Maman. Pour toujours. »

Ma mère toucha doucement mon visage. Il y avait des larmes dans ses yeux. À ce moment-là, je ne comprenais pas pourquoi, parce que je me sentais bien à l'intérieur. Très, très bien.

— *Pat Gallant*

 Une chanteuse de chants de Noël peu enthousiaste

« **O**h, viens, ma chérie. Nous aurons du plaisir », supplia mon mari Jeff.

« Oui, maman, s'il te plaît, viens chanter des chants de Noël avec nous », renchérirent mes trois jeunes filles.

Je jetai un œil lugubre par la fenêtre et regardai la pluie qui tombait. C'était un soir lamentable, même pour l'ouest de Washington. Puis je me tournai vers les visages remplis d'attente de ma famille.

« Oh, d'accord, grommelai-je. Peut-être pouvons-nous chanter : " Je rêve d'un Noël bien sec " ».

Jeff, nullement ébranlé par mon manque d'enthousiasme, me serra dans ses bras. J'aurais préféré demeurer à la maison avec Monsieur Scrooge que de chanter des chants de Noël sous la pluie avec notre groupe d'étude de la Bible. La direction de deux spectacles musicaux en plus d'une ronde sans fin de magasinage, d'horaires chargés et de fêtes m'avaient transformée en un pitoyable cas de « Bah humbug », la formule favorite de Scrooge.

Au moment de notre rencontre avec notre groupe dans un terrain de roulottes à proximité, il tombait un amalgame de pluie et de neige fondue. Je serrais les dents alors que le vent nous fouettait le visage avec des fragments glacés. Pourtant, personne ne semblait avoir conscience du temps qu'il faisait puisque les gens nous adressaient tous de joyeux souhaits.

Nous clapotâmes vers une remorque brillamment éclairée, en chantant « We Wish You a Merry Christmas ». La porte s'entrebâilla, mais personne ne sortit sur la terrasse recouverte. Puis, comme nous nous apprêtions à partir, une femme aux cheveux argentés jeta un œil furtif à l'extérieur.

« Merci pour les chants de Noël, dit-elle. Mon voisin s'est fait voler la semaine dernière, et j'ai peur de sortir après la tombée de la nuit. »

Dans la roulotte suivante, la dame n'entretenait pas de telles appréhensions. Elle brava la pluie verglaçante pour applaudir avec enthousiasme après chaque chanson. Elle insista ensuite pour que nous rentrions tous à l'intérieur pour prendre du chocolat et des biscuits. Elle semblait inconsciente des litres d'eau qui dégoulineaient sur son plancher. Ses yeux étaient accrochés aux enfants qui engloutissaient des biscuits. Son visage rayonnait de fierté pendant qu'elle nous montrait des photographies de ses propres petits-enfants qui résidaient au loin.

Lorsque nous partîmes, je me sentis réchauffée de plus d'une manière.

Comme nous passions à proximité de la remorque sombre suivante, quelqu'un de notre groupe cria : « Attendez ! Je crois que je vois des lumières de Noël à l'intérieur. »

Nous entonnâmes « Sainte nuit » tout doucement, au cas où les occupants seraient endormis. La lumière extérieure s'alluma et un homme âgé sortit sur la véranda couverte pour écouter. Je crus apercevoir des larmes qui coulaient sur ses joues.

Lorsque nous eûmes terminé la chanson, il y eut une seconde de silence. Puis l'homme dit : « C'était magnifique. J'aurais aimé que ma femme vous entende. Elle aime les chants de Noël, mais elle... » Sa voix se cassa et il se racla la gorge. « Elle a le cancer et elle ne peut sortir. »

Nous restâmes figés pendant un moment. Puis quelqu'un suggéra : « Pourquoi n'essayons-nous pas de chanter sur la véranda ? »

L'homme sourit pour la première fois, un sourire de petit garçon qui éclairait son visage. « Oh, ce serait formidable ! Je laisserai la porte ouverte et j'irai écouter avec elle. »

Nous réussîmes, je ne sais comment, à nous entasser tous sur la véranda. Nous chantâmes « Sainte nuit » à travers la porte avant restée ouverte. Luciano Pavarotti se serait hérissé à entendre certaines de nos fausses notes, mais cela ne nous dérangeait nullement. Nous chantions pour l'auditoire derrière la porte et pour celui au-dessus des nuages de pluie.

Quelques chants de Noël plus tard, l'homme revint à la porte, avec ce sourire de petit garçon sur le visage.

« Elle m'a dit de vous dire merci. C'est tellement important pour elle. »

Sur un coup de tête, je demandai : « Est-ce que ça dérangerait si nous entrions pour une minute ? »

Mon mari et mes enfants me dévisagèrent, presque aussi surpris que moi par ma nouvelle attitude.

Mais l'homme réagit comme si vingt invités imprévus constituaient un événement quotidien et bienvenu. « Bien sûr, entrez », dit-il, nous faisant signe d'entrer dans la minuscule roulotte.

Je m'étais à moitié attendue à voir une pièce morose et obscure. Nous découvrîmes exactement l'opposé. Oui, la femme frêle confortablement installée sur le sofa du salon était très malade, de toute évidence. Mais ses yeux brillaient sur son visage fané. Même la chambre semblait refléter sa joie. Des lumières de Noël scintillaient joyeusement sur un arbre, et un arôme de chandelles à la cannelle remplissait la pièce.

Nous posâmes quelques questions et découvrîmes qu'ils avaient quatre enfants dispersés à travers la planète.

« Malheureusement, aucun d'entre eux ne peut revenir à la maison pour Noël, cette année, dit-elle. Peut-être l'an prochain. »

Je m'émerveillais de sa capacité de nourrir des espoirs de joie pour Noël prochain au lieu de ruminer la douleur du présent. Puis, elle nous parla de sa lutte de deux ans contre le cancer des os, qui avait ravagé une grande partie de son corps. Elle repoussa nos expressions de sympathie.

« Je n'ai pas peur, déclara-t-elle. Je sais où je m'en vais. Aussitôt que j'aurai quitté ce vieux corps, je serai avec mon Seigneur Jésus. » Puis elle soupira. « La partie la plus difficile, c'est de se demander lequel de nous partira le premier. »

Surpris, nous regardâmes son mari.

« Insuffisance cardiaque congestive, expliqua-t-il. Les médecins ne peuvent rien faire pour moi. » Il prit la main de son épouse et sourit. « Mais c'est bien. Nous ne voulons pas demeurer séparés trop longtemps. »

Avant de partir, plusieurs personnes promirent de leur rendre visite et de leur apporter de la nourriture le jour de Noël. Puis nous chantâmes notre dernière chanson : « Joy to the World ! » Le miracle que j'avais vu dans cette pièce me rappelait celui de Bethléem — riche au milieu des pauvres, joyeux au milieu des larmes.

« Let every heart prepare Him room. » Je me rendis compte que les deux dernières semaines avaient été remplies de tellement de choses qu'il n'y avait plus de place pour la joie… ni pour mon Sauveur. Comment avais-je pu l'exclure de mon existence, même pour une seconde ? J'ouvris mon cœur bien grand pour le réinviter dans ma vie, et je sentis son amour et sa paix m'envahir.

« Let heaven and nature sing. » La joie montait à l'intérieur de moi et se répandait en musique et en louanges.

Puis, l'imaginai-je, ou entendis-je vraiment les anges chanter en chœur ?

— *Teresa Olive*

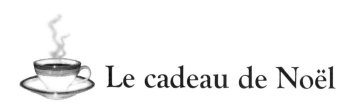# Le cadeau de Noël

La première année qui suivit l'éclatement de mon mariage ressembla à un interminable marathon d'obstacles et de quête intérieure. Chaque nouvelle journée mettait à l'épreuve les approches éprouvées et avérées d'une vie « normale ». Vivre une vie dans cet état, c'était comme porter des souliers neufs trop serrés. J'avais l'impression que ma vie entière m'avait été dérobée.

Le temps des fêtes fut particulièrement difficile. À ma grande surprise, Noël se présenta de nouveau à nos portes cette première année après le divorce. Je suppose que j'avais pensé, ou espéré, que les fêtes passeraient sans s'arrêter. Comment pourrais-je y survivre ? J'avais été témoin de la désintégration de ma famille, d'abord avec le départ de mon mari et du père des enfants, et maintenant celui de ma fille.

La colère et la méfiance de Katie, notre fille aînée, s'étaient manifestées avant le divorce, mais par la suite ces sentiments avaient décuplé avec une violence alarmante. Malgré un règlement de divorce équitable, j'étais devenue la seule cible de l'angoisse adolescente de Katie.

Puis, deux semaines avant son dix-huitième anniversaire, Katie a fait ses valises et a pris son envol. Proclamant simultanément son statut d'adulte et son mépris pour ses deux parents, elle a vigoureusement choisi de n'habiter ni avec son père, ni avec moi. Elle a renoncé à son rêve de fréquenter l'école des beaux-arts, comme à d'autres fragments dédaignés de son enfance. Au lieu de porter des vêtements griffés et de faire la tournée de bruyantes fêtes d'initiation, elle a revêtu un uniforme de serveuse et est déménagée dans un affreux appartement. Ses pièces dépouillées, ses installations et accessoires de salle de bain maculés semblaient refléter le piteux état de nos vies et de notre relation. La tension entre nous était devenue si forte que je me demandai même si elle viendrait à la maison pour Noël.

Durant ces fêtes, mon espoir était de préserver toutes nos traditions familiales des Noël passés. Je croyais que si nous pouvions recréer le passé, l'avenir paraîtrait moins terrifiant.

La veille de Noël, comme c'était la coutume chaque année depuis la naissance de mes filles, mes parents, ma sœur et mon beau-frère, ma tante, ma plus jeune fille, Victoria, et moi-même nous réunîmes tous pour souper avant d'assister à l'office religieux de minuit. Nous attendîmes Katie, mais à l'heure convenue, elle n'était pas arrivée. Nous attendîmes un peu plus. Finalement, nous servîmes le repas.

Katie se manifesta finalement, gelée et essoufflée. Sa voiture délabrée avait rendu l'âme, et elle avait marché plusieurs pâtés de maisons pour nous rejoindre, dans une température glaciale, en talons hauts et en collants. Elle s'assit loin de moi à l'autre extrémité de la table. Elle ne m'adressa pas une seule fois la parole, ni ne regarda dans ma direction. *Brrr.*

Au moment de partir pour l'église, Katie, appréciant l'attention de sa tante et de son oncle, monta dans leur voiture. Victoria et moi suivîmes dans ma propre voiture. Après le service, Katie retourna dans la voiture de ma sœur et de son mari. Je supposais qu'ils la ramèneraient à la maison, où j'avais projeté qu'elle passerait la nuit. Mais ils n'arrivèrent jamais.

Je composai le numéro de téléphone de ma sœur. Pas de réponse. Je composai celui de ma mère. Pas de réponse non plus. Je devenais hystérique. Il est étonnant de constater à quel point le stress peut altérer notre capacité de raisonner. Combien de scénarios ai-je pu imaginer ? Ils s'étaient enfuis avec elle ? Peut-être l'avaient-ils laissée sur la rue et qu'elle avait dû marcher jusqu'à sa voiture abandonnée ? Je n'ai aucune idée de ce que j'ai pensé à ce moment-là, mais je me rappelle exactement comment je me sentais : bouleversée et fragile. D'une extrême fragilité.

Après une éternité à faire les cent pas et à pester contre les dieux de m'avoir enlevé mon espoir de vivre Noël dans la chaleur et l'affection, je reçus un appel de ma sœur. Katie leur avait expressément demandé de la ramener à son appartement.

Comment se pouvait-il que Katie ait préféré demeurer seule dans un appartement décrépit et désert, sans famille, ni traditions, ni célébration des fêtes ? Oublions toutes ces choses — comment pouvait-elle avoir choisi de ne pas être avec moi pour Noël ? Quand étais-je devenue un être si repoussant ? Est-ce que je rebutais ainsi tout mon entourage ?

Hébétée, je composai le numéro de Katie. Elle m'accueillit d'un ton bourru : « Qu'est-ce que tu veux ? »

« Je veux que tu sois ici avec nous. »

« Pourquoi ? »

« Parce que Noël sans toi, ce n'est pas Noël. Parce que je t'aime. Parce que je veux que les filles White soient ensemble. Parce qu'il y a déjà eu assez de pertes comme ça. Parce que j'ai besoin de toi. »

Silence.

S'il te plaît, même les calottes glaciaires polaires fondent.

Finalement, elle parla. « Même si j'acceptais d'y aller, je ne peux pas me rendre. Ma voiture est brisée. »

« Victoria et moi irons te chercher. »

« C'est un voyage d'une heure aller-retour et il est plus d'une heure du matin. »

« Le père Noël ne dort jamais. »

Je dis au revoir et je raccrochai avant qu'elle n'ait la chance de répliquer ; je courus vers Vicki, qui regardait un vidéo de Noël, pelotonnée sur le sofa dans sa robe de nuit.

« Viens, ma chérie, dis-je à Vicki. Nous allons atteler le traîneau et chercher notre lutin manquant. »

Vicki enroula son afghan crocheté autour d'elle pour s'emmitoufler pendant le trajet et nous partîmes.

Lorsque nous pénétrâmes dans l'allée arrière qui servait de stationnement à l'immeuble où habitait Katie, je la vis penchée dans une embrasure de porte cherchant à s'abriter du vent. Je voulais la gronder d'être demeurée à l'extérieur dans le froid, seule si tard la nuit dans un minable quartier, mais je me tus quand je la vis sortir à la lumière. Mon enfant était là, incroyablement déterminée, tenant fermement son minuscule chaton d'une main et son sac de voyage de l'autre. J'ouvris la portière de la voiture. Elle m'accueillit d'un ton autoritaire.

« Je ne viens pas sans Asriel. Elle ne veut pas passer Noël toute seule. »

Ma Katie, toujours prête à se défendre, assénant des conditions et des qualificatifs. Elle ne voulait jamais paraître trop docile. Mais je n'avais pas l'intention de laisser des susceptibilités au sujet d'un chaton à amener à la maison dégénérer en dispute. Même si notre vieux chat devait piquer une crise de sifflements et de crachements.

« Bien sûr, ma chérie, amène Asriel avec toi. »

Mes filles se blottirent l'une contre l'autre sur le siège arrière, se partageant l'afghan et roucoulant au-dessus d'une boule de fourrure miauleuse noir charbon. Nous glissâmes toutes les trois sur la route calme et étoilée.

À notre retour à la maison, Victoria se traîna jusqu'à son lit, dans l'expectative de redescendre les escaliers dans quelques heures pour déballer ses cadeaux. Katie n'était pas prête à se retirer et voulait s'asseoir près de l'arbre pendant un moment. Elle démarra le film de Noël qui était encore dans le magnétoscope. J'étais épuisée et je voulais jouer mon rôle de père Noël, pour pouvoir ensuite m'effondrer sur mon lit. Je ne croyais pas que je serais capable de résister jusqu'à ce que Katie aille au lit, mais je voulais préserver les traditions du passé.

Chaque Noël depuis la naissance de Katie, mon mari et moi attendions que les filles soient pelotonnées dans leur lit la veille de Noël avant de placer les cadeaux sous l'arbre. Nous disposions soigneusement leurs cadeaux aussi parfaitement que possible afin de provoquer un déferlement de oh ! et de ah ! lorsque les filles entreraient en trombe dans le salon le matin de Noël.

Contre toute attente, ou peut-être saisie d'une inspiration divine, je m'entendis demander à Katie si elle voulait m'aider à préparer la fête de Noël. Elle m'examina pendant une longue minute, un peu comme si elle devait décider si elle s'aventurerait à franchir une porte non identifiée, incertaine de l'endroit où cette décision la mènerait. Puis elle m'accorda un cadeau miraculeux ; sans commentaire ni discussion, elle dit simplement : « Oui ».

Cette veille de Noël, deux femmes remplirent des bas, disposèrent des paquets sous l'arbre et attendirent paisiblement le lever du matin de Noël spécialement pour leur famille à trois.

— *Patty Swyden Sullivan*

 Une affaire de cœur

« Christy, va dire à ton frère et à tes sœurs de se dépêcher », dit Maman.

« D'accord », grognai-je. À neuf ans, je voyais mon statut d'aînée comme un gigantesque fardeau.

Je mis mes mains en porte-voix pour rassembler mon frère et mes sœurs, mais cette fois-là mon père me devança. De la porte avant, sa voix retentit. « Dépêchez-vous, les enfants. Au train où vous allez, nous n'atteindrons pas la maison de Grand-mère avant demain. »

Grand-papa y habitait aussi, mais pour certaines raisons, personne ne disait jamais qu'il s'agissait de sa maison à lui.

« Le dernier dans la voiture est un œuf pourri », cria Derris par-dessus son épaule, alors qu'il sortait en courant en direction de la voiture.

Gari et Cynthia hurlèrent : « À moi le siège près de la fenêtre », et ils partirent derrière lui.

Étant la philosophe de la famille, je traînai derrière et je finis par me retrouver coincée au centre sur le siège arrière. Je jouai des coudes pour trouver une position confortable avant que Papa ne démarre la voiture et que le bavardage commence. Essayez d'imaginer six personnes écrasées dans une voiture compacte, tout le monde s'efforçant de parler plus fort que les autres. Personne ne réussissait vraiment à placer un mot, et la plupart du temps, ça n'avait pas vraiment d'importance, parce que tout le monde n'écoutait les autres qu'à moitié.

« J'aimerais qu'il neige », dit Cynthia qui avait sept ans, la rêveuse de la famille.

« As-tu perdu la tête ? lui répondis-je. Il fait 26 degrés aujourd'hui. »

« Et puis ? Il pourrait neiger. » Elle fit une grimace et tira la langue.

« Je ne voudrais pas avoir cette horrible chose dans ma bouche non plus », dis-je.

« Christy, tu es la plus vieille, me rappela Papa. Tu as mieux à faire que de commencer une dispute. »

Vous voyez ce que je veux dire ? On me blâme pour tout, que ce soit de ma faute ou non.

Cynthia prononça un silencieux « Nah-nah-nah-nah-nah » jusqu'à ce que la voix chantante de Maman résonne du siège avant. « Vous feriez mieux de bien vous conduire. Le père Noël peut entendre. »

Le père Noël écoutait sans aucun doute, puisque c'était lui qui nous conduisait chez Grand-maman.

Voici comment j'ai appris la vérité. L'an dernier, la veille de Noël, je me suis levée au milieu de la nuit pour me rendre à la salle de bain et j'ai aperçu Maman et Papa dans le salon. Un après l'autre, Papa retirait les cadeaux d'un énorme sac provenant d'un grand magasin et les tendait à Maman, dont les yeux brillaient comme les lumières de l'arbre de Noël. Chaque fois que Papa lui remettait un cadeau, Maman lui souriait tendrement avant qu'elle ne se retourne pour déposer le paquet sous l'arbre.

De ma cachette derrière la table de la salle à manger, je les ai observés silencieusement pendant quelques instants, puis j'ai quitté la pièce à pas feutrés pour retourner dans ma chambre. Je suis tombée endormie, un peu triste à propos du père Noël, mais j'avais le cœur heureux, même si je ne comprenais pas vraiment pourquoi.

À propos, je n'ai jamais avoué ma découverte.

« Que penses-tu que Grand-mère va nous donner ? » demanda mon veinard de frère de sa place près de la fenêtre.

Maman se retourna sur son siège et nous regarda. « Je me demande. » Ses yeux bleu clair brillaient.

Je suis sûre qu'elle blaguait. Quelques jours auparavant, je l'avais entendue parler à Grand-mère au téléphone. Elle lui disait : « Maman, j'achèterai quelque chose de beau pour les enfants avec l'argent que tu as envoyé. » Je pense que Grand-mère était trop âgée pour faire des emplettes ; Maman devait donc s'en occuper à sa place.

Gari se tortillait comme un ver ondulé. « Est-ce qu'on y est presque ? » Elle avait seulement quatre ans ; le trajet de trente-cinq minutes devait vraisemblablement lui paraître une éternité.

Maman tendit le bras vers le siège arrière pour tapoter la tête blonde bouclée de Gari. « Ce ne sera pas long, ma chérie. »

« J'espère que le père Noël va venir pendant que nous sommes partis. » Derris avait toujours la tête dans les nuages, tout comme Cynthia, ce qui était très facile à comprendre. Après tout, c'étaient des jumeaux.

Derris voulait un vélo, mais il serait probablement déçu. Quelque temps après l'Action de grâces, j'avais entendu Papa dire à Maman qu'il travaillait aussi fort que possible pour pouvoir payer la nourriture, mais ce n'était pas assez pour les cadeaux de Noël. Maman avait semblé sur le point d'éclater en sanglots. Mon cœur s'était serré de la voir si triste. Je voulais la presser dans mes bras et lui dire que ce n'était pas important si elle ne me donnait rien, mais je ne voulais pas lui créer des ennuis pour avoir entendu par hasard une conversation qui ne m'était pas destinée. De plus, je ne lui aurais pas dit la vérité. Quel enfant de neuf ans ne veut pas de cadeaux ?

« Nous y sommes », cria Papa. Il gara la voiture près d'un grand immeuble de deux étages où ma mère et ses cinq frères avaient grandi.

Nous nous arrachâmes de la voiture comme si le feu était pris à l'intérieur.

La porte avant de Grand-maman était ouverte, et à travers le grillage, je pouvais voir beaucoup de membres de ma parenté à l'intérieur. Plusieurs étaient sortis sur l'immense véranda avant. Quelques-uns se balançaient au rythme d'un vieil air d'antan, d'autres se tenaient autour en bavardant, et d'autres encore étaient assis sur les marches.

Lorsque nous nous approchâmes, ils nous couvrirent de baisers. Après qu'ils se soient exclamés de voir combien les enfants avaient grandi (à quoi s'attendaient-ils ?), Maman nous conduisit à l'intérieur pour une séance de tripotage supplémentaire. J'endurai tout, mais seulement parce que je savais que je pourrais bientôt aller jouer.

Il y avait des cousins à profusion dans notre famille, et chaque année, d'autres s'ajoutaient. Une fois, j'ai mentionné le nombre de nouveaux bébés à mon plus vieux cousin Danny. Il m'a expliqué : « Nous sommes des catholiques tchèques et nous faisons ces bébés pour le pape. » Je ne comprenais pas ce qu'il voulait dire, mais il riait comme s'il avait raconté une énorme blague, et moi aussi j'ai ri pour montrer que je l'avais comprise.

Peu après, Grand-maman arriva au centre de la salle à manger et annonça qu'il était temps de passer à table. « Récitons les prières », dit-elle.

À l'unisson, nous récitâmes les prières que nous avions apprises dans notre enfance. « Bénis-nous, oh Seigneur, ainsi que ces cadeaux que nous recevrons de ta générosité, à travers le Christ, notre Seigneur. Amen. »

Puis tout le monde se lança. La table de la salle à manger était chargée de dinde et de farce, de haricots verts crémeux au vinaigre de Grand-mère, de salades, et de petits pains faits maison. Sur le buffet, il y avait des tartes, des gâteaux, et des biscuits, et mes favorites, les *kolaches*[1]. Je remplis mon assiette à ras bords, bien plus que je ne pouvais manger.

---

1. NDT : Tartes aux fruits et aux graines de pavot.

Comme la famille comptait au moins cinquante personnes, tout le monde trouvait un siège où c'était possible. Je m'assis sur une chaise de la salle à manger et je posai l'assiette en équilibre sur mes genoux. En cette veille de Noël, les voix joyeuses, la délicieuse nourriture et l'anticipation du reste des festivités de la soirée me rendaient heureuse d'appartenir à cette immense famille.

Après le souper, les tantes et les cousines mariées lavèrent la vaisselle pendant que les hommes choisissaient la table où installer leurs jeux favoris. D'une table, émergeait le cliquetis-clac des plaquettes d'« os » que l'on mélangeait sur le dessus en formica pour une partie de dominos. Sur une autre table, de drôles de cartes de grande taille en provenance de la Tchécoslovaquie étaient brassées pour une partie de tarot.

Les enfants sortirent pour allumer des pétards. Le soleil s'était couché et l'air du soir était tellement frisquet que la fumée sortait de notre bouche quand nous parlions. Environ dix cousins plus mon frère et mes sœurs tournaient autour en criant et en hurlant. Nous avions plus de plaisir qu'une bande de singes, jusqu'à ce qu'on nous demande de rentrer pour chanter des chants de Noël. On pouvait dire à la façon dont les adultes entonnaient à plein volume les mélodies que c'était la partie de la soirée qu'ils préféraient, même si la plupart parvenaient difficilement à produire un air un tant soit peu harmonieux.

Après un nombre incalculable de chansons, quelqu'un nous sauva en disant qu'il était temps d'ouvrir les cadeaux. Certains des adultes tenaient des cadeaux sur leurs genoux en attendant je ne sais quoi. Tous les enfants déchirèrent rapidement leurs paquets et les montrèrent aux autres.

Grand-papa, les cheveux aussi blancs que la neige qu'avait demandée Cynthia, était assis dans sa chaise et observait Grand-maman. Son tablier était toujours noué autour de sa taille ronde alors qu'elle distribuait des enveloppes d'argent à tous ses grands enfants, comme c'était la coutume chaque année. Malgré tout, tout le monde faisait semblant d'être surpris de recevoir leurs vingt-cinq dollars. Maman et Papa n'agirent pas différemment, sauf qu'ils se regardèrent avec ce qui ressemblait à du soulagement quand ils ouvrirent leurs enveloppes.

Lorsque Grand-maman arriva à la dernière enveloppe d'argent, Grand-papa sauta tellement rapidement sur ses pieds qu'on aurait dit qu'une araignée l'avait mordu. Ses joues étaient rose rouge et ses yeux bleus enjoués, juste comme j'imaginais le père Noël. Je veux dire s'il existait vraiment.

Grand-papa paraissait particulièrement joyeux pendant qu'il observait quelques oncles apporter une boîte assez grande pour contenir deux personnes. Le présent était recouvert d'au moins trois papiers d'emballage différents, et semblait être un travail d'amateur, mais Grand-papa se tenait fièrement à côté du paquet, comme s'il faisait admirer le Vatican.

« Ici, Minnie, dit Grand-papa. Joyeux Noël. »

Grand-maman rit et pressa ses lèvres sur la joue de Grand-papa. Il lui fit un sourire, puis il se nettoya le visage avec les doigts pour enlever les traces du baiser. C'était son habitude. J'ai un jour dit à Maman que

Grand-papa n'aimait pas les baisers, mais elle a répondu qu'il n'y avait aucun doute qu'il les aimait.

Après avoir déchiré le papier d'emballage, Grand-maman coupa le ruban sur la boîte à l'aide de ciseaux que quelqu'un lui tendit et en retira le couvercle. Elle y plongea les mains pour en extraire des déchirures de papier, qui s'amoncelèrent sur le plancher. Des oh ! et des ah ! retentissaient. Grand-papa n'avait jamais agi de la sorte, et nous étions drôlement curieux.

Grand-maman disparut presque dans la boîte et on aurait dit qu'elle y tomberait si elle fouillait un peu plus profondément. Puis elle poussa un cri comme si elle était tombée sur de l'or et se releva en brandissant deux enveloppes. Nous applaudîmes et lançâmes des acclamations. Ses mains tremblaient pendant qu'elle les ouvrait lentement. Lorsqu'elle regarda Grand-papa, des larmes coulèrent de ses yeux.

« Qu'est-ce que c'est ? » voulûmes-nous savoir.

Grand-maman tira le coin de son tablier fleuri pour essuyer les larmes sur son visage. « Ça fait trente ans que je n'ai pas vu ma sœur. Grand-papa m'a donné les billets d'avion et l'argent pour aller en Tchécoslovaquie. » Les grandes eaux s'écoulaient à nouveau de ses yeux verts.

La famille était presque aussi excitée que Grand-maman, et nous la couvrîmes de caresses et de félicitations. Le bonheur illuminait son visage, et elle ne cessait de se retourner vers Grand-papa comme s'il était un ange. Il dut travailler fort ce soir-là pour essuyer les baisers sur son visage.

Bientôt, le moment du départ arriva, et nous dîmes au revoir à tout le monde. Cynthia, Derris et moi fonçâmes vers la voiture pour attraper les bons sièges. Mais il s'avéra que notre course n'était pas nécessaire, car Maman dit que Cynthia et moi prendrions les sièges près des fenêtres au retour.

Gari dormait à poings fermés dans les bras de Papa. Il la plaça dans le milieu, à côté de moi. Sa tête s'affala sur mon bras et je la laissai dans cette position. Lorsque ses paupières clignèrent nerveusement et que ses lèvres esquissèrent un petit sourire, je me demandai à quoi elle rêvait. Quelques minutes plus tard, tout était très tranquille et je regardai à côté d'elle pour voir ce que faisaient Cynthia et Derris. Ils étaient déjà plongés dans leur propre monde imaginaire.

Pauvre Grand-maman, pensai-je. Même si mon frère et mes sœurs me rendaient parfois folle, je ne pouvais imaginer demeurer trente jours sans les voir, encore moins trente ans.

Sauf pour les doux ronflements et les chuchotements de Papa en direction de Maman, notre trajet vers la maison se passa dans le silence. J'observais la scène quand Maman se rapprocha de papa et qu'il l'attira tout près de lui. Elle pressa ses lèvres sur sa joue, puis se blottit dans son cou.

Je me pelotonnai sur le siège et je posai ma tête sur celle de Gari. Puis je fermai les yeux et je fredonnai : « Le père Noël arrive ce soir. »

— *Christy Lanier-Attwood*

L'amour doit être exprimé

Je suis la mère d'une jeune fille d'âge adulte, Jill, qui ne se souvient plus d'avoir parlé avec son plus jeune frère, Ricky. Il a pourtant été son fidèle compagnon depuis l'âge de deux ans jusqu'à six ans.

À cette époque, Jill fréquentait la maternelle, nous avions déménagé cinq fois et avions habité dans trois États. Durant le bref moment que nous passions à chaque endroit, elle se faisait des copains, mais Ricky était son meilleur ami et elle incluait son jeune frère dans presque toutes ses activités. Ils se disputaient rarement, et il a été pour elle un peu comme un de ses membres jusqu'à l'âge de six ans. Les gens qui ont perdu un membre disent souvent qu'ils conservent la sensation de la présence du membre manquant. Je savais que Jill pouvait avoir l'impression que Ricky vivait encore, longtemps après sa noyade durant une leçon de natation à la piscine municipale.

Notre chagrin à la suite du décès de Ricky nous apprit beaucoup, à mon mari Chuck et à moi, et Jill fit souvent office de professeur. Même si chacun de nous vécut ce deuil de manière différente, d'une certaine façon, Jill fut le miroir de nos sentiments. Elle fut pourtant la première à exprimer les siens — expressions qui tombaient en plein dans le mille.

Ses hurlements à répétition du début — « Je veux que Ricky revienne ! » — nous renvoyaient notre difficulté à saisir qu'il nous avait vraiment quittés. Les nombreuses transitions qu'avait vécues Jill en raison des nombreux déménagements se révélèrent beaucoup moins importantes que son passage au statut d'enfant unique.

Elle fit une crise alléguant que Ricky recevait plus d'attention après sa mort qu'elle de son vivant. C'était vrai. Inconsciemment, nous étions centrés sur notre peine, non sur ce qui subsistait après son départ. Pendant qu'il vivait, elle n'avait jamais été jalouse de son frère, et sa franchise constitua pour nous un signal d'alerte indiquant qu'il y avait un vide à combler. Nous étions souvent trop accablés pour nous occuper d'elle de la bonne manière. Heureusement, de nouveaux amis et de nouveaux voisins passèrent du temps avec elle et nous remplacèrent pendant que nous étions paralysés par notre affliction.

Après plusieurs mois, Chuck et moi commençâmes à faire un effort concerté pour donner à Jill le soutien et l'attention dont elle avait besoin. Pendant une certaine période, nous lui permîmes de dormir sur une couchette dans notre chambre de l'étage supérieur, jusqu'à ce qu'elle soit prête à retourner dans la sienne, située tout près de l'ancienne chambre de Ricky à l'étage inférieur. Je donnai un coup de main comme bénévole dans sa classe de maternelle, surtout pour être en mesure d'observer son état émotionnel. Elle ne se faisait pas d'illusions sur les raisons qui m'attiraient à cet endroit. Elle venait souvent me voir et me demander : « Comment vas-tu, Maman ? »

Malgré nos efforts pour prendre soin de notre fille, nous agissions la plupart du temps comme des robots et faisions le strict nécessaire. Notre perte était encore trop profonde.

Cette première année après la mort de son frère, Jill tenait toujours bon. Elle ne manqua pas l'école le jour de ses funérailles, ni ses leçons de natation la semaine suivante. Elle ne s'opposa pas à poursuivre ces activités ; nous considérâmes donc qu'il était préférable pour elle de conserver sa routine antérieure.

Nous avions tenu pour acquis qu'elle exprimerait ses émotions et nous ferait connaître ses besoins et ses sentiments. Elle posa de nombreuses questions durant cette période et nous lui répondîmes du mieux que nous le pouvions.

Ce qui aida beaucoup, c'est le fait qu'elle ait parlé, et Jill était une bonne communicatrice. Jill parlait de Ricky avec ses meilleures amies, nos nouvelles voisines. Les deux fillettes avaient aussi connu Ricky et joué avec lui.

Ce Noël-là, seulement dix mois après la mort de Ricky, nous accrochâmes son bas sur le manteau du foyer. C'était une idée de Jill, à laquelle j'hésitai d'abord jusqu'à ce que je me rende compte que c'était sa façon à elle de se remémorer son frère. Elle avait aussi eu l'idée qu'elle-même et les deux petites voisines écrivent des souvenirs de Ricky sur des morceaux de papier et en remplissent son bas. Le concept se répandit, et les membres de la famille proche ou éloignée envoyèrent des histoires à propos de Ricky à insérer dans le bas. Leurs expressions d'amour remplirent mon cœur pendant qu'elles confectionnaient le bas, et je n'étais plus déchirée à la vue de son bas pendant le temps des fêtes.

Pourtant, il semblait que l'hilarité des fêtes et la joie spirituelle étaient le lot de tout le monde sauf pour nous. Je luttai pour paraître joyeuse, mais ce n'était qu'une comédie. Mes paupières étaient lourdes comme des sacs de sable à cause de toutes les larmes salées que j'avais versées en secret.

Jill disait à l'occasion : « Ricky me manque », mais alors elle matérialisait ses paroles par des gestes. Lorsque je tentai d'aborder les choses de manière plus positive pour que notre famille rende hommage à la vie de Ricky ce Noël-là, Jill suggéra que nous achetions quelques cadeaux pour Ricky, mais que nous les offrions à quelqu'un d'autre. Elle avait assez d'argent pour lui acheter un slinky, dit-elle.

Je m'informai dans les alentours et j'appris qu'un petit garçon nommé Seth habitait seul avec son père au chômage. Il avait ressenti la brûlure de la mort lorsque sa jeune mère avait été tuée dans un accident de voiture l'année précédente. Investies de cette mission, Jill et moi allâmes acheter des cadeaux. Le père de Seth nous accorda la permission de prendre secrètement les présents de Ricky et de les donner à son fils. Jill et moi achetâmes un sac d'école, des bas, quelques jouets qui selon Jill auraient plu à Ricky, des crayons et un cahier à colorier. J'inclus un livre que Ricky avait aimé qu'on lui lise les quatre Noël précédents.

Seth était seul et nous attendait lorsque Jill et moi arrivâmes dans l'appartement d'une chambre qu'il partageait avec son père. Ce dernier avait trouvé un emploi temporaire et travaillait ce jour-là. Nous bavardâmes un peu, puis je lui demandai son âge. Seth nous dirigea vers une photographie de sa mère insérée dans un cadre qu'elle avait elle-même décoré et où était apposée sa propre date de naissance.

Jill dit : « Regarde, Maman, son anniversaire est le même que celui de Ricky. »

C'était vrai, et en plus, il s'agissait de la même année. Ils étaient entrés dans la vie sur terre la même journée. Notre ministre nous a dit un jour : « La coïncidence est le pseudonyme qu'utilise Dieu lorsqu'il ne veut pas signer son nom. »

Tout comme Jill avait chaleureusement partagé sa jeune vie avec son frère, elle ouvrit son cœur meurtri pour partager un peu de la joie de Noël avec un autre enfant exactement du même âge que Ricky. L'exemple de notre fille de six ans nous donna, à mon mari et à moi, une grande leçon de vie sur l'amour et la peine. Remonter le moral de quelqu'un d'autre avait eu pour effet d'atténuer notre chagrin. Même si Jill ne se souvient plus d'avoir parlé avec son frère, je n'oublierai jamais qu'en exprimant sa douleur et ses souvenirs de Ricky, elle nous a aidés à nous rappeler le précieux cadeau qu'était notre fille, et à laisser l'esprit de Noël guérir nos cœurs.

— *Helen E. Armstrong*

Les lumières de la Hanoukka font des miracles à Noël

Il y a vingt ans, mon mari juif et moi avons acheté la première icône religieuse de notre mariage dans un marché aux puces du centre de la Floride. C'était une petite poule crochetée, avec des ailes rectilignes de couleur blanche, un bec noir de jais et une crête aussi rouge que l'habit du père Noël.

À cette époque, nous étions nouvellement mariés, et nous rendions visite à mes parents méthodistes du Sud durant les fêtes de Noël. Pendant près d'une semaine, nous logeâmes dans une maison remplie de lumières étincelantes, de poinsettias et d'anges, pour enfin nous enfuir à un marché aux puces situé dans un trou perdu, qui vendait de tout à partir de rennes de bois grandeur nature jusqu'à des bonhommes de neige parlants.

« Je suis désolée », dis-je à Bob. J'étais soudainement frappée d'une dose massive de ce qu'il nomme la culpabilité à l'égard des Juifs. « C'est le troisième jour de la Hanoukka, et il n'y a pas une seule décoration Hanoukka en vue. »

Je scrutai de nouveau les rangées de tables de bois dans l'espoir de m'être trompée. « Regarde ! lui criai-je, en apercevant la poule. Ce pourrait être notre nouvelle tradition. Tout comme le père Noël et Rodolphe. Nous pourrions avoir la poule Hanoukka. Elle pourrait pondre un cadeau pour toi chacune des huit nuits de la Hanoukka. »

Bob est habituellement un homme paisible et tolérant, et comme il commençait tout juste à se sentir confortable avec l'anneau de mariage qu'il avait au doigt, il n'était pas tellement porté à argumenter.

« Certainement, répondit-il lentement, en laissant la dernière syllabe s'étirer en longueur. Nous pourrions faire ça. »

Sur ce, la poule se retrouva dans un sac à poignées en plastique et élut domicile dans notre famille.

Sans même nous en rendre compte, nous nous retrouvâmes aux abords d'un dilemme auquel font face les couples juif-chrétien chaque mois de décembre. Devions-nous inventer nos propres traditions ? Mêler nos traditions différentes pour composer un immense gâteau aux fruits des fêtes retenu avec de la viande matzoh ? Les conserver distinctes mais leur accorder la même valeur ? Ou simplement en écarter une ?

Dans un pays où les réponses parfaites n'existent pas, nous optâmes pour une longue réflexion sur le problème.

Après avoir fait connaissance avec la Poule, nos amis juifs n'étaient pas certains que nous y ayons réfléchi assez longtemps.

Ils voulaient savoir. « Qu'est-ce qui arrivera pendant le temps des fêtes si vous deviez avoir un enfant ? Là, les choses vont se compliquer. »

Ils avaient l'air sage des rabbin ; ils demeurèrent en retrait et hochèrent la tête.

Nous ne répondîmes pas. Pour chacun de nous, il s'agissait de notre second mariage, et nous étions simplement heureux d'arriver à survivre un jour à la fois comme nouvelle famille reconstituée. Nous avions déjà avec nous mes fils James et Paul. À l'âge de cinq et neuf ans, ils croyaient que le problème des fêtes était simple à résoudre.

« Bob a besoin d'un bas de Noël, dit le grand Paul aux cheveux foncés, avec l'autorité impartie à l'aîné. Je sais où en trouver un. »

« Au Palais des enfants ! » cria James, et il courut vers l'automobile, ses cheveux blonds émergeant de manière anarchique de son habit rouge à capuchon. Dans le pays enchanté trop familier des jouets de plastique moulé, ils savaient exactement où trouver l'objet convoité.

« E.T.! » dirent-ils à l'unisson en haletant, pointant le doigt vers un bas blanc duveteux orné d'un dessin de leur extra-terrestre préféré coiffé d'un chapeau de père Noël. Paul saisit le petit crochet de plastique du bas pour le détacher de l'étalage. « C'est juste parfait, proclama-t-il. Bob va l'adorer. »

Plus tard, avec de la colle et des paillettes, ils écrivirent « B-O-B » juste au-dessus en grandes lettres maladroitement dessinées et le présentèrent à leur beau-père juif.

« Est-ce que tu l'aimes ? » voulut savoir James, rempli d'attente comme un enfant la veille de Noël.

Bob toucha les lettres graveleuses de son nouveau bas de Noël.

« Certainement », répondit la voix grave et calme, et il leur fit une caresse. Avec ce cadeau et la poule Hanoukka qui produirait ses présents durant huit nuits, j'estimais que l'affaire était réglée.

Mais près d'une année plus tard, les réserves de Bob en tant que nouveau marié commencèrent à fondre.

« Noël est une fête que les chrétiens ont inventée pour se punir eux-mêmes, annonça-t-il avec exaspération une veille de Noël. Ne m'envoie plus jamais au Palais des enfants la veille de Noël. Il n'y a ni paix ni amour à cet endroit. »

« Et je ne suis pas à l'aise avec cette couronne sur la porte d'entrée, continua-t-il. Ou avec l'arbre devant la baie vitrée. Vous me surpassez en nombre, mais le message véhiculé est que tout le ménage est chrétien. »

Mes sentiments étaient aussi confus que mon mariage.

« C'est là que tu me parles de la couronne, répondis-je, maintenant que mes doigts sont enflés et me démangent pour l'avoir confectionnée. Et il est un peu tard pour enlever l'arbre. »

Mais je me sentais aussi coupable. Coupable comme le jour où j'ai fait le tour des tables du marché aux puces pour chercher des objets Hanoukka, et que je suis revenue avec une poule à la place. Le même sentiment désespéré qui m'avait poussée vers la poule m'incitait à négocier une nouvelle série de règles.

« Que penserais-tu d'une couronne simplement décorée de ruban doré ? proposai-je. Que penserais-tu d'un arbre à l'intérieur, mais qu'on ne pourrait pas apercevoir de la rue ? »

« Que penserais-tu de ne pas installer de lumières à l'extérieur de la maison ? répondit-il. Que penserais-tu de ne jamais au grand jamais me renvoyer au Palais des enfants la veille de Noël ? »

C'est avec ces règles bien en place que notre fille Sarah naquit plusieurs années plus tard, et nous décidâmes de l'élever dans les traditions juives.

Nos amis avaient raison. Les fêtes devinrent alors plus compliquées, mais d'une manière imprévue. Soudainement, moi la méthodiste du Sud, je me mis à m'intéresser davantage aux traditions juives. Et Bob, qui n'était pas un juif très pratiquant et ne voulait pas priver son unique enfant de la joie de Noël, souhaitait s'initier à l'aspect profane de la fête.

Un bas de Noël est de mise, décida-t-il.

« Comment pouvons-nous lui donner un bas de Noël ? voulus-je savoir. Elle ne comprendrait pas. »

« Pourquoi est-ce qu'on ne le peut pas ? demanda le propriétaire du bas E.T. Elle aurait l'impression d'être tenue à l'écart. »

James en servit une meilleure. « Habillons-la dans un costume de père Noël ! dit-il en riant. Un de ces minuscules costumes avec un petit chapeau rouge. »

Paul la prit à part. « Tu ne peux faire ça, chuchota-t-il. Elle est juive. »

James lui servit un regard connaisseur et confus.

Dans un moment d'inspiration, je décidai que la solution était : un « bas Hanoukka» — bleu royal et décoré avec des découpes de feutre en forme de *dreidels*[2].

« Je me demande pourquoi on n'en vend pas partout», dis-je à Bob, montrant fièrement mon ouvrage. Ils régleraient un gros problème. Je pourrais probablement devenir riche en les vendant. »

Il me jeta simplement un regard.

Bientôt, Sarah apprit à parler — juste assez pour me dire ce qu'elle pensait de cette pas-tout-à-fait-Hanoukka, pas-tout-à-fait-Noël.

« Veux pas ! déclara-t-elle. Veux une rouge avec le père Noël. »

Ma mère, qui avait probablement remarqué que la décoration « Premier Noël de bébé » qu'elle avait offerte n'était toujours pas accrochée dans notre arbre, était heureuse de rendre service en nous procurant un bas rouge vif recouvert de nounours.

« Noël, expliqua-t-elle, mais pas autant que le père Noël. »

Comme le temps passait, nous continuâmes la lutte qui consistait à plier sans rompre, à se confondre sans se perdre nous-mêmes. Je m'aventurais prudemment, apportant quelques petites modifications à mes traditions sécurisantes pour les combiner aux décorations d'origine juive. J'essayais aussi de bien répartir le temps accordé aux deux fêtes, mais toujours sur mon propre territoire.

Une année, j'attachai à un arbre miniature des morceaux de ruban de satin pastel et des pièces de monnaie Hanoukka enveloppées dans du papier d'a-

2. NDT : Toupies traditionnelles de la Hanoukka juive

luminium. De plus, je fixai des *dreidels* jouets à une couronne ornée de rubans dorés.

Mais ce n'est que lorsque Sarah eut grandi et commença à fréquenter l'école religieuse que les choses se mirent à changer. Maintenant, elle savait tout sur la Hanoukka. Elle avait appris qu'on disposait huit cierges sur le *Menorah*[3], qu'ils étaient allumés avec un neuvième, le *shamash, et que chaque nuit il y aurait un cadeau. Elle connaissait les beignes à la confiture et les crêpes aux pommes de terre (latkes) qui donnaient un petit air spécial à la fête.*

« Quand fabriquerons-nous des *latkes* ? », voulut-elle savoir. Ses grands yeux bruns étaient fixés droit dans les miens, confiante qu'elle était que je puisse lui montrer comment les confectionner.

« J'en ai jamais fait », confessai-je.

Il y avait de l'orage dans ses yeux.

« Alors comment peux-tu me l'enseigner ? » demanda-t-elle.

« Nous apprendrons ensemble. »

Sur ce, nous commençâmes à célébrer la Hanoukka selon les traditions juives : râper des pommes de terre, enlever le liquide, les tourner dans la farine assaisonnée, et les faire frire dans l'huile jusqu'à ce qu'elles deviennent dorées. Peler des pommes et les faire bouillir pour obtenir une sauce aux pommes maison. Allumer des cierges pendant les huit nuits.

Et dans notre maison, remplir un immense panier en osier, déposé en un endroit aussi spécial que l'arbre de Noël, avec un petit cadeau pour chaque soir. Tout cela pour célébrer le miracle de la Hanoukka, alors

---

3. NDT : Chandelier à sept branches (Monument à Jérusalem).

qu'une provision d'huile d'un soir a brûlé pendant huit jours dans un temple il y a plus de 2000 ans.

Cela ne veut pas dire que, avec les garçons qui ont maintenant grandi et un plus grand nombre de traditions bien implantées, nous ayions complètement résolu notre dilemme de décembre.

Sarah veut seulement des cadeaux Hanoukka, mais continue à vouloir que l'on installe des lumières extérieures.

« Pas de lumières à l'extérieur », soutient Bob.

« Les lumières extérieures symbolisent Noël », expliquai-je.

Sarah discuta comme un avocat. « Les lumières symbolisent aussi la Hanoukka. Pourquoi pas des bleues ou des blanches ? Pourquoi pas ces cierges dans la fenêtre ? Nous allumons des cierges à la Hanoukka. »

Le débat continue, mais puisque nous avons mis tout ce qu'il faut en place pour la Hanoukka, la période des fêtes est beaucoup plus ponctuée de miracles que de querelles.

Un de ces miracles, c'est que, dès que nous apprîmes à confectionner des *latkes*, nous perdîmes la poule Hanoukka. Cette année-là, elle disparut simplement aussi rapidement que nous l'avions trouvée.

Je n'étais pas tellement triste de cette disparition. Avec l'arrivée des cierges dans ma vie, quelque chose d'inattendu survint. J'avais commencé à préférer à la fièvre commerciale de Noël le caractère paisible d'une fête symbolisée par la lumière des cierges et par la révélation progressive des cadeaux.

Mais le véritable miracle, c'est peut-être que d'une certaine manière, en découvrant la vraie Hanoukka, je trouvai la paix et l'amour que j'avais toujours cherchés dans la fête de Noël. Ces temps-ci, je me surprends à me battre pour préserver le calme de la Hanoukka, comme une sorte de cadeau de Noël que je me fais à moi-même.

En ce qui concerne Sarah et ses lumières extérieures, j'ignore la bonne réponse. Je ne suis pas certaine qu'il y en existe une. Mais une chose est sûre : Qui suis-je, moi qui ai un jour célébré la Hanoukka avec une poule, pour affirmer qu'elle a tort ?

— *Pat Snyder*

# Une bonne danse du soir

La veille de Noël arrive tôt dans le Nord-Est. Avant trois heures, Papa scrutait le ciel bleu clair alors que le soleil couchant s'estompait.

Même si cela pouvait sembler bizarre à certaines personnes, sept enfants étaient réunis autour de lui, assis ou debout, et personne ne prononçait une parole.

« Où est-ce que tu le veux ? » cria Bryan.

Papa observait Bryan et Jason comme ils passaient le coin de la maison, transportant le poêle à bois et répondit juste au moment où ils approchaient de la porte d'entrée. « Ici sur le trottoir. »

Bryan avait aidé Papa à fabriquer le poêle pour notre petit camp d'été. Ce poêle ne paraissait pas trop lourd ; ce n'était que de la tôle, mais Bryan et Jason tenaient chacun leur côté, et ils le déposèrent lentement et soigneusement sur le sol. Tout avait été préparé, et nous étions prêts pour l'essai.

« C'est un bel objet qui nous apportera de la joie pour toujours », dit Papa pendant que nous étions tous là les yeux fixés sur le poêle, mais il ne semblait pas aussi excité que nous.

Je sortis avec Shaun pour chercher des brindilles et des petits morceaux de bois. Comme Shaun courait devant, je me retournai et je vis que Papa levait encore les yeux et semblait inquiet.

Je pensais qu'il reprenait quelque peu espoir, alors que Jason allumait le feu et que nous lui tendions des morceaux de bois pour nourrir les flammes, que la fumée montait de la courte cheminée et que nous regardions partout autour, en haut et au-dessous, ne décelant ni fissures ni trous. Nous nous réunîmes autour du poêle, pour nous émerveiller et réchauffer nos mains et nos fesses. Mais alors que le soleil se noyait dans la montagne sous un ciel bleu frais, Papa leva de nouveau les yeux et paraissait encore plus préoccupé. *Il est possible qu'il nous quitte maintenant*, pensai-je.

Je l'observai qui regardait le ciel sans rien y découvrir, pendant que les grands enfants — Jason, Bryan et Lisa — allaient chercher « du vrai bois ». Je savais, nous le savions tous, pourquoi Papa semblait triste et inquiet et pourquoi il devrait bientôt partir. Lui et son équipe avaient passé la totalité de leur quart de nuit précédent à préparer les autobus. Ils avaient installé des chaînes sur une centaine d'autobus Seattle Transit. Ils avaient placé du sable à l'intérieur des véhicules, qui serait répandu à l'avant des roues sur les pentes abruptes. Une centaine d'autobus étaient prêts à transporter les gens dans la neige la veille de Noël.

Mais il n'y avait pas de neige. Ce soir, Papa serait forcé de se rendre au bâtiment abritant les véhicules et de faire rentrer l'équipe pour enlever les chaînes d'une centaine d'autobus.

Le feu était bien amorcé. La fumée s'échappait de la courte cheminée, et j'avais l'impression que le métal était si chaud qu'il commençait à rougeoyer. Lisa regardait nerveusement autour d'elle ; je savais qu'elle croyait que les voisins nous prendraient pour des fous.

Elle s'inquiétait de l'opinion des gens. L'autre été, elle avait crié après moi : « Ne t'étends pas dans la cour avant ! Les gens vont penser que nous sommes une bande de paysans ! » Mais je n'étais nullement préoccupé ; j'aimais m'allonger sur le gazon et sentir sa verdeur fraîche sur mon visage ; j'aimais fermer les yeux et rêver. Lorsque je la voyais arriver, je faisais parfois semblant de dormir, juste pour la faire crier.

Comme je commençais à me réchauffer, je tournai le dos au poêle ; ça me rappelait l'été. Puis je vis Papa qui traversait l'allée. Il ne fronçait pas les sourcils et ne souriait pas. Il regardait… apercevant, je croyais, quelque chose que je ne voyais pas. Il s'arrêta à l'extérieur de notre petit cercle, il plaça sa main sur sa bouche et laissa échapper un cri qui nous fit tous sursauter. Je frissonnai, mais ce n'était pas à cause du froid. Puis il fit un pas et un bond, encore un pas et un bond, et il cria une deuxième fois. Soudainement, je compris qu'il exécutait une danse — une danse indienne, c'était ça, et cela ne pouvait signifier qu'une chose. Une danse de la neige, oui !

Il décrivit des cercles, et en haut en bas, criant et dansant, pendant que Lisa hurlait : « Papa ! » Puis Lisa partit dans la maison pour se cacher des voisins. Et la danse continua. Je levai les yeux ; c'était sombre, même si le rouge au-dessus des montagnes annonçait que ce n'était pas encore la nuit. Et je vis les nuages, pas seulement quelques nuages, ou un banc de nuages, mais tout un ciel recouvert de nuages orageux très haut dans l'air glacial.

Puis il y eut Bryan et Shaun, puis Jason et Heather et Pat, puis moi, qui dansions autour du feu en poussant des cris. Puis il y eut la neige ! Elle arriva en gros flocons duveteux, qui se mirent à tomber plus vite et plus fort, et ils se multiplièrent, grésillant sur le poêle chaud et tourbillonnant autour de nous jusqu'à ce que je ne puisse plus apercevoir l'autre côté de la rue. Et la neige s'accumula, et nous marchâmes sur la neige, et nous continuâmes notre danse, jusqu'à ce que Papa s'arrête subitement. Les enfants s'entassèrent derrière lui comme un train qui freine, et nous tombâmes tout autour de lui. Il leva les yeux, laissant la neige gelée atterrir sur ses yeux, et il sourit.

« Ça devrait aller maintenant, dit-il. Éteignons le feu et entrons dans la maison. »

Notre père pouvait réussir n'importe quoi. Et il demeura à la maison avec nous pendant toute cette soirée de la veille de Noël.

— *James Robert Daniels*

« A Good Night's Dance » a d'abord été publié dans *Spring Hill Review*, janvier 2001.

# La source d'eau de Noël

Quand les conduites d'eau de la ville brisèrent à quatre degrés au-dessus de zéro, l'eau se répandit sur notre route comme les racines épaisses d'un bananier de cristal, et le tout gela. Nous sortîmes tous pour observer la scène, nos bottes glissant dans ce qui restait de la neige de la semaine précédente. Nous étions à trois jours de Noël. Nos arbres et nos lumières étaient installés, nos biscuits placés dans les boîtes métalliques, et nos bas accrochés sur le manteau de la cheminée. Mais nous n'avions pas d'eau.

« Pas avant le vingt-huit », déclara le service des eaux de Forest Hills. On en serait resté là si quelqu'un n'avait pas eu la brillante idée de hisser un réservoir d'eau jusqu'en haut de la colline.

« C'est mieux que rien », dit une voisine, puis elle partit rassembler ses casseroles.

D'autres étaient beaucoup moins rassurés et affirmaient que les fêtes étaient ruinées.

La source d'eau de notre communauté arriva cet après-midi-là. Un vieux réservoir à eau hérissé de robinets, datant de la Deuxième Guerre mondiale, dont la coquille de camouflage tranchait avec les coquettes maisons de briques d'avant-guerre bordées de haies et incrustées de vieille neige. Les enfants curieux et leurs parents assistèrent à une courte présentation, puis on les laissèrent utiliser leur imagination concernant la logistique.

C'est à mon retour à la maison de l'école secondaire de premier cycle que j'entendis parler du réservoir. Maman, Papa et mon frère John avaient déjà transporté tant de pots d'eau dans la cuisine qu'elle finit par ressembler à un champ de bataille après une fuite majeure du toit. (Il y avait bien eu une sorte de fuite, rappela plus tard un membre de la famille. Une conduite d'eau s'était fendue à cause du froid.) Nous avions de l'eau dans des marmites, des pots de conserves, des casseroles, et même quelques boîtes de conserve pour la demi-salle de bains. Une immense bouilloire trônait sur la cuisinière pour faire la vaisselle et laver nos mains.

Dans la salle à manger derrière les portes tournantes de la cuisine, la radio jouait du Handel. Les fenêtres étaient ornées d'anges et de neige, et l'arbre de Noël était prêt pour accueillir les décorations. On ne retarderait pas Noël.

Les hivers sont froids et souvent neigeux à Pittsburgh. Sauf pour les hordes d'enfants avec lesquels je faisais de la luge dans le champ ouvert en contrebas de l'allée, les voisins ne faisaient qu'échanger des regards fugitifs et des signes de la main, grattant en chœur la glace ou la neige des pare-brise pour se rendre au travail ou pour faire des courses. De la neige parfaite pour confectionner un bonhomme de neige pouvait faire sortir quelques citadins à l'extérieur pour un court moment de divertissement, mais cette activité était habituellement réservée au groupe des plus jeunes. La plupart des parents s'en tenaient à leur programme de préparation culinaire, d'écriture de cartes de Noël et d'envoi de colis. Les visites n'étaient destinées qu'à quelques amis intimes et souvent, c'était par téléphone qu'on se mettait au fait des nouvelles quotidiennes. L'hiver, nous demeurions tout simplement à l'intérieur. La source de Noël transforma tout.

Du matin au soir, nous nous emmitouflions dans nos manteaux de laine, nos foulards et nos bottillons en caoutchouc, et nous escaladions péniblement la colline jusqu'au réservoir, nos seaux et nos chaudrons à la main, comme des fourmis marchant en ligne vers un pique-nique. Les voisins que nous n'avions pas vus depuis l'été ou que nous connaissions à peine descendaient leurs escaliers abrupts ou quittaient leur véranda de brique sur la pointe des pieds pour se rendre au point d'eau. Comme nous nous rassemblions près des robinets, les conversations s'animaient dans l'air glacial, des bouffées s'échappant, semblables à des signaux de fumée.

« Qu'y a-t-il de nouveau, Mme Hanna ? Avez-vous eu votre arbre ? »

« Ma voiture n'a pas démarré encore une fois. »

« Mes petits-enfants viennent à la maison pour Noël. »

Les casseroles et les cuvettes se remplissaient, mais aussi les espaces entre les voisins. On se rappelait le bon vieux temps et on offrait des conseils pour tirer l'eau.

« Au cours de mon enfance sur la ferme, nous avions une pompe. Nous devions l'amorcer chaque fois. Maman gardait toujours une canette d'eau à côté pour cet unique usage. »

« En Italie, nous avions un puits. Tout le village l'utilisait. »

Nous nous arrêtions et nous écoutions les histoires. Nous remplissions, et puisions, et riions de nos inconvénients collectifs. Notre propre village était né juste à cet endroit, dans notre quartier.

On se servait de tout ce qui avait un manche ou une poignée. Ma famille préférait notre équipement de camping en aluminium, des chaudrons munis de poignées métalliques entreposés à la cave quand on ne les utilisait pas. Mais les trouvailles de nos voisins allaient des seaux d'étain et de cuivre aux casseroles en tout genre. Quelqu'un arriva avec un wagon rempli de canettes numéro cinq.

Les techniques pour puiser l'eau étaient très diversifiées. Certains accrochaient la poignée sur le robinet et laissaient le contenant se remplir jusqu'à ce qu'il paraisse trop lourd pour le lever. Parfois il était vraiment trop lourd. D'autres tenaient le manche de leurs casseroles jusqu'à ce qu'elles commencent à ployer.

Nous venions au point d'eau à toutes les heures du jour et de la nuit, l'eau ruisselant sur nos bottes et sur le pavé. À cause du froid intense, l'eau gelait et formait d'énormes amas de glace autour du réservoir. Le soir, sous la lumière des lampadaires, ceux-ci brillaient comme des bouses de vache en diamant.

La veille de Noël, le matin se leva, clair et froid, mais vers midi le ciel avait commencé à ternir. Le vent cinglait nos joues comme un rude baiser mouillé. Nous nous précipitâmes pour acheter les cadeaux de dernière minute, et nous savourâmes le repas du soir, nous demandant s'il neigerait. Irions-nous à l'église ? Ou devrions-nous demeurer à la maison ? C'était toujours une aventure de se rendre à l'office de onze heures du soir.

L'obscurité tomba vers seize heures. Nous allumâmes les lumières de notre arbre et dans les fenêtres. À l'extérieur, il commençait à neiger. D'abord invisibles à l'œil nu, les flocons grossissaient, passant de la taille d'une tête d'épingle à celle des fleurs de pommier, oscillant tout doucement jusqu'au sol gelé. Grain par grain, cristal par cristal, la neige toute blanche recouvrit la rue, les voitures et les racines noueuses du chêne devant notre maison d'un mince enchevêtrement de duvet velouté.

Puis, rompant avec sa gracieuse danse initiale, la chute de neige se déchaîna subitement, les flocons tombant comme le contenu d'un immense lit de plumes. Dans une ruée silencieuse, la neige recouvrit tout et s'empila, métamorphosant la rue en un microcosme isolé et distant. À dix-sept heures trente, l'épaisseur de la neige atteignait dix centimètres et la tempête n'était pas finie.

« Janie, ma fille, peux-tu sortir et aller chercher de l'eau pour le souper ? »

Je m'arrachai de la fenêtre et je souris à ma mère, qui se tenait près de la porte battante séparant la longue salle à manger de la cuisine. Elle portait un tablier de Noël avec des volants et ses mains étaient couvertes de farine. Derrière elle flottait une odeur de cannelle.

« Bien sûr. »

J'entrai dans la cuisine et descendis sur le palier de la porte de côté où étaient amassés manteaux et bottes. Ma mère me tendit quelques seaux. J'ouvris la porte et sortis dans la neige vierge.

Au cours de ma vie, certaines scènes m'ont marquée pour toujours. Dans mon esprit, il s'agit de souvenirs sacrés, imprégnés à jamais de magie.

Aller chercher de l'eau à la source communautaire cette veille de Noël en est une.

Le monde déployé devant moi était calme et silencieux, et une étrange lumière bleu pâle émanait des monticules enneigés qui ressemblaient nettement à du sucre glacé.

Mon quartier avait subi une remarquable transformation. Il ne ressemblait plus à une rue résidentielle urbaine typique, mais plutôt à une petite route de campagne d'antan. Les rues et les cours étaient devenues un immense champ vide, les haies cachées quelque part sous la neige. Les chandelles vacillaient dans les fenêtres. Les arbres au-dessus de ma tête formaient un tunnel au plafond de brume et de neige tombante. Dans le lointain, un réverbère se profilait à l'horizon comme une étoile voilée.

Je resserrai ma main enveloppée d'une moufle sur la poignée des seaux, et tel un personnage des *Chants de Noël*, je partis chercher de l'eau au point d'eau.

Lorsque j'arrivai en haut de la rue, je m'arrêtai. Sous un lampadaire, la source de Noël était là, sa forme cylindrique recouverte de centimètres de neige, sa barre et ses roues invisibles. La couleur jaune pâle de la lumière étincelait sur le réservoir, d'où émanait une curieuse lueur — telle l'auge sous l'étoile de la Nativité. On n'y voyait rien dans l'obscurité qui l'entourait. Il n'y avait que le réservoir d'eau et la neige en chute vertigineuse. Je me sentais complètement seule et paisible.

Je déposai mes seaux.

« Joyeux Noël », me lança une voisine comme elle émergeait de l'autre côté du réservoir.

« Et une bonne et heureuse année, dit une autre. Quelle merveilleuse nuit. »

De l'autre côté de la source, une rangée de foulards, de chapeaux, de manteaux saupoudrés de flocons duveteux s'avancèrent avec leurs casseroles et leurs seaux pour saluer. Les visages de mes voisins étaient rougis par le froid, mais tous arboraient ce sourire d'amitié et de bonne humeur qui nous avait tous emmenés vers le point d'eau.

Noël était arrivé. Une conduite d'eau brisée ne l'avait pas retardé. Nous irions cueillir notre eau et nos vies suivraient leur cours comme si rien n'était arrivé. Sauf qu'il s'était passé quelque chose. Avec chaque casserole et chaque seau d'eau rapportés chez soi, nous emportions aussi un sens renouvelé de la communauté et de l'ingéniosité — et peut-être de la véritable signification de Noël.

Je vis maintenant dans le Nord-Ouest, où la neige est rare à Noël. Mais chaque veille de Noël, je pense à cette nuit enneigée où je suis allée puiser de l'eau à la source de Noël. Comme j'allume les lumières dans mes fenêtres et dans l'arbre de Noël, je regarde à l'extérieur dans ma rue aux arbres allignés, là où un lampadaire monte la garde au-dessus des haies. Je peux, sans même fermer les yeux, voir la source de Noël luire là-bas sous sa lumière, la neige tomber sur sa forme cylindrique, et les voisins réunis autour d'elle. Ce souvenir est gravé à jamais dans ma mémoire.

Soyons toujours des voisins les uns pour les autres, non seulement durant la saison des fêtes, mais pendant toute l'année.

— Janet Lynn Oakley

 # Le roi David

Dave se frotta la tête et consulta l'horloge. Sa coiffure le piquait et il se sentait pressuré comme un tube usagé de pâte à dents. Il desserra d'un cran le cordon de la vieille sortie de bain de Papa, espérant ne pas trébucher dessus. Au moins, ses vieux Nike ne dépassaient pas, sauf lorsqu'il devait remonter le peignoir pour marcher sur scène.

Il jeta un autre coup d'œil sur l'horloge. Il essayait de ne pas la regarder, mais sa tête semblait se tourner vers elle malgré lui. Ils étaient vraiment occupés au magasin, mais elle trouverait une façon. C'est ce qu'elle avait dit.

Dave ne voulait pas faire partie du programme, il ne voulait pas être un roi. Les rois devaient chanter. De toute façon, Mlle Hixson faisait à sa tête, et la première chose que l'on savait, c'est qu'il fallait chanter. C'était ainsi qu'elle procédait — dans tout — avec l'ensemble de la cinquième année.

« Sans blague ! » dit Maman en lisant l'invitation. Je ne t'ai jamais entendu chanter une note de toute ta vie. Je dois absolument entendre ça ! »

Dave ne savait pas qu'il pouvait chanter, mais Mlle Hixson le savait. Elle parla à Maman et à Papa à la réunion de l'association parents-maîtres et leur dit : « J'espère que vous pourrez venir. David réussit si bien. Vous serez fier de lui. »

Papa regarda dans son agenda et hocha la tête. « C'est notre dernière réunion de vente de l'année. Je dois y assister. Je suis désolé. »

Maman dit qu'elle essaierait… c'était le temps le plus occupé au magasin… le même jour que la fête de Noël de l'entreprise… elle devait aider à l'organisation… certainement qu'elle essaierait.

Papa lui dit que Maman serait nommée associée aux ventes de l'année, avec un bonus. C'était supposé être un secret, mais elle le savait.

La porte s'ouvrit et Dave jeta un coup d'œil. C'était seulement la mère de Rob. Rob jouait le rôle de Joseph. Il ne chantait ni ne parlait — il ne faisait que se tenir debout en essayant d'avoir l'air d'un saint.

Le moment était presque arrivé. Sa respiration s'accéléra, ce qui n'était pas facile, avec son cœur qui lui montait dans la gorge. Il espérait qu'il irait mieux lorsqu'il commencerait. Il déglutit.

Mlle Hixson arriva et souhaita la bienvenue à tout le monde ; l'auditoire était composé en majorité de mères, de quelques grands-mères et de deux ou trois pères. Mlle Hixson annonça le programme, puis elle s'assit au piano et joua : « Oh Little Town of

Bethlehem », pendant que Steve et Chris tiraient les rideaux, d'un mouvement saccadé.

Les bergers étaient là, agenouillés devant la crèche, Keith s'agitait sur ses genoux, butant contre Rob, qui oublia qu'il était un saint et le frappa en retour. Les enfants riaient.

Mlle Hixson leur lança un regard furieux et hocha la tête. Puis, faisant un signe de tête vers les peignoirs, elle attaqua « We Three Kings », et ils se levèrent tous — comme des robots.

« Rappelez-vous, vous êtes des rois. Soyez fiers ! »

Être fier pour qui ? Juste ce matin, elle avait dit qu'elle s'organiserait pour être présente.

Kevin entama sa partie et trébucha sur le cordon de sa robe. Il l'arracha du pied de Dave, émettant un sif-flement.

Kev releva son peignoir et monta à toute vitesse les escaliers vers la scène. Scott donna une poussée à Dave par derrière.

Comme ils arrivaient sur scène, Mlle Hixson joua le dernier couplet et reprit le début, avec Kev, Scott et Dave traînant en quelque sorte derrière elle. Après « Oh-oh, Star on wonder », ils jouaient en harmonie, et cela sonnait mieux. Plus fort, de toute façon.

« Laissez le son jaillir, dit Mlle Hixson. Chantez de tout votre cœur. Mettez-y toute votre joie. »

Ouais, d'accord.

Le premier solo était réservé à Kev. « Born a king... », et il était parti, les yeux fixés sur Mlle Hixson, qui hochait de la tête et souriait de son sourire « asso-ciatif ». La mère de Kev articulait silencieusement les paroles et faisait signe de la tête, mais elle ne souriait pas. Puis ils reprirent de nouveau le « Oh-ohh ».

La porte s'ouvrit. Maman ! Ce n'était pas elle.

Scott entonna ensuite à plein volume : « Worship him, God on high. » La mère de Scott expira sur les « Ohh-ohhh. »

La porte demeura fermée. Et c'était le tour de Dave. Il avala sa salive et commença, un peu en retard, mais assez juste, de toute façon : « Myrrh is mine… » Sa voix semblait lointaine et mal assurée. Mlle Hixson lui lança un regard du genre « Ne fiche pas tout en l'air maintenant ». Sa gorge se serra et il continua d'une voix tremblotante : « Breathes a life of gathering gloom. […] »

Mlle Hixson fit un signe de tête et sourit qu'il se hâtait d'entamer « Sorrowing, sighing, bleeding, dying,/Sealed in the stone-cold tomb ». Un autre « Ohhh-ohhh », le dernier couplet, le dernier grand « Ohhhh-ohhhh », et ils y étaient arrivés !

Kev et Scott regardèrent leurs mères, qui souriaient comme des chats. Mlle Hixson fit un signe à tout le monde indiquant que c'était fini, et Dave retroussa son peignoir et se précipita dans les escaliers, les autres trébuchant contre lui.

Il s'effondra sur son siège. Son cœur cherchait à retrouver sa place sous la boule prise dans sa gorge. Elle était certainement allée à sa fête de Noël. Il semble bien qu'elle ne pouvait participer aux deux événements. Tout ce qu'il voulait maintenant, c'était de sortir du stupide peignoir, d'enlever cette chose irritante sur sa tête, et de juste oublier les rois, et Noël, et tout le reste. De toute façon, il ne verrait plus ces lieux pour deux semaines.

Après l'école, Dave sortit les poubelles et enfourcha son vieux vélo trois vitesses pour se rendre chez Scott. Il voulait un dix-vitesses comme celui de Scott. Ça ne servait à rien de se dépêcher de revenir à la maison. Maman était certainement à sa fête. Il était censé être à la maison à dix-huit heures mais pourquoi devrait-il y être ? Les autres personnes ne se pointaient pas lorsqu'elles le devaient.

À dix-huit heures quinze, le téléphone sonna et Scott lui dit que son père demandait à lui parler.

« Chanceux ! Moi, je ne sais même pas où est mon père. »

« Mais il t'a donné un dix-vitesses ? »

« Il devait être saoul. » Sa lèvre inférieure s'avança.

Ce soir-là, Dave et son père préparèrent des sandwichs.

« Comment était le programme ? Est-ce que Maman a réussi à y aller ? »

Dave hocha la tête.

« Je sais qu'elle serait venue si elle avait pu. »

Dave acquiesça de la tête, essayant d'avaler le sandwich — et dit qu'il irait s'étendre un moment.

Son père lui lança un drôle de regard et secoua la tête. Dave s'étendit sur son lit avec une bande dessinée, tourna les pages un moment ; et c'est alors qu'il avait été fait prisonnier par des robots — seulement lui et lui seul savait que l'aide arriverait. Il pouvait entendre le code secret. Un coup à la porte, un autre coup.

Et les coups continuèrent. La porte s'entrebâilla, et sa mère murmura : « David… David. »

Il lui tourna le dos, faisant semblant de dormir, et après un moment la porte se referma. Il était maintenant bien réveillé. Il avait faim. Il pensa à faire la grève de la faim. Peut-être mourir. Alors elle aurait de la peine. Il se demanda combien de temps ça lui prendrait pour mourir de faim. Ce serait trop long, décidat-il, et il marcha à pas feutrés vers la cuisine. Il pouvait l'entendre parler dans le salon.

« …c'était une vraie course contre la montre aujourd'hui, mais Joan a dit qu'elle pouvait s'arranger. J'étais dans la salle de repos prête à partir lorsqu'elle a été malade. Je ne savais pas qu'elle était enceinte. Il m'a fallu rester. »

« Ne pleure pas, ma chérie, tu ne pouvais l'empêcher. Dave va comprendre. »

« Quand j'ai… j'ai… essayé… juste maintenant… il m'a tourné le dos. Je suis arrivée à la maison aussitôt que j'ai pu sortir. »

Sa voix semblait hoqueter.

« Ta fête de Noël, tu n'y es pas allée ? Tu avais tellement hâte, et ton prix… »

« Je n'en avais pas le courage, je voulais seulement revenir à la maison, pour expliquer, pour qu'il sache… Oh, Jim ! Il a chanté. Et je l'ai manqué ! » Elle s'étouffa.

Dave se retrouva debout, la main sur la porte du réfrigérateur, rempli d'une forte envie qui, pour le moment, n'avait rien à voir avec la nourriture.

« Oh-ohh, star of wonder, star of night… »

Il lui servit un traitement royal. Pas comme un robot. Fier. Comme un roi. Il donna tout ce qu'il avait.

De tout son cœur. Avec toute sa joie. Il laissa jaillir le son.

À la fin, ils applaudirent et se dépêchèrent de l'embrasser. Dave alluma la lumière et ouvrit le réfrigérateur.

« Qu'est-ce qu'il y a à manger ici, Maman ? Je meurs de faim ! »

— *Mary Helen Straker*

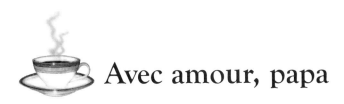 Avec amour, papa

« Oui, je suis certaine d'être à la maison la veille de Noël. Je serai là pour farcir la dinde du repas du lendemain », répondis-je.

C'était la quatrième fois en autant de jours que mon père me demandait si je serais à la maison la veille de Noël, et ses questions commençaient à m'agacer un peu.

À soixante-dix-neuf ans, mon père était un homme assez actif. Il vivait dans son propre appartement, même s'il habitait à seulement un pâté de maisons de chez moi, et il conduisait sa propre voiture. Il avait développé les maladies physiques caractéristiques des gens de son âge, et sa santé s'était légèrement détériorée depuis la mort de ma mère, il y a quatre ans. Mais son cerveau et sa mémoire étaient encore très alertes ; il m'était donc difficile de comprendre pourquoi il s'inquiétait autant de l'endroit où je me trouverais la veille de Noël.

Étant enfant unique, j'avais été très proche de mes deux parents pendant mon enfance et mon adolescence. À ma naissance, ma mère avait laissé l'enseignement pour pouvoir demeurer à la maison et élever sa famille. Il était naturel que la relation avec ma mère ait été si étroite, puisqu'elle et moi étions toujours ensemble. D'un autre côté, mon père travaillait de longues heures comme électricien, le jour et le soir, pour faire vivre notre famille, ce qui l'avait empêché de jouer un rôle actif dans ma vie quotidienne.

Comme mon père et moi ne disposions que d'un temps restreint pour notre amour, mon père s'assurait toujours que nos moments passés ensemble étaient des plus précieux. Je me souviens d'un soir — j'étais une petite fille — à son retour du travail où il m'a doucement tirée d'un profond sommeil. Les yeux pétillants, il m'a invitée à ouvrir sa boîte à lunch pour y découvrir un trésor. Imaginez mon excitation lorsque mes yeux endormis ont pris conscience que la boîte à lunch contenait un petit chat noir et blanc. Cela faisait des semaines que je suppliais pour avoir un chat. Une chatte errante avait élu domicile à son lieu de travail et avait mis bas ; mon père avait alors décidé que le plus petit chaton de la portée deviendrait le compagnon de sa petite fille.

En grandissant, j'ai plutôt été un garçon manqué et j'ai suivi mon père partout, à la pêche, à la chasse ou en promenade dans les bois. Il m'est souvent arrivé de m'éveiller à l'aube par un matin frisquet pour aller à la chasse aux canards en sa compagnie. Accompagnés de notre golden retriever Rusty, nous nous assoyions en silence dans notre cache. Nous contemplions le soleil qui se levait au-dessus de l'étang, puis nous entendions le premier groupe de canards se poser sur l'eau pour leur nourriture matinale. Il faisait froid mais cela m'importait peu, puisque j'étais accroupie tout à côté de mon père, observant ensemble l'aube d'un nouveau jour.

L'été, je passais des heures à m'asseoir avec mon père sur le pont près de notre maison à attendre le poisson parfait qui mordrait à l'hameçon de ma ligne à pêche. Même si la patience n'est pas la caractéristique principale d'une enfant de neuf ans, je m'assoyais et j'attendais... et j'attendais... et j'attendais, seulement parce que j'étais avec mon père.

Durant ces aventures en plein air, Papa m'a aussi entraînée à percevoir le plus léger mouvement d'un animal dans les broussailles, à distinguer les oiseaux par les éclairs de couleur qu'ils formaient dans le ciel, et à traiter avec amour et respect toutes les créatures de la nature.

À part son amour pour les animaux, mon père était aussi un vrai génie quand il s'agissait de jardinage. Il pouvait reconnaître à la simple vue la plupart des plantes, des fleurs ou des arbres, et il savait toujours quelles annuelles ou quelles vivaces étaient susceptibles de croître dans n'importe quel jardin. Quand je suis devenue adulte, je n'ai jamais été surprise de découvrir sur les escaliers de ma véranda un bac de pensées ou un panier suspendu rempli de géraniums qui s'était matérialisé au cours de la nuit.

C'était son amour des fleurs et son amour pour moi qui nous réunit une dernière fois.

Lorsque le téléphone sonna le matin de la veille de Noël, je m'attendais à entendre la voix de mon père me demandant à quelle heure il devait arriver pour le souper de Noël. Mais c'était plutôt la gérante de son immeuble d'habitation, qui m'annonça d'une voix affolée que mon père était tombé dans son appartement et que l'ambulance l'avait emmené dans un hôpital à proximité. Elle ne pouvait me fournir aucun détail, mais elle était très inquiète et croyait que je devais me rendre immédiatement à l'hôpital.

Pendant le trajet vers l'hôpital, j'avais l'impression d'être dans un rêve où tout bougeait au ralenti. Depuis le décès de ma mère, mon père et moi nous étions cramponnés l'un à l'autre comme des enfants perdus, prenant conscience que nous étions le fragment restant de ce qui avait été un jour une famille complète. Que ferais-je si quelque chose lui arrivait ? Comment pourrais-je continuer ma vie sans sa présence quotidienne, son amour et sa sagesse ?

Alors que je me précipitais dans la salle d'urgence, on m'informa qu'on l'avait rapidement envoyé en chirurgie en raison de la rupture d'un anévrisme logé sur son aorte. Peu de temps après, le chirurgien vint me voir, plaça son bras autour de mes épaules et me dit qu'il était désolé de n'avoir pu rien faire pour sauver la vie de mon père.

J'étais envahie par le chagrin et la confusion, et j'ignorais ce qu'il fallait faire ensuite. Comme dans un brouillard, je roulai vers la maison ; le court trajet me parut long et surréaliste. Le ciel était gris et sombre ; la neige semblait imminente. J'avais l'impression que le monde entier était en deuil.

En entrant dans ma maison, je fus frappée par l'obscurité, le silence et la froideur des lieux. L'arbre de Noël était installé dans le coin, mais les décorations ne brillaient pas. Je fus prise d'une envie irrésistible de me traîner jusque dans mon lit et de tirer la douillette par-dessus ma tête. Mais je passai plutôt les deux ou trois heures suivantes à appeler famille et amis, relatant à chacun les événements survenus le matin, et essayant de ne pas fondre en larmes à chaque conversation.

Lorsque la sonnette de la porte interrompit mes pensées, je supposai qu'il s'agissait de l'un des voisins qui avait entendu parler du décès de mon père et qui arrêtait pour m'offrir ses condoléances. Au lieu de cela, je fus surprise de voir un camion de livraison du fleuriste du quartier. Au milieu des flocons de neige de la saison des fêtes, le conducteur sortit de son véhicule et me tendit une longue boîte de carton attachée avec des rubans rouge et vert. Je le remerciai et revins dans la maison pour ouvrir le colis.

À l'intérieur de la boîte, il y avait un magnifique bouquet de fleurs — des œillets, des chrysanthèmes et des roses, toutes ces fleurs étant les préférées de mon père. Il y avait aussi une carte de cadeau avec l'écriture de mon père.

Des fleurs pour la fille la plus extraordinaire du monde.
Je t'aime.
Papa

Je pris soudainement conscience que cela faisait des semaines qu'il avait planifié cette surprise, et que par son incessant questionnement, il ne faisait que s'assurer que je serais là la veille de Noël pour recevoir son cadeau d'un bouquet des fêtes. Comment aurait-il pu savoir que ces fleurs seraient livrées trois heures après sa mort ?

Comme je m'effondrais sur les escaliers de la véranda, envahie par tous les merveilleux Noël et les extraordinaires moments que j'avais passés avec mon père, je me rendis compte aussi que son dernier présent était arrivé au moment parfait — m'assurant que son plus important cadeau, son amour, durerait à jamais et que mon père serait toujours à mes côtés.

— Ann Downs

 # Les choses

Mon rituel familial de Noël avait commencé tôt le matin. Mon père était d'abord descendu pour préparer le décor pendant que nous attendions dans le corridor en haut des escaliers, anticipant joyeusement la suite. Il nous semblait que cela durait une éternité. Nous voulions avoir nos cadeaux ! Nous voulions entrer en courant et en criant dans le salon et déchirer la pile de paquets étincelants, et ramasser notre butin à mesure que le matin s'avançait. Nous voulions en prendre possession.

Comme d'habitude, nous attendîmes en file par ordre de grandeur — c'était aussi, à ce moment-là, l'ordre de nos âges — jusqu'à ce que Papa nous donne le signal. Ma plus jeune sœur était assise sur la première marche de l'escalier pour être la première à arriver dans le salon. Puis il y eut mon frère, puis moi. Derrière moi, il y avait ma grande sœur et puis Maman qui paraissait, je ne sais trop pourquoi, avoir passé la moitié de la nuit debout.

Mon père avait dû passer un moment exquis en bas, seul à préparer Noël. Je peux seulement l'imaginer à cet endroit durant cette période d'attente qui prenait des allures de torture. Je sais qu'il avait allumé les lumières de l'arbre, et qu'il avait probablement avalé une cafetière de café. Il avait peut-être regardé la télévision, ou placé la touche finale à son décor de Noël, juste pour étirer notre temps d'attente. Quoi qu'il en soit, il y mit du temps. Peut-être que tout cela n'avait duré que quelques minutes, mais ces minutes nous parurent des heures.

Lorsqu'il joua *Christmastime* de Roger Williams, c'était notre signal. Les premiers airs de « Sainte nuit » constituaient notre feu vert, et nous dévalâmes les escaliers. Nous entrâmes dans le salon comme s'il s'agissait de la Cité d'émeraude du magicien d'Oz ; il y avait là des piles de paquets, des lumières de Noël colorées et de la musique qui avivait nos sens.

L'important pour Papa, c'était beaucoup plus la célébration qu'il nous faisait vivre que les cadeaux eux-mêmes. De son point de vue, un cadeau ne devait pas être compliqué. Il avait l'habitude de nous raconter l'histoire du jour de Noël préféré de son enfance, l'année où il a reçu la brosse à cheveux familiale. Il avait grandi sur une ferme désolée de l'ouest du Kansas au début du vingtième siècle, et sa famille était tellement pauvre que, à Noël, ils se faisaient l'un l'autre cadeau de choses qu'ils possédaient déjà. Ils utilisaient tous la même brosse à cheveux, mais pendant toute une année, c'était la *sienne*.

Ce petit garçon de ferme qui chérissait une vieille brosse usée devint professeur d'université qui adorait son gin et n'était pas souvent à la maison. À Noël, il demandait invariablement des bas, des sous-vêtements ou des mouchoirs, ce qui m'agaçait au plus haut point. Je voulais lui donner quelque chose de spécial — quelque chose qu'il aimerait comme la brosse à cheveux. Quelque chose qui pourrait faire en sorte qu'il reste à la maison plus souvent, peut-être. Mais j'ignorais quelle chose lui offrir.

Chaque matin de Noël, Papa ouvrait ses cadeaux et s'exclamait en disant à quel point ils étaient merveilleux. Mais c'étaient des bas, des sous-vêtements, des mouchoirs — des trucs pas vraiment inoubliables. Peu importe ce que nous lui donnions, il disait qu'il l'adorait. Mais j'avais toujours l'impression d'être loin du compte. Je voulais lui donner un cadeau qui aurait de l'importance à ses yeux, mais je n'avais aucune idée de ce que cette chose pouvait être.

Ce jour de Noël de mes seize ans, Papa me donna une paire de gants blancs. Des gants courts arrivant aux poignets que les fillettes portaient à l'école du dimanche. De minuscules fleurs étaient cousues sur les poignets, et ils étaient très jolis. En fait, c'était la plus jolie chose que je n'avais jamais vue, mais j'avais seize ans, et à ce moment-là, je l'ignorais. Probablement que j'espérais quelque chose de « super » — des shorts moulants, ou un album de Simon & Garfunkel, ou de l'argent —, et Papa m'avait offert ces stupides gants blancs. Je n'avais aucune idée de ce que j'en ferais ; je savais seulement que je ne les porterais pour rien au monde. Ils n'étaient même pas un tant soit peu branchés.

Je me souviens d'avoir pensé : « Oh, mon Dieu, Papa les a choisis pour moi. Il est tellement déconnecté, qu'il ne sait même pas que je suis trop vieille pour en porter. »

Mais il le savait.

Je fouillai dans la boîte, espérant y trouver le coupon de caisse. Lorsque je finis par lever les yeux, je regardai à travers le blizzard de notre désordre familial et je vis que Papa surveillait ma réaction. Il avait les yeux interrogateurs. Il voulait me demander quelque chose, ou peut-être me dire quelque chose. Nos yeux se croisèrent, et je retins mon souffle pendant quelques secondes, mais c'en était trop. Je m'extasiai plutôt devant les gants, je le remerciai d'un rapide sourire, puis je déchirai le paquet suivant avant qu'il n'ait la chance de me dire ce qu'il avait à l'esprit.

Si j'avais parlé à ce moment-là, j'aurais peut-être dit : « Papa, je grandis. Bientôt je serai partie. »

Et il aurait peut-être répondu : « Je sais. Je déteste seulement te voir partir. »

Les choses. On peut toucher les choses.

Je ne me souviens pas de ce que j'ai fait avec ces gants. Je les ai probablement déposés dans la boîte d'une œuvre de bienfaisance dès que j'ai pensé que personne ne le remarquerait. Je ne les ai même jamais essayés.

Il y a peu de temps, j'examinais le contenu d'une petite boîte de choses que mon père conservait — sa boîte aux trésors. Il y avait là une lettre que sa mère lui avait envoyée lorsqu'il était au front durant la Deuxième Guerre mondiale. Écrite à la main au crayon, elle rapportait les conditions atmosphériques sur la ferme. Il y avait une petite boîte de plastique sur laquelle était peinte une caricature d'une fille presque nue — je supposai qu'un soldat pouvait tenir à ce genre de choses. Il y avait aussi une boîte d'allumettes provenant d'une boîte de nuit de San Francisco, ainsi que la Bible que ma mère lui avait offerte quand il est parti pour la guerre en 1943.

Et la boîte aux trésors de mon père contient une minuscule pince à cravate. Elle est fabriquée à la main, avec un W — son initiale — grossièrement découpé dans une sorte de métal mince, et fixé de travers avec de la colle. Elle avait été confectionnée par les mains d'un enfant — mes mains. Je l'avais fabriquée pour lui au camp de vacances, il y a au moins trente-cinq ans. Elle n'était même pas à la mode. Il ne devait pas l'avoir portée. Mais il l'avait conservée. Il l'avait conservée.

— *Petrea Burchard*

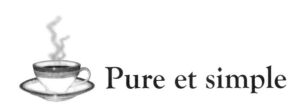 Pure et simple

« Hé, les yeux bleus. Vous êtes ma meilleure aujourd'hui, le savez-vous ? » Tyrone Williams leva les yeux sur Martha Bronner et sourit.

Vérifiant son pouls, elle ne rougit pas du tout quand il plaça sa main libre sur sa propre poitrine et battit des cils en simulant l'évanouissement. Non qu'il y eut la moindre trace de flirt entre eux. C'était un Afro-Américain de dix-huit ans sérieusement atteint du sida. Elle était une minuscule femme médecin de soixante ans aux immenses yeux ronds bleu topaze et originaire d'Autriche.

Après vingt-cinq ans passés aux États-Unis, elle ne pouvait toujours pas s'y habituer : la familiarité décontractée des Américains, les plaisanteries et les blagues qui surgissaient dans les moments les plus inattendus, aux endroits les moins probables. Dans son temps, les hommes autrichiens saluaient les femmes avec un *Kuss die Hand, gnadige Frau* — « Je baise votre main, gracieu-se dame », expression exagérée par moments, mais courtoise. Ici, au County Aids Hospital, elle ne savait jamais de quelle manière un patient la saluerait : « yeux bleus », « ma petite », même « bébé », termes d'affection exprimés par des hommes qui avaient besoin d'un exutoire affectif, un moyen d'illuminer les ténèbres de la peur qui les oppressait comme un sac de pierres.

« Donc, qu'est-ce que vous en pensez, docteur ? Est-ce que je vais y arriver ? » Tyrone fit un effort pour se lever sur un coude, en cherchant le visage de Martha. La voix enrouée par une toux qui s'aggravait de jour en jour, il essayait de paraître jovial, mais il y avait dans ses yeux une supplication désespérée.

« Oh, c'est bien possible », répondit-elle avec un sourire, baissant les yeux et faisant semblant d'étudier son dossier.

C'était le plus jeune patient de la salle des hommes. Non, il n'y arriverait pas. Personne d'entre eux n'y arriverait. Mais Tyrone Williams serait probablement le premier à mourir. Noël arrivait dans deux mois. Elle doutait qu'il ne dure au-delà du Nouvel An. Dans des moments pareils, Martha aurait souhaité pratiquer une autre spécialité, autre que la médecine pulmonaire.

Il retomba sur l'oreiller. « Je me demande ce que fait ma mamma », murmura-t-il d'un ton à moitié endormi. Il ferma les yeux et s'assoupit.

C'était la première fois que Martha l'entendait mentionner le nom de sa mère, voire de tout autre membre de sa famille. Les autres patients recevaient des visiteurs, spécialement le dimanche, lorsqu'ils se déplaçaient en fauteuil roulant vers le solarium, fraîchement rasés, les cheveux soigneusement brossés, une lueur d'excitation dans leurs yeux habituellement ternes. Ils s'assoyaient près des fenêtres où les rayons du soleil sillonnaient leur visage. La maladie avait creusé leurs joues, laissé des traces sur leur front et autour de leur bouche prématurément ridés.

Personne ne rendait visite à Tyrone Williams. À son admission, il avait inscrit comme plus proche parent le nom d'une grand-mère qui vivait au Tennessee. Son père était décédé et il ignorait où demeurait sa mère. Lorsqu'on l'avait questionné sur ses frères et sœurs, il avait simplement haussé les épaules. Qui le pleurerait, ce jeune homme de dix-huit ans dont la vie à peine entamée s'éteignait doucement ? Poussant un profond soupir, Martha se leva et continua sa ronde matinale.

Dans le corridor, les patients lui firent un signe de la main : « Bonjour, docteur. Comment allez-vous ? Moi… » Leur voix tremblotait. « …Je pense que ça va bien, je suppose. » Certains d'entre eux — Haïtiens, Créoles, Hispaniques — lui parlaient dans un mauvais anglais. Les différences linguistiques ne constituaient jamais un empêchement pour Martha : elle était toujours capable d'entrer en contact avec ses patients. Mais il existait une barrière qu'elle ne pouvait démanteler, c'était celle des volontés brisées. Elle aurait espéré pouvoir dispenser l'espoir comme un prêtre qui asperge d'eau bénite, de chambre en chambre, chaque recoin — les lits où ils avaient transpiré et frissonné, les salles de bain où ils avaient serré les poings et sangloté, le solarium où ils avaient tenté de faire bonne figure en présence de visiteurs.

L'hiver soufflait en bourrasques, insouciant de la dernière feuille d'automne frémissante qui tomba au sol. Il restait une semaine avant Noël, une fête que, chaque année, Martha souhaitait qu'elle arrive et finisse bien rapidement. Les biscuits en forme d'étoiles saupoudrés de sucre rouge et vert, le punch des fêtes, le dîner de dinde rôtie, tout cela lui laissait un arrière-goût amer. Appréhendant la nouvelle année, les patients se cramponnaient aux personnes familières, s'y accrochant de toutes leurs forces. Ils feignaient la joie, lançaient des blagues à chacun à travers le corridor, comme des balles de ping-pong. Enfants effrayés dans une enveloppe d'hommes matures, ils jouaient à « faire semblant ». À la messe de la veille de Noël, leur vernis se fendillait et ils pleuraient ouvertement. Les visites et les cadeaux de leur famille et de leurs amis leur remontaient un peu le moral : des pyjamas pimpants, soigneusement confectionnés ; des pantoufles tricotées à la main ; des peignoirs de toutes les couleurs et de tous les designs — sinistres rappels du caractère éphémère de leur vie.

« Vas-y, mets-le. Ça ne vaut pas la peine de le laisser dans la boîte pour toujours », dit une femme corpulente à un homme blond à la peau claire qui défroissait les plis d'un peignoir de plaid. Son visage devint terreux. Il n'y avait pas de bonne chose à dire dans un hôpital pour sidatiques.

Le matin de Noël, une file se forma devant la cabine de téléphone. Martha savait que Tyrone Williams avait la force de s'asseoir dans un fauteuil roulant et d'attendre son tour. Mais comme personne ne l'avait jamais appelé ou n'était venu le voir, qui appellerait-il ? Le sablier de sa vie s'écoulait rapidement. Elle se rappelait ses paroles : « Je me demande ce que fait ma mamma. » Alors sa mère devait être vivante.

Martha se rendit dans sa chambre et s'assit à son chevet. « M. Williams », commença-t-elle gentiment, caressant sa main, une peau de parchemin couverte de taches violacées à cause de toutes les aiguilles qui ont été insérées dans ses veines. Elle n'appelait jamais ses patients par leur prénom, une coutume américaine qu'elle trouvait irrévérencieuse. « M. Williams, quand avez-vous vu votre maman la dernière fois ? »

Il réfléchit un moment. « Quatre, cinq ans, peut-être. » Sa voix tremblait. « Avant que je ne fasse l'imbécile. » Il se retourna contre le mur.

« Où l'avez-vous vue ? »

« Où?... Tennessee. »

« Où vit votre grand-maman ? »

« Là où vit ma mamma. »

« Mais sur votre formulaire d'admission, c'est écrit que vous ignorez où habite votre mère. »

Il se retourna vers elle. Il avait le regard de quelqu'un qui ne comprend pas.

Martha était perplexe. Après un moment, elle saisit tout. Elle se pencha vers l'avant. « Votre grand-mère... c'est la personne que vous appelez " mamma " ? Elle vous a élevé ? »

Il hocha lentement la tête.

Martha marqua une pause, puis dit doucement : « Elle doit beaucoup vous aimer. »

Il luttait contre les larmes.

« Quel est son nom, à votre mamma ? »

« Stephens. Cora Mae Stephens. »

Elle tapota sa main et se leva. « Ne me dites pas que vous n'avez pas touché à votre repas », dit-elle, affectant un air sérieux.

« D'accord, bébé », murmura-t-il d'une voix enrouée, lui décochant un faible sourire.

Revenue dans son bureau, elle sortit son dossier. Sur le formulaire d'admission était inscrit le nom de sa grand-mère : Cora Mae Stephens, Knoxville, Tennessee. Il y avait un numéro de téléphone. Martha le griffonna sur un bout de papier qu'elle glissa dans la poche de son sarrau blanc.

Peu après souper, elle retourna à sa chambre, un téléphone à la main. Il dormait. Penchée sur lui, elle lui dit : « Quelqu'un attend un cadeau spécial de Noël de votre part, M. Williams. »

Déconcerté, il regarda Martha puis le téléphone, puis le petit morceau de papier dans sa main. Elle avait commencé à composer.

Au son de la voix d'une femme à l'autre bout, Martha demanda timidement : « Mme Stephens ? Pouvez-vous patienter, s'il vous plaît ? »

Elle plaça le téléphone dans sa main et replia ses doigts sur l'appareil. Il le tenait comme s'il ne savait comment s'en servir.

« Dites-moi ce que je devrais lui dire ! » suppliaient ses yeux. Des gouttes de sueur perlaient sur son front ; sa main tremblait.

Avec un sourire rassurant, Martha lui fit un signe de tête, puis elle quitta la chambre. Elle ferma la porte derrière elle et attendit à l'extérieur. Ce ne serait pas long. Il n'avait pas la force.

Lorsqu'elle entra dans sa chambre le jour de l'An, Martha sut qu'il était mourant. Penchée sur lui, elle plaça le stéthoscope sur sa poitrine. Il chercha sa main libre à tâtons. Elle était heureuse d'être avec lui pour l'accompagner dans ses derniers moments.

Dans un geste qui la ramena un quart de siècle en arrière, un geste reliant deux cultures différentes, deux générations, deux couleurs de peau, il porta lentement sa main à ses lèvres. Il n'y avait aucune afféterie dans ce geste, aucune emphase, aucun excès. Il y avait simplement de l'amour, pur et simple.

— *Bluma Schwarz*

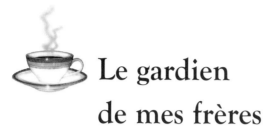

Le gardien
de mes frères

Depuis plus de trente ans, Noël ne signifie pas pour ma famille un jour d'échange de cadeaux et de visites tranquilles aux êtres chers, mais plutôt une longue journée de travail.

Non pas que mes frères et sœurs et moi ne faisions pas partie d'une famille chrétienne ; bien au contraire, car nous étions les enfants du révérend Hosea L. Williams, Sr., le fondateur du Martin Luther King, Jr. People's Church of Love. En fait, trois de mes sept frères et sœurs ont fini par aussi porter le titre de ministre du culte à un certain moment de leur vie. Dans notre enfance, nous recevions des cadeaux des fêtes, des tas de cadeaux. Mais, habituellement, pas avant au moins un jour après Noël… dépendant du temps qu'il nous faudrait pour nettoyer les suites de Noël, le jour où nous nous joignions à mon père pour nourrir les indigents.

Depuis le jour où il avait marché à travers les rues d'Atlanta aux côtés d'un chariot tiré par une mule transportant le cercueil de son défunt camarade et ami, Dr Martin Luther King Jr, mon père s'était efforcé de perpétuer l'héritage de King, selon la vision qu'il se faisait de sa pensée. Mon père avait insisté pour que le cercueil du Dr King soit transporté dans un wagon tiré par une mule, le « symbole des pauvres de ce pays ». Après les funérailles, il s'était senti poussé à emprunter la voie qu'avait suivie le Dr King la dernière année de sa vie : être le défenseur non seulement des droits civiques mais aussi de la justice économique pour tous les pauvres du pays. Il se plongea dans l'organisation de la Poor People's Campaign que le Dr King avait instaurée, et il servit comme maire de Resurrection City, lorsque la campagne s'installa dans un village de tentes temporaire, dans le centre commercial de Washington, D.C. Mais cette charge ne satisfaisait pas tout à fait le sincère engagement de mon père de faire honneur aux principes que Dr King souhaitait que l'on mette de l'avant dans son éloge funèbre, tel que cité dans son dernier sermon :

J'aimerais que quelqu'un mentionne en ce jour que Martin Luther King Jr a consacré sa vie au service des autres. Je veux que vous puissiez dire ce jour-là que j'ai aussi œuvré dans ma vie à nourrir ceux qui ont faim et à vêtir ceux qui sont nus.

Trois ans plus tard, la quête de mon père pour trouver une manière de perpétuer cet héritage le conduisit dans un sous-sol d'église, où il initia la famille Williams à une nouvelle tradition de servir des repas et de donner des cadeaux aux sans-abri le jour de

Noël. Envolés nos matins de Noël passés à déballer des cadeaux et nos après-midi de grands repas familiaux. Il n'insistait pas toujours pour que nous nous joignions à lui pour « nourrir ceux qui ont faim », mais nous avons toujours su qu'il le souhaitait — et même que nous le devrions. Nous savions aussi que, malgré tout, il nous donnerait des cadeaux, mais pas avant le lendemain de Noël, après avoir joué le rôle du père Noël pour ce qui a fini par devenir des milliers de gens.

Je me souviens d'une période des fêtes où les membres du clan Williams, incluant plusieurs petits-enfants, trébuchèrent les uns sur les autres en embarquant dans le convoi de voitures alignées dans l'allée demi-circulaire de la grande maison familiale, et où nous allâmes au centre commercial de South DeKalb, la Mecque commerciale des Noirs d'Atlanta, pour faire nos achats du lendemain de Noël. Nous nous dirigeâmes vers l'endroit désigné pour le rassemblement, le trône du père Noël maintenant déserté. Même si nous n'avions pas déterminé le lieu précis de notre rencontre, nous n'avions qu'à suivre le son de sa voix forte et rauque, chargée de sa passion habituelle lorsqu'il parlait de choses auxquelles il croyait.

Mon père était là, entouré de plusieurs admirateurs et de spectateurs curieux, et leur servait son sermon d'usage « Vous, les Noirs de la classe moyenne, devriez prendre conscience que vous êtes les gardiens de vos frères ».

Hosea Williams adorait les gens et il aimait aussi leur parler. J'ai toujours dit que tout ce que ça lui prenait pour se mettre en train, c'était une paire d'oreilles prêtes à l'écouter. Cela ne lui importait pas si le cerveau entre ces deux oreilles était ouvert ou non. Il était certain que, une fois qu'il aurait commencé, il serait capable d'enflammer même l'esprit le plus fermé.

Notre arrivée libéra le groupe rassemblé. « Bon, voici maintenant ma famille ! Ça a été charmant, très charmant de parler avec vous, bonnes gens. Rappelez-vous, vous êtes les gardiens de vos frères. »

La foule qui se dispersait fut remplacée par celle des enfants et des petits-enfants Williams, tous amassés autour de Papa pour notre moment photo d'intimité familiale, au beau milieu du centre commercial de South DeKalb.

« Maintenant, tout le monde va recevoir son cadeau de Noël de son vieux Papa et de son vieux *Babu* (mot swahili pour grand-père), même ceux qui ne se sont pas présentés pour nourrir les affamés hier. Je suppose que je n'ai pas encore réussi à vous convaincre », conclut-il.

Fouillant profondément dans la poche de ses salopettes de denim signées « combattant de la liberté » pour en extraire un rouleau de billets, il examina le groupe des visages rassemblés, voyant son reflet dans chacun, grands et petits. Les plis sur son large front, une des caractéristiques dont nous avions tous hérité, et le regard déconcerté sur son visage barbu semblaient dire : *D'où viennent donc tous ces jeunots ?*

Mais il dit plutôt : « Vous avez tous l'air si ravissant. Vous devez tous tenir de moi. »

Après avoir laissé échapper un gros rire illustrant qu'il se trouvait drôle et montré combien il était fier d'être le Papa et le *Babu* de son clan, il se mit à nous tendre les billets : cent dollars à chacun des « grands enfants » (les adultes) et cinquante à chacun des « tout-petits ».

« Maintenant, allez chercher tout ce que vous voulez. Mais soyez revenus dans quarante-cinq minutes pour que nous puissions manger et tenir notre réunion familiale », dit-il.

Puis il se retournait pour essayer de repérer le prochain auditoire dans le centre commercial à qui il s'adresserait pendant que nous ferions nos courses.

Ce n'était pas les économies à réaliser lors des ventes d'après Noël ou la commodité de nous voir tous rassemblés en même temps pour recevoir nos cadeaux qui motivaient mon père à se servir de cette assemblée publique pour remplir ses obligations en matière de cadeaux de Noël. C'était simplement le seul moment qu'il pouvait consacrer à sa famille durant la saison des fêtes. De l'Action de grâces à Noël, il travaillait sans arrêt, dormant seulement pendant de courtes siestes, afin de nourrir ceux qui ont faim et de distribuer la nourriture et les cadeaux aux pauvres.

Et nous tous essayions, mais sans jamais vraiment réussir, de rivaliser avec lui. Il nous fallait pas mal de temps et d'énergie pour produire le chaos annuel organisé qui résultait en des quantités suffisantes de dinde, de jambon, de farce, de patates douces, de légumes, de pains, de desserts et de breuvages pour sustenter des milliers d'hommes, de femmes et d'enfants qui en étaient venus à dépendre du révérend Williams pour leur buffet à volonté de sept services — servi avec une généreuse portion de dignité — du jour de l'Action de grâces et de Noël. Le personnel de serveurs était constitué d'un petit groupe de volontaires, dont certains revenaient année après année pour se joindre à l'œuvre humanitaire : Hosea's Feed the Hungry and Homeless.

Si ce jour-là, vous étiez un sans-abri disposé à changer de vie, vous en aviez l'occasion. Mon père disposait de toutes les ressources pour vous diriger dans la bonne direction, juste à cet endroit, juste à ce moment.

Cependant, personne n'exercerait de pressions sur vous ; l'occasion était là mais c'était à vous de la saisir. Dans ce cas, vous obteniez un énorme sac de plastique, un peu comme celui du père Noël, à remplir au centre d'aide Hosea. À cet endroit, vous pouviez recevoir un ensemble d'hygiène personnelle, prendre une douche et vous habiller avant de faire couper, ou laver et coiffer vos cheveux. Après la transformation de votre apparence extérieure, vous pouviez renouveler votre intérieur en vous inscrivant à des consultations spirituelles et psychologiques et à des examens médicaux et dentaires. Puis, si vous étiez vraiment préparé pour la dernière étape, des références et de l'information sur l'emploi et le logement étaient disponibles. Sinon, vous aviez encore la possibilité de passer un appel téléphonique gratuit n'importe où à une personne qui vous veut du bien et qui se demandait peut-être où vous vous trouviez le jour de Noël.

À défaut de quoi, vous pouviez manger de bon coeur, vous détendre, apprécier le spectacle, et vous sentir comme si vous faisiez partie de quelque chose de bien. Et vous pouviez regarder Hosea Williams, l'homme responsable de tout cela, tendre des jouets et des cadeaux, tout comme le père Noël, et remplir sa promesse de toute une vie d'être le gardien de ses frères.

Cela se passait ainsi depuis trois décennies, depuis ce premier Noël de 1969 où la famille Williams et quelques amis servirent de la soupe et du pain de maïs à une centaine d'hommes sans-abri dans un sous-sol d'église.

En 2000, le révérend Hosea L. Williams décéda d'un cancer du rein une semaine avant l'Action de grâces. Sa famille, ses amis, des officiels, des célébrités et des milliers de ceux qu'il avait aidés ou auxquels il avait enseigné en cours de route se réunirent pour célébrer son retour à la maison, en un mardi après-midi frisquet. Deux jours après, Hosea's Feed the Hungry and Homeless nourrit une fois de plus des milliers de personnes à l'Action de grâces. Cette année-là, l'artiste rap Sean « Puffy » Combs et le président d'Arista Records Antonio « L.A. » Reid financèrent les repas, et les bénévoles incluaient le gouverneur de la Georgie, le maire d'Atlanta et l'olympienne Gail Devers.

Même si mon père n'a pas eu la chance de nourrir les affamés du nouveau millénaire, notre famille continue son œuvre. Car aux États-Unis du vingt et unième siècle, le pays le plus riche et le plus avancé sur le plan technologique, il reste encore des millions d'indigents.

Maintenant, quand je pense à mon père et à tous les gens qu'il a nourris et soignés au cours des années, je ne peux m'imaginer passer Noël d'une autre façon. Et même s'il m'arrive de faire quelques achats avant

Noël, j'aime toujours mieux courir les magasins le lendemain de Noël. Après tout, je suis la fille de mon père, et la gardienne de mes frères.

— *Barbara Williams Emerson*

 Le dernier et le meilleur cadeau

C'était mon douzième Noël et l'école avait fini par fermer pour le temps des fêtes. Dans l'autobus, les enfants sautaient et riaient, se montrant les uns les autres les babioles reçues lors des fêtes de classe. Mais lorsque nous descendîmes à l'arrêt d'autobus, toute la joie se dissipa, avec nos compagnons de classe qui s'éloignaient sur la longue route déserte, dans un nuage de gaz d'échappement malodorants. Nous nous dirigeâmes vers la maison, marchant silencieusement en file indienne : cinq formes menues, aux cheveux blonds, aux yeux bleus, des enfants comme les autres.

Des morceaux de bois volaient dans les airs pendant que Roddy, l'aîné, taillait un petit avion de bois. Len, le plus jeune, allongea le pas pour marcher dans les traces de Roddy. J'observais les lacets détrempés et effilochés de Len, claquant à chaque pas. Nos sœurs, Lis et Ellie, traînaient derrière pendant que nous nous frayions un chemin dans la neige fondue pour affronter notre premier Noël sans Papa.

Nous étions en 1946. Le père de mon ami Quinn était décédé à la guerre, et les femmes de la communauté avaient apporté des choses spéciales pour sa famille à Noël. Mais rien pour notre père, et rien pour notre famille.

Tout compte fait, d'une certaine manière, c'était la fin de la guerre qui l'avait tué. Il avait perdu son emploi comme gardien lorsque le Baxter Army Hospital avait fermé. Ensuite, entre sa menuiserie et notre petite ferme peu rentable, Maman disait qu'il travaillait seulement trop fort et s'inquiétait trop. Après le départ de l'ambulance, nous demeurâmes là à regarder la neige qui fouettait la lampe de la véranda, nous sentant aussi sombres et vides que cette interminable soirée de janvier.

Puis notre propre petite guerre débuta.

Survivre.

À l'arrivée du printemps, Maman vendit la ferme, et nous déménageâmes à cinq acres de là dans une vieille école d'une seule pièce. Nous dormions dans une tente de l'armée, travaillions sur les fermes avoisinantes et passions notre temps libre à ajouter une cuisine et deux chambres au bâtiment.

Maintenant, les lumières de notre petite maison se profilaient dans le crépuscule naissant de l'hiver de Washington.

Comme nous ouvrions la porte et enlevions la neige fondante de nos pieds en tapant sur le sol, Maman appela : « J'ai une surprise pour vous quand vous aurez terminé vos tâches. »

Au retour de la traite des vaches, je l'aperçus, appuyé derrière la maison — le plus immense arbre de Noël que j'avais jamais vu.

Nous ne nous demandâmes pas comment il était arrivé là. Roddy et moi le traînâmes péniblement à l'intérieur à travers la porte. Son parfum pénétrant remplissait nos poumons pendant que nous clouions des planches comme supports et le placions debout. Maman tapota doucement ses aiguilles vert foncé, qui chatoyaient avec le dégel de la neige légère dont il était recouvert. Nos yeux se délectaient à le regarder. Sa pointe raclait le plafond, et les branches bloquaient presque les portes menant aux chambres. Mais le meilleur de tout, il nous permettait d'échapper à la morosité qui nous avait suivis jusqu'à la maison.

Len courait en rond, poussant des cris de joie.

Ellie supplia : « Pouvons-nous le décorer ce soir ? »

Maman hocha la tête. « Si vous pouvez trouver les décorations. »

Ellie arracha son manteau suspendu sur les crochets du mur de l'école près de la porte, et partit en flèche avec une lampe de poche, avec Len sur ses talons.

La vieille maison de ferme était deux fois plus grande que cette petite demeure, et nous ne nous étions débarrassés de rien. Les deux remises et la vieille tente étaient pas mal combles, et la maison, avec ses multiples cagibis, était pleine à craquer. Tout était là, quelque part, mais nous ne pouvions jamais trouver ce que nous voulions quand nous en avions besoin. Excepté les vieux outils de menuiserie de Papa que j'avais soigneusement huilés et accrochés dans la plus petite remise. Certains m'appartenaient, dont un que j'avais trouvé sur la route l'été précédent — un magnifique tournevis muni d'un énorme manche de bois ouvré. Papa l'aurait aimé.

Ses outils avaient constitué son seul héritage. En plus de trois rouleaux entamés de papier qu'il avait rapportés à la maison quand il travaillait comme gardien pour la Sunset McKey Salesbook Company. Papa était censé les avoir jetés dans la chaudière pour chauffer l'immeuble, mais il ne pouvait concevoir de brûler quelque chose avant d'en avoir fait le meilleur usage.

Appuyés dans un coin du salon, il y avait deux rouleaux de papier de soie, et un troisième plus lourd, assez résistant pour qu'on puisse dessiner dessus. Je crois que, jusqu'à présent, nous les avions conservés comme si nous détenions un morceau de Papa lui-même.

Lis traîna le plus pesant. « Confectionnons une bannière, Rich. »

Nous coupâmes un morceau du rouleau et le défroissâmes sur le plancher. Pendant que Lis s'occupait des bouts qui dépassaient, elle demanda à Maman. « As-tu terminé ton chandail de Noël ? »

« Mm-hmmm », sourit Maman en se berçant et en hochant la tête.

Quelqu'un lui avait donné de la laine et elle tricotait chaque soir depuis un mois. Nous, les enfants, essayions de ne pas nous quereller et nous aidions les uns les autres à faire nos devoirs, pour ne pas l'interrompre. Avec le nouvel emploi de Maman en plus de toutes les autres tâches, ce chandail de Noël était la première chose qu'elle confectionnait juste pour elle depuis le décès de Papa.

Roddy se joignit aux gamins pour la chasse aux décorations, puis nous déballâmes nos souvenirs — le minuscule carrousel actionné par la chaleur de ses chandelles, les vieilles décorations de verre de Norvège, la crèche de bois que Papa avait sculptée et que nous, les enfants, avions peinte, le papier de père Noël décoloré provenant de la classe de maternelle de chacun des enfants, et des kilomètres de guirlandes gaufrées et de lumières enchevêtrées.

Ce n'est que le jour suivant, la veille de Noël, que le dernier morceau de guirlande fut posé. Nous ajoutâmes du bois dans le poêle à soufflerie en porcelaine luisante et la pièce s'illumina du même coup.

« Mangeons près de l'arbre », suggéra Lis.

« Comme un pique-nique ! », interrompit Ellie.

Et c'est ce que nous fîmes. Des hot dogs, du macaroni et des fèves vertes. Complété par des œufs durs provenant de nos propres poules, du lait de notre propre vache et des biscuits au gingembre que nous avions tous aidé à décorer avec du sucre glacé.

Je mis un temps fou pour m'endormir. Tout près de moi, Roddy n'avait pas bougé un muscle après avoir tiré la courtepointe sur lui, mais à sa respiration, je savais qu'il était éveillé, lui aussi. Len replaça les couvertures plusieurs fois, mais personne ne parlait. Loin de la chaleur de la grande pièce, le vide de l'absence de Papa nous transperçait. Il nous aurait bordés en fermant la porte avec son traditionnel avertissement de Noël. « Ne vous mettez pas sur le chemin du père

Noël, maintenant. Et n'essayez pas de regarder en cachette ! »

Personne n'avait osé proposer d'accrocher des bas. Nous savions tous que Maman n'avait les moyens d'acheter qu'un petit cadeau pour chacun de nous. Nous en étions tous conscients. Mais lorsque nous sortîmes de nos chambres le matin, nous n'étions pas préparés à voir la pile de cadeaux paraissant si petite sous l'arbre gigantesque.

La flaque sous les bottes de Maman nous informait qu'elle avait déjà accompli nos travaux de la ferme.

Ellie, Lis, Len et moi nous entassâmes tous sur le sofa et demeurâmes raides comme des tisonniers, les mains croisées. La berceuse de bois courbé craqua quand Maman s'y assit. Elle tira l'ourlet du vieux peignoir bleu en velours côtelé de Papa autour de ses chevilles. Je pensais avoir vu des larmes dans ses yeux, mais je n'en étais pas certain.

« Je vais réactiver le feu », dit Roddy.

Je crois qu'il était plus décidé à prolonger l'ouverture des cadeaux qu'à réchauffer la pièce.

Nous attendîmes tous, essayant de ne pas regarder la base de l'arbre. Je regrettais que nous, les enfants, ayons tiré les noms.

Les pieds de Len commencèrent à s'agiter d'impatience. « C'est à Rich d'ouvrir mon cadeau d'abord », dit-il, comme Roddy prenait place sur le fauteuil vert olive rembourré à craquer. C'était celui de Papa.

Tout le monde affirmait que Len était celui qui ressemblait le plus à Papa, mais Roddy se tourna vers Len avec les yeux de Papa et son ton de voix. « Arrête une minute, fiston. »

Papa avait toujours commencé par le bas de la pile, pour que le premier cadeau soit une surprise. Mais cette pile-ci n'avait qu'un seul étage, et Roddy fit la meilleure chose à faire dans les circonstances. Il remua les cadeaux avec sa main pour saisir le premier au hasard.

« Voyons celui-ci… » Il retourna l'étiquette pour la lire.

À chaque cadeau, il remua et saisit, et lut lentement l'étiquette. Mais même s'il essayait de faire durer la chose, les paquets étaient ouverts en moins de deux, et nous demeurâmes assis, avec chacun deux cadeaux dans nos mains. Pour ma part, j'avais reçu une décoration de papier que Len avait fabriquée à l'école et une petite camionnette en métal véritable, avec une cabine rouge et une plateforme verte.

Lis se leva en premier. Elle déposa ses cadeaux à sa place — « Que personne ne s'assoie sur ceux-là » — et s'agenouilla pour regarder sous le sofa. La manche de son peignoir se plissa jusque sous son bras comme elle l'étirait sous le meuble.

J'ignorais ce qu'elle en retirait, même si elle se trouvait à moins d'un mètre de moi.

Un drôle de regard apparut sur le visage d'Ellie, qui était la mieux placée pour voir. Puis elle aussi se leva de son coussin et abandonna ses présents pour fouiller à travers la pile de mitaines tricotées près des crochets. Lis traîna ensuite un des vieux rouleaux de papier de soie de Papa dans la chambre des filles.

Soudainement — ça devait être de la magie, parce que je ne sais pas comment nous l'avons su —, nous cherchions tous pour trouver des objets sous les meubles, derrière des boîtes, et dans les cagibis, cachant ce que nous découvrions dans les poches et les replis de nos peignoirs.

Le second rouleau géant de papier de soie se retrouva dans notre chambre, et nous nous passions ciseaux et ruban adhésif pendant que nous dissimulions ce que nous emballions pour les autres. Avec de nouveaux cadeaux empilés sous l'arbre, nous reprîmes nos places, mais cette fois-ci sans nous tenir si raides, et Roddy fit la distribution.

Je déballai mon sifflet à un sou que j'avais perdu depuis longtemps. Ellie étreignit sa poupée bébé qu'elle avait égarée. Maman pouvait maintenant compter sur une paire de gants assortis. Nous continuâmes ainsi toute la matinée.

Nous nous habillâmes et retournâmes fouiller dans la tente et dans la remise, découvrant des objets, les emballant, les déballant encore une fois. Nous jetâmes le papier un peu partout, fîmes bondir les balles perdues, essayâmes les chapeaux égarés, jouâmes aux osselets. La folie nous gagnait de plus en plus.

Nous fouillâmes même en cachette dans les tiroirs de chacun et emballâmes des objets qui n'étaient même pas perdus. Quelque part, Maman faisait bouillir des canneberges et mettait un poulet au four.

L'arôme envahit la maison, tout comme la montagne de papier de soie froissé. Nous dûmes nous frayer un chemin pour arriver à la cuisine lorsque Maman nous appela pour manger, pendant que le dernier lot de cadeaux attendait sous l'arbre.

Après souper, je ne me sentis jamais si rempli. Pas seulement de nourriture, mais aussi de plaisir, de joie pure — et d'anticipation. Je pouvais difficilement attendre que les autres ouvrent les présents que je leur offrais.

Cette dernière pile comprenait plus de cadeaux que toutes les autres. Roddy saisit le premier qui tomba sous sa main et me la tendit. Il était petit mais lourd. C'était gribouillé : « À Rich de Roddy ».

Mon cœur battait plus vite, mais je l'ouvris lentement.

« Ton meilleur couteau », murmurai-je. J'avais peur de me mettre à pleurer.

La plus merveilleuse magie venait tout juste de commencer, puisque cette fois nous avions cherché des cadeaux pour les autres parmi nos propres trésors. Mon cœur éclata presque en regardant Roddy découvrir mon tournevis au manche joliment orné. Lis et Ellie finirent par recevoir la poupée préférée de l'autre. Je ne me souviens pas de tout, mais Len reçut deux cadeaux de chacun, parce que nous lui avions tous offert nos lacets de chaussure.

Alors que nous étions assis au milieu de notre butin, à manger le gâteau d'anniversaire de l'enfant Jésus, Lis demanda : « Maman, pourquoi ne portes-tu pas ton nouveau chandail de Noël ? »

Les yeux de Maman brillèrent comme elle levait les sourcils et disait : « Peut-être que nous le portons tous. Peut-être que toute la pièce le porte. » Elle se balançait dans la vieille berceuse de bois courbé, son visage éclairé dans la lumière de l'arbre splendide.

La mâchoire de Roddy tomba ; on pouvait l'entendre déglutir.

« Qu'est-ce qu'il y a ? » demanda Lis.

« Elle l'a échangé contre l'arbre », dit tranquillement Roddy.

Tous les yeux se tournèrent vers Maman.

« Je n'aurais pu y arriver sans vous tous, dit Maman. Ne vous rappelez-vous pas combien vous avez été sages pour que je puisse le terminer à temps ? »

Cette fois, elle n'interrompit pas le flot des larmes dans ses yeux pendant que nous l'entourions, l'étreignant tous en même temps. Et Papa était juste là avec nous. Dans le visage de Len et les yeux de Roddy, dans le vieux peignoir bleu, dans les traditions et les décorations… et dans ce monceau de papier de soie qui avait enveloppé notre Noël et nous avait enseigné à faire le meilleur usage des choses.

Nous embrassâmes Maman au point où sa chaise faillit se renverser. Puis nous sautâmes et jouâmes dans le papier comme dans un amas de feuilles. Finalement, une poignée à la fois, nous formâmes une masse compacte que nous jetâmes dans le poêle de porcelaine luisante, observant les flammes et appréciant la chaleur, un paquet à la fois, jusqu'à ce qu'il ne reste plus rien.

C'était le dernier présent de mon père, et aussi son plus beau cadeau.

— *Kathryn O. Umbarger,*
tel que raconté par Richard J. Olsen

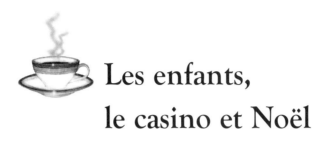# Les enfants,
le casino et Noël

J'avais à peine dix-huit ans quand j'ai eu mon premier enfant. Ainsi, les Noël de mon enfance se sont confondus sans réelle transition à ceux de ma vie adulte et, pour autant que je me souvienne, ils se ressemblaient tous. La veille, nous visitions notre famille, la soirée s'étendant jusqu'aux petites heures du matin du grand jour. Puis, longtemps avant le lever du soleil, la maison renaissait lentement à la vie. En partie à cause de l'épuisement, en partie à cause de l'excitation, l'agitation des papillons dans mon estomac passait à une vitesse supérieure alors que nous nous réunissions dans le salon pour voir ce que le père Noël et Grand-mère nous avaient apporté.

Cette année-là, le père Noël n'était pas arrivé le matin de Noël.

Pendant dix ans, j'avais regardé mes filles qui posaient les mêmes gestes que mon frère et moi jadis : sortir à pas de loup de leurs chambres, jeter un œil furtif autour pour voir si le père Noël était venu. Se pointer dans la chambre pour éveiller les parents, gentiment d'abord, puis avec plus d'insistance. Finalement, toute la famille se rassemblait dans le salon, nous déchirions le papier des paquets, la pièce résonnant de « Hé ! Super ! Juste ce que je voulais ! »

Cette année, je craignais Noël, parce que cette année, ce n'était pas mon tour. Il y a un an, j'avais accepté sans hésiter quand l'avocat avait dit : « Une année sur deux, les filles passeront Noël avec leur père. » À ce moment-là, nous ne serions séparés à Noël qu'un an plus tard. Jamais une année ne s'était écoulée si rapidement, et maintenant le matin de Noël se passerait dans le silence le plus total.

Égoïstement, j'essayai de convaincre le père des filles de modifier l'entente. Mes parents avaient divorcé lorsque j'avais huit ans ; Noël se passait toujours avec Maman et la famille de Maman. Papa venait le soir de Noël et nous emmenait chez lui, où nous célébrions les fêtes le lendemain de Noël. Si mon père avait un problème avec l'entente, il ne me l'a jamais fait savoir ; les choses se passaient simplement de cette manière.

Mais leur père avait droit à son Noël, j'affichai donc un visage courageux devant les filles, les assurant que nous fêterions le lendemain de Noël. Ma famille élargie avait accepté de donner son grand repas familial une seconde fois, de manière à inclure mes filles. Il y avait un avantage inattendu : la fille de mon frère, Kaitlyn, âgée de cinq ans, ferait partie de cette célébration cette année. Comme lorsque j'étais enfant, le jour de Noël revenait à la mère de Kaitlyn. Mais pour la toute première fois, il n'y aurait pas d'enfants dans mon Noël à moi. Je ne pouvais imaginer une célébration de Noël sans la présence d'enfants, je ne pouvais concevoir comment des adultes pouvaient passer la journée sans enfants autour d'eux.

Des situations difficiles naissent les solutions créatives. Une semaine avant Noël, mon père téléphona — mon père qui avait été séparé de ses enfants le matin de Noël pendant de nombreuses années. Mes demi-sœurs et mes demi-frères passaient Noël avec leur maman. Ma mère, mon frère et moi serions tous seuls lorsque le soleil se lèverait le 25 décembre. Pourquoi ne pas faire quelque chose de différent ?

Et c'est ce qui arriva. Mon père nous offrit un cadeau : deux chambres d'hôtel au casino de Windsor la veille de Noël — une pour ma mère et moi, l'autre pour lui et mon frère.

Je me sentais mal à l'aise seulement à visualiser la chose. Depuis que mon frère et moi étions devenus des adultes, mes parents n'avaient pas eu beaucoup de contacts. Si quelque chose pouvait me distraire de l'absence de mes filles, je supposais que ce serait cela. Je pourrais peut-être même gagner dans les machines à sous.

Pour la première fois en vingt et un ans, nous nous assîmes à la même table tous les quatre et partageâmes un repas. Après le souper de la veille de Noël, nous nous promenâmes séparément et nous rejoignîmes pour le déjeuner. Comme je regardais mon frère de l'autre côté de la table le matin de Noël, nous échangeâmes tous deux un regard incrédule, imprégné de nostalgie. Ce n'était pas le Noël de notre enfance avec des bas et du papier d'emballage, mais c'était notre famille et nous étions à nouveau réunis.

Nous étions venus tous les quatre pour nous tenir mutuellement compagnie dans ce qui aurait été autrement un jour solitaire pour chacun de nous. J'ignore si mes parents saisiront un jour l'importance du geste qu'ils posèrent pour nous ce jour-là ; ils nous rappelaient que nous pouvions toujours compter sur nos parents, mariés ou pas.

J'appris d'autres choses ce Noël-là : que le temps passé avec mes enfants est précieux, pas seulement pendant les fêtes, mais chaque jour, car rien n'est jamais assuré ; que les familles prennent toutes les formes et toutes les tailles, une platitude que j'ai souvent exprimée, mais jamais vraiment saisie ; que ce divorce ne devait pas détruire une famille ; et qu'on peut célébrer Noël de n'importe quelle manière et partout, avec ou sans enfants, pour autant que l'amour, la paix et la bonne volonté soient au menu.

— *Shelley Divnich Haggert*

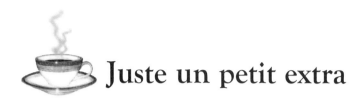 # Juste un petit extra

J'ai grandi dans une petite ferme du sud de l'Indiana. Il ne restait pas grand chose du peu d'argent que mon père gagnait après qu'il ait servi à pourvoir aux besoins de sept personnes, ce qui incluait deux grands-parents et un oncle, aussi bien que le bétail et la machinerie délabrée qu'il devait constamment rafistoler pour effectuer son travail de fermier.

Durant la saison hivernale, quand tout avait gelé dur à l'extérieur, ma sœur et moi dormions sur des paillasses dans le salon parce que le linoléum du plancher de notre chambre était glacé. Nous prenions un bain ensemble le soir dans un bac rempli de juste assez d'eau pour nous chatouiller le dos, car le bétail avait priorité et nos parents vivaient dans l'inquiétude constante que le puits ne s'assèche ; bien sûr, nous n'avions même pas de tuyauterie à l'intérieur jusqu'à ce que j'aie quatre ans. Je n'ai jamais regardé la télévision avant ma troisième année, et le seul moment où je mangeais des oranges, c'était à Noël.

Mais ma famille ne constituait pas un cas unique. Toute notre communauté, tous les gens qui vivaient dans les maisons de ferme éparpillées dans les champs de soya, de maïs, de seigle et de blé d'hiver, étalés à perte de vue à travers les paysages vallonneux, se trouvaient dans la même situation économique. L'argent était rare pour tout le monde.

Pourtant, lorsque la grange de nos voisins fut réduite en cendres durant un orage électrique un soir de printemps, je demeurai assise sur un tabouret près de ma grand-mère et de ma sœur dans la cuisine et je regardai les camions de ferme qui, l'un après l'autre, le reste de ma famille dans l'un d'eux, affluaient sur le long trajet vers l'immense grange. Les gens venaient de partout autour pour aider à sauver les chevaux et le troupeau, les tracteurs et les wagons, tout ce qu'ils pouvaient avant que les poutres taillées à la main de la structure de deux étages ne s'effondrent dans un vrombissement de flammes incandescentes. Pendant des jours par la suite, je regardai ces mêmes camions livrer des restants de matériaux de construction, du foin, du grain, et même des animaux pour remplacer ceux qui avaient été perdus.

Des mois plus tard, le dimanche avant Noël, avec nos voisins qui avaient perdu leur grange et qui commençaient à peine à s'en sortir, j'entendis par hasard les voix tranquilles de ma mère et mes grands-mères et des femmes de notre petite église de campagne, alors qu'elles planifiaient pour « juste quelques âmes de plus » dans leur préparation de nourriture et des cadeaux qu'elles avaient fabriqués ou achetés. Je savais de qui il s'agissait, même si je ne me souviens pas qu'elles en aient parlé directement, tout comme je savais lorsque j'entendis par hasard mon père et mes grands-pères parler avec les autres hommes à propos de la paille, du foin et autre nourriture pour animaux, et du bois de chauffage qu'ils avaient l'intention de donner aux mêmes personnes.

Dans mon enfance, chaque fois qu'une maison était ravagée par le feu, chaque fois que quelqu'un tombait malade, ou pire, mourait, chaque fois que la calamité frappait quiconque de notre petite communauté rurale, tout le monde était au rendez-vous, contribuant rapidement, et sans réserve. Personne n'avait faim, ou froid, ou n'était sans abri. Personne. Le service aux autres n'était pas quelque chose que l'on faisait pour être mentionné dans les annales ; il ne s'agissait pas d'un geste que l'on posait pour se vanter, ou pour se faire valoir ; non plus pour épater la galerie, ou pour essayer de surpasser les autres. S'il y avait un besoin, il était comblé au meilleur de l'habileté de la communauté, un point c'est tout. Cela faisait simplement partie de la vie normale de tous les jours.

Une veille de Noël, quelque vingt années plus tard, lorsque mes deux plus vieux enfants étaient petits et que notre famille vivait des moments difficiles sur le plan financier, nous eûmes quelques échos d'une femme d'un village à quelques kilomètres plus loin qui n'avait rien à donner à ses propres enfants le matin suivant. Comme je commençais à passer en revue les fruits et la nourriture cuite au four, toutes les préparations que nous avions confectionnées pour notre repas de Noël, mon mari appela les enfants dans la cuisine pour leur expliquer la situation et leur demander s'ils voulaient nous aider. Ils coururent autour de la pièce dans leur pyjama à pieds et leur peignoir, ajoutant dans la boîte une orange de plus, une autre boîte de haricots verts, deux autres morceaux de friandise maison, et tout ce qu'ils trouvaient important d'y inclure.

Comme je fermais le couvercle de la boîte de nourriture, ils posèrent des questions sur les enfants de la femme, si c'étaient des garçons ou des filles, quel était leur âge. Mon mari et moi leur expliquâmes qu'il s'agissait d'une fille et un garçon du même âge qu'eux.

« Et les jouets ? voulurent-ils savoir. Est-ce que les enfants auront des jouets le matin de Noël ? Est-ce que le père Noël les trouvera s'ils n'ont pas de biscuits et de lait à lui offrir ? »

« Le père Noël aimerait probablement avoir de l'aide », dîmes-nous.

Et nous attendîmes, regardant leur visage, observant les petits neurones s'activer dans leur cerveau.

Et alors ils firent une chose étonnante.

Sans un mot, notre petit garçon et notre petite fille allèrent vers l'arbre de Noël, en retirèrent les cadeaux qu'ils voulaient le plus — car les enfants connaissent toujours le contenu de chacun, peu importe le mal que vous avez mis à tout camoufler —, et les rapportèrent à la table et les déposèrent à côté de la boîte de nourriture. Notre fille offrit la poupée Barbie qu'elle réclamait depuis des mois ; notre fils le camion Tonka qu'il avait lui aussi demandé. Il était difficile pour eux de se départir des cadeaux qu'ils avaient désirés depuis si longtemps. Sans compter qu'ils savaient que leur remplacement prendrait un bon moment, peut-être même des mois. Mais une fois qu'ils eurent complètement retiré leurs mains des présents, ils retournèrent vers l'arbre pour un autre cadeau, un qu'ils avaient emballé eux-mêmes : la paire de pantoufles qu'ils avaient achetée avec leur maigre argent de poche, le cadeau qu'ils m'offraient.

« Comme ça, expliquèrent-ils, tout le monde, même la maman, recevra un cadeau. Est-ce que ça va pour toi, maman ? Hein ? »

Nos enfants ont maintenant grandi, et chaque année nous choisissons un organisme local ou une famille qui vit des moments difficiles pour leur offrir des marchandises ou des services. Cette activité fait maintenant partie de nos traditions familiales. Nous nous rendons à la Société protectrice des animaux avec de la nourriture, des produits de nettoyage, du papier à photocopie ou des couvertures pour leur usage en attendant que les animaux hébergés aient trouvé de vrais foyers. Nous cuisons des tartes et des gâteaux des jours à l'avance pour les livrer au refuge pour sans-abri à l'intention des centaines d'hommes, la plupart des vétérans, dont le cœur a besoin du réconfort de la nourriture maison, autant que leur corps de vêtements. Nous choisissons des familles accablées par les factures de soins de santé ou par le chômage, et nous achetons à chaque enfant des jouets et des vêtements pour l'école, en même temps que de la nourriture pour la famille. Quoi que nous choisissions de faire, nous le faisons tous ensemble.

Une année, il n'y a pas très longtemps, notre famille avait le cœur affligé par la mort tragique d'un parent. Personne ne voulait effectuer les achats de cadeaux ou décorer l'arbre et la maison. Personne ne voulait cuisiner ou rendre visite aux voisins, même pas nous parler entre nous, vraiment. Même la musique de Noël à la radio nous semblait un outrage. Par habitude, je crois, au milieu de l'après-midi de la veille de Noël, je pris le répertoire téléphonique et feuilletai la section des pages jaunes. Je m'arrêtai sur le numéro de téléphone d'un refuge local pour femmes violentées et leurs enfants, et je le composai. Je demandai à la réceptionniste de me dire combien de femmes et d'enfants habitaient à cet endroit pour la nuit, quels étaient l'âge et le sexe des enfants et jusqu'à quelle heure il était possible d'entrer dans l'immeuble. La femme parut hésitante, je la rassurai donc et l'informai que je posais ces questions pour que ma famille puisse apporter des dons.

Nous quittâmes la maison assez tôt pour nous permettre de faire des courses et d'effectuer la livraison, et d'arriver tout de même à temps pour la célébration de notre famille élargie à l'autre bout de la ville. Nous nous rendîmes dans un grand magasin à prix réduit, car la plupart des boutiques étaient déjà fermées pour les fêtes et nous avions un certain nombre d'articles à acheter.

Cinq femmes et treize enfants, de la tendre enfance à l'adolescence, occupaient le second étage du refuge pendant la période de Noël. Aussitôt que nous entrâmes dans le magasin, je déchirai la liste en plusieurs parties pour la partager entre nous. Et alors que nous nous dispersions dans une course effrénée pour trouver des cadeaux convenables, je me trouvais chanceuse de pouvoir me soucier des factures à payer, d'avoir du travail pour m'épuiser, une maison à nettoyer et à réparer, et spécialement mon mari et mes enfants. Je réfléchissais à ma propre fragilité, et à celle des autres gens, et à quel point nous avions besoin les uns des autres parfois pour simplement survivre et toujours pour véritablement vivre.

Dans un court laps de temps, comme si nous avions été chronométrés, nous nous rassemblâmes à l'avant du magasin, cadeaux en mains. La partie de liste de mon mari contenait les cadeaux pour les bébés, et il avait choisi des vêtements moelleux et des tétines roses et bleues. Mes filles apportèrent des poupées Barbie et des poupées bébés ainsi que des chatons et des petits chiens de peluche pour les petites filles. J'avais moi-même choisi des pantoufles pour chacune des mères. Mais c'est mon fils qui marqua le meilleur point avec le cadeau qu'il avait choisi.

Il avait sur sa liste le garçon de onze ans, le cadeau le plus difficile à trouver. Lorsque mon fils me tendit son choix, j'hésitai avant de donner mon accord comme je l'avais fait pour les autres.

« Touches-y, insista mon fils en me tendant le ballon de football bleu clair en fausse fourrure. C'est doux comme un jouet en peluche, avec lequel il peut dormir et se réconforter, mais c'est un ballon de football pour qu'il n'ait pas l'air d'un faible et ne se sente pas mal à l'aise. »

« C'est parfait, répondis-je, juste parfait. Comment as-tu eu cette idée si brillante ? »

Nous achetâmes le papier d'emballage et les rubans, de même que du ruban adhésif, quelques boîtes de biscuits et de bonbons, des sacs d'oranges, en plus des cadeaux. Nous enveloppâmes les cadeaux dans la voiture ; puis nous nous rendîmes tous au refuge, les bras chargés, et nous demandâmes à une réceptionniste abasourdie de nous indiquer l'endroit où déposer toutes ces choses. Pendant une minute, elle fut incapable de répondre, puis elle nous désigna la porte de côté. Elle appela les autres femmes dont le quart régulier tombait la veille de Noël pour qu'elles viennent voir.

Pendant que nous empilions les sacs et les boîtes sur le plancher du minuscule bureau, je donnai les indications relatives aux destinataires des cadeaux des enfants. J'expliquai que nous offrions les pantoufles aux mamans et que la nourriture était pour tout le monde, y compris le personnel. Mon mari signa un formulaire attestant que nous faisions don de ces articles. Nous les remerciâmes tous pour leur excellent travail, leur souhaitâmes de belles fêtes et nous retournâmes pour partir. Puis la réceptionniste me confia qu'elle s'était attendue à des biscuits ou à une tarte, et qu'elle avait pensé à ce moment-là combien c'était gentil qu'on pense aux femmes et aux enfants que de terribles circonstances avaient forcés de passer les fêtes à cet endroit. Jamais elle n'avait imaginé, ou même vu, disait-elle, quelqu'un apporter des cadeaux pour Noël. Tout ce qui me venait à l'esprit en partant, c'était : *Pourquoi pas ?*

Plus tard ce soir-là, dans une maison remplie de l'arôme de bonne nourriture et des sons de la musique et des jeux, et même des rires, je m'assis devant le foyer, contente et réconfortée. À ce moment, je pouvais entendre ma famille tout autour de moi, où tous se sentaient en sécurité et heureux. Je savais bien que ces dépenses signifiaient que nous ne nous rendrions pas au magasin vidéo pour un certain temps, que nous n'achèterions pas de gâteries à l'épicerie, et que nous devrions peut-être même baisser le thermostat au cours du prochain mois.

Mais pendant que je regardais le feu qui flamboyait et grésillait dans le foyer, je revis dans ma mémoire cette vieille ferme. Les flammes jaillissaient et grondaient dans le ciel sombre, mais petit à petit, l'aide était arrivée sous la forme de voisins, tissant de leur cœur généreux un filet pour soutenir ceux d'entre eux qui se trouvaient dans le besoin.

La plupart de ces bonnes gens sont maintenant décédés, incluant beaucoup de ma propre famille. Mais rien ne me touche plus dans ce monde que de retrouver chez une personne la même gentillesse et la même attention dont ils ont jadis fait preuve. Et ce sont ces qualités que j'ai essayé d'intégrer dans ma vie et de transmettre dans mon entourage. Ce n'est que lorsque vous ouvrez vos mains pour donner que Noël prend véritablement tout son sens. À bien y penser, cela demande tellement peu, juste un petit peu de temps supplémentaire, juste un petit effort de plus, presque rien du tout.

— *Leisa Belleau*

Un enfant
les mènera

Comme grand-mère et narratrice, j'étais en charge. Ou du moins je le croyais.

Le matin de la veille de Noël, mes cinq petits-enfants étaient tous avec moi, pendant que leurs parents faisaient leurs emplettes de dernière minute et que Grand-papa empilait du bois. Leur oncle adolescent, Brian, m'aidait pour occuper tout ce beau monde. Brad et Tyson triaient les jujubes pour les biscuits de pain d'épice. Amy et Bridger pianotaient des chants de Noël. Shannon, la bruyante benjamine, jouait des coudes pour atteindre le bol de glaçage.

Plus tôt dans la semaine, nous avions pris plaisir à assister au spectacle historique de l'école du dimanche, nous avions chanté des chants de Noël sur un chariot à foin décoré, et nous avions confectionné des décorations et des chandelles à donner en cadeau. C'était maintenant notre journée « à la maison », chaleureuse et remplie de sons et d'arômes de Noël.

Regardant Shannon, dont le visage et les bras étaient couverts de glaçage rouge, je dis : « Organisons une pièce historique. Juste ici. Shannon, voudrais-tu être Marie ? »

Ses yeux brillèrent comme elle s'élançait dans mes bras. « Oui, Grand-maman, oui ! Est-ce que je peux aller chercher la boîte de costumes ? »

Pendant que Shannon fouillait dans les mètres de tissu, nous terminâmes la décoration des biscuits, décidâmes du rôle que jouerait chaque enfant et rassemblâmes les chandelles et la verdure décorative pour la représentation. Leurs parents, leur grand-père, et leur arrière-grand-mère composeraient l'auditoire.

Brad se coiffa d'une vieille perruque et d'une couronne ornée de pierres précieuses, mais usée à force d'être utilisée dans les reconstitutions historiques, pendant que Tyson revêtait un sac de toile brune pour jouer le rôle de Joseph. Amy et Bridget attachèrent des guirlandes dans leurs cheveux et se pavanèrent autour du salon en agitant leurs ailes, arborant des sourires aux secrets angéliques. Brian endossa le costume de l'aubergiste et se chargea de la musique.

Shannon cessa de se tortiller et se calma pendant que je l'enveloppais dans des mètres de coton bleu. Ses yeux s'adoucirent quand ses lèvres effleurèrent les joues de sa poupée qui jouerait le rôle du bébé Jésus. Une sorte de silence religieux nous enveloppa pendant que nous la regardions tenir délicatement le visage de bébé Jésus dans ses mains et murmurer doucement dans son oreille.

« OK, les enfants, commençons. » J'ouvris ma Bible et je lus. « *Marie et Joseph ont voyagé de Nazareth à Bethléem pour le recensement.* »

Je tapotai l'épaule de Shannon. « Marche avec Tyson, ma chérie. Rappelle-toi, vous êtes fatigués après un long voyage. »

Brian démarra le lecteur de cassettes pendant que les enfants marchaient vers la scène de la Nativité toute simple que nous avions fabriquée.

« Oh Little Town of Bethlehem » fit surgir des souvenirs des fêtes historiques de Noël de ma propre enfance. La pureté des voix des enfants reflétait le cœur et la véritable signification de Noël. Je pouvais voir sur leurs visages qu'eux aussi en ressentaient le miracle.

Brian, notre aubergiste, se tenait là, imposant et persuasif. « Il n'y a pas de place pour vous ici », leur dit-il d'un ton sévère.

Un voile embua les yeux de Shannon pendant que je continuais la lecture : « *...parce qu'il n'y avait pas de place pour eux dans l'auberge.* »

Soudainement, elle sortit de la pièce, revenant avec sa couverture préférée usée jusqu'à la corde.

« Il n'y a pas de place, Grand-maman ! », hurla-t-elle, affichant un air rebelle avec ses mains sur les hanches. Puis elle prit le bébé qui reposait dans l'auge, l'enveloppa avec soin, blottit sa tête sous son menton et le rapporta dans son lit.

Nous restâmes tous là, debout à nous regarder les uns les autres. Shannon avait pris l'enfant Jésus dans ses bras et dans son cœur, et nous avait montré la simplicité et le miracle de l'acceptation de sa grâce.

Le carillon du patio se mit à tinter dans le vent ; la lumière des chandelles dansa dans les arbres humides à feuilles persistantes et dans l'auge maintenant vide. La surprise sur nos visages s'apparentait certainement au respect mêlé d'admiration des témoins de jadis lors de l'arrivée de Jésus. Noël était là. Et nous nous mîmes tous à chanter :

« *O, come let us adore Him !* »

— *Doris Hays Northstrom*

# L'étoile
miraculeuse

L'obscurité qui nous englobait était bien autre chose que tranquillité et immobilité. Trois petits personnages sautillaient devant moi, agitant le faisceau de leur lampe de poche qui révélait des images extrêmement rapides : clôture, prairie, terre, sol compacté, manteau jaune, chapeau vert. Mon mari s'approcha et prit ma main froide dans la sienne, large et chaude. Il me serra une fois pour me laisser savoir qu'il était conscient de mon humeur morose.

J'accélérai mon rythme, déterminée à distancer l'ombre de tristesse qui me poursuivait, pour être en mesure de prendre part à la joie du rituel hivernal de ma famille. C'était le soir de notre « marche dans le froid ».

La soirée était vraiment parfaite. Il était rare dans notre climat du sud du Texas que la première nuit froide de la saison tombe la journée même où nous allumions les lumières de Noël pour la première fois.

Mais cette fois-ci, c'était arrivé. Le plaisir de pouvoir contempler nos lumières de Noël à distance agrémenta donc cette marche dans le froid.

Après un été long et ardent et un court automne presque imperceptible, le premier front froid qui frappe le Texas constitue un événement remarquable. Certains disent qu'il n'y a pas vraiment de changement de saison dans le sud du Texas, mais avec ou sans feuilles colorées de teintes rougeâtres, lorsqu'un vent glacé vous gifle en plein visage immédiatement après une chaude brise du sud, il est impossible qu'il passe inaperçu.

Quand j'étais enfant, mon père célébrait cet excitant changement de température par une marche dans le froid. Après un été et un automne passés en shorts et en sandales, ma sœur et moi étions bizarrement emmitouflées dans nos manteaux et chapeaux qui nous paraissaient quelque peu étrangers. Puis nous nous engagions dans l'obscurité, laissant notre mère derrière à brasser du chocolat chaud pour notre retour à la maison.

Nous marchions avec notre père, nous abandonnant dans le froid pénétrant, tout à fait conscients qu'il pourrait bien avoir disparu le jour suivant, remplacé encore une fois par du temps doux. Au cours des années, maints Noël se sont passés les fenêtres ouvertes et au son de ventilateurs vrombissants. Nous chérissions donc ce morceau d'hiver et espérions secrètement une journée de Noël où nous ne nous évanouirions pas dans nos tout nouveaux chandails.

Pendant cette marche avec Papa, ma sœur et moi observions nos longues ombres et nos bouffées d'air gelé. Toute cette obscurité qui nous entourait faisait peser sur nous une certaine angoisse, mais c'était aussi très amusant. Nous marchions jusqu'à ce que nos nez piquent et que nos doigts s'engourdissent et glissent des moufles maintenues solidement dans les mains de mon père. Nous voulions que la promenade dure toujours et étions à la fois impatients qu'elle prenne fin pour que nous puissions nous précipiter dans la chaleur de notre maison et dans les bras de notre mère.

Je laissai mon esprit se perdre dans les doux souvenirs de mon enfance pendant que je marchais dans l'allée terreuse de notre ferme avec mon mari et mes enfants, d'un bon pas pour me réchauffer dans l'air vivifiant. Pourtant, je me retrouvai à ne pas simplement chercher à me soulager de la fraîcheur. J'essayais de me défaire de ce sentiment accablant de tristesse que j'avais ramené à la maison de ma visite chez mes parents plus tôt ce jour-là.

L'excitation habituelle de la saison de Noël était douloureusement absente de leur foyer. Pas d'arbre. Pas de lumières. Mon père avait essayé de m'accueillir en m'étreignant, mais sa fatigue était si grande qu'il réussissait à peine à sourire. Ses épaules étaient aussi chargées que les yeux de ma mère étaient vides. Les ténèbres et la morosité de la maladie d'Alzheimer pesaient lourdement sur ce temps de réjouissances.

J'avais espéré que, d'une certaine manière, la magie de Noël se serait frayé un chemin dans la maison de mon enfance. Mais ce n'était pas le cas. Noël avait oublié mes parents. Mes parents avaient oublié Noël. Je me sentais oubliée moi aussi. Oubliée par ma mère qui ne se souvenait plus de mon nom, et pire, oubliée par Dieu.

J'étais demeurée là quelque temps et j'avais aidé mon père, sur qui pesait la lourde tâche de donner des soins à ma mère. J'avais fait tout mon possible pour alléger son fardeau, mais en partant, j'avais le sentiment habituel de n'avoir rien changé. Si on considérait la situation dans son ensemble, ma visite n'avait rien apporté. Je ne pouvais pas ramener la lumière dans les yeux de ma mère, et la chaleur de ses bras me manquait.

Maintenant, à l'extérieur dans le froid, entourée de mes enfants transportés de joie, je secouai les épaules une dernière fois et me mis à marcher plus vite. J'étais déterminée à emmener mes propres enfants dans une marche dans le froid dont ils se souviendraient pour toujours.

Le ciel était clair, froid et piquant, illuminé d'étoiles. Tout autour, de petites voix fendaient l'air de leurs cris perçants de plaisir. Sous leurs chapeaux de tricot, les enfants examinaient le souffle gelé s'échappant de leur bouche et contemplaient avec délices les environs dans le froid frisquet, tout en essayant de tenir leurs lampes de poche avec leurs moufles.

Pendant que je marchais, je sentais que l'ombre de la tristesse me distançait. La morsure de l'air froid contre mon visage m'éveillait à la joie de la nuit et du moment. Lorsque nous arrivâmes tout au bout de notre allée terreuse, juste à l'endroit où elle croise un chemin de terre encore plus long, nous nous préparâmes à retourner sur nos pas. Mais tout juste avant, un extraordinaire spectacle s'offrit à nous : une superbe étoile filante, rouge et flamboyante avec son énorme queue brillante, jetant son feu à travers le ciel.

Nous demeurâmes silencieux comme elle éclairait notre nuit — littéralement lancée d'un bout à l'autre du ciel, et demeurant visible pendant quelques secondes. Notre silence stupéfait céda rapidement la place aux bonds et aux cris d'excitation des enfants qui se rendaient compte qu'ils venaient de voir leur première étoile filante. Quel signe !

Comme nous nous dirigions vers la maison, je me sentis délestée de mon fardeau et un sentiment de paix m'enveloppa. Mon mari était tout aussi excité, intrigué par l'idée que nous avions failli la manquer complètement. Pouvais-je croire qu'ils la regardaient tous les trois ? Pouvais-je croire que c'était arrivé juste avant que nous amorcions notre retour ? La synchronicité de ce moment, pensait-il, était accidentellement parfaite.

Mais je savais que nous n'aurions pu manquer cette étoile. C'était notre étoile, placée là tout spécialement pour nous. Je pouvais presque entendre une voix dire : *Je ne t'ai pas oubliée. Je vous vois en bas dans l'obscurité. J'entends vos cris joyeux. Et j'entends vos tristes appels. J'attendais simplement que vous regardiez pour vous donner une réponse.*

Nous marchâmes tranquillement vers la maison, l'ombre de la tristesse remplacée par quelque chose d'autre. Pas vraiment de l'espoir. Mais plutôt... du réconfort.

Ce sentiment réconfortant nous suivit sur le chemin de retour dans notre obscure campagne, qu'une rafale de vent nordique rendait froid et piquant. De retour dans notre maison sobre et petite, et en quelque sorte spectaculaire avec sa rangée de lumières colorées, sa clarté illuminant le sombre pâturage. De retour à la chaleur, nos cœurs renouvelés par une étoile filante qui avait apporté un message de Noël très spécial.

Nous ne sommes pas oubliés.

— *Carol Tokar Pavliska*

Miracle à Georgetown

Il entra en titubant quinze minutes après que le chœur ait entonné le cantique traditionnel des fêtes, et s'affala dans un bruit sourd sur le banc de bois immédiatement derrière moi. C'était le soir de la veille de Noël à l'église historique St. Paul's Episcopal, dans la petite et pittoresque ville de Georgetown, au Delaware. La messe de minuit devait commencer dans environ vingt minutes. Des douzaines de cierges jetaient une lueur chaleureuse dans l'église. Accompagnée par l'organiste, l'assemblée des fidèles s'était jointe au chœur dans une même voix de célébration et de joie.

Je me rappelle avoir senti une forte odeur d'alcool juste derrière moi. Essayant de me montrer discret, je me tournai nonchalamment de côté de manière à pouvoir continuer à chanter tout en jetant un œil sur l'intrus à l'odeur de whisky. Un jeune homme, peut-être de vingt-cinq ans, peut-être un peu plus jeune, était assis seul sur le banc d'église, arborant un sourire ivre sur son visage non rasé. Ses cheveux étaient touffus et mal peignés, et ses habits ne convenaient pas à un office religieux hiératique. Le type m'était inconnu, et j'appris plus tard que personne non plus ne le connaissait, ce qui est bizarre à Georgetown, un endroit accueillant où tous semblaient savoir le nom de tout le monde ainsi que de tous leurs ancêtres.

Je me rendis immédiatement compte que l'homme était confus, et non seulement à cause de l'office de la veille de Noël, qui peut paraître quelque peu fuligineux pour un nouveau venu. Il était désorienté en général. Il cherchait à suivre l'hymne d'une voix trébuchante, parcourant sans but le livre de prières comme un enfant qui feuillette un livre à colorier dans le bureau du médecin. Il était de toute évidence en état d'ivresse et son comportement me mettait mal à l'aise. À en juger par les nombreux regards nerveux dirigés vers le jeune homme, furtifs chez les uns, plus appuyés chez les autres, il était clair que d'autres partageaient mon opinion.

Un paroissien attentionné nommé Bob quitta sa famille et sa place habituelle sur le banc d'église et s'approcha du type, lui donnant une poignée de main et se présentant avec un sourire chaleureux. Bob accompagna l'homme pendant le reste du chant des cantiques, aidant l'homme ravi à repérer les bonnes chansons et le guidant avec les fonctions liturgiques de base, comme le moment de se lever, de s'asseoir et de s'agenouiller. À chaque chanson, l'étranger ivre chantait avec encore plus d'ardeur et d'une voix franchement dissonante, même si je soupçonnais qu'il avait l'impression de donner une aussi bonne performance que Pavarotti. Je trouvais son massacre des chants de Noël traditionnels à la fois dérangeant et amusant. Même s'il n'avait aucun talent comme chanteur, il avait certainement du plaisir.

Le cantique chanté en chœur se termina et l'office commença avec « Adeste Fideles », alors qu'un défilé de prêtres en vêtements de cérémonie et de servants portant des flambeaux entraient par l'arrière de l'église. Dans la procession, une personne balançait un encensoir autour d'elle, préparant le sanctuaire pour la présence et le culte de Dieu, mais mes yeux se remplirent d'eau et j'éternuai. L'office continua avec la prière et les lectures de la Bible portant sur la naissance du Sauveur, l'enfant Jésus. Bob le bon samaritain continua à s'occuper de l'homme qu'il avait pris sous son aile ; celui-ci souriait avec délices, et moi, le cœur adouci, j'échangeais des sourires avec lui.

Pourquoi sa présence ici ce soir m'a-t-elle d'abord mis en colère ? pensai-je. *C'est la maison de Dieu, pas la mienne, et tous sont bienvenus dans la maison du Seigneur.*

Je me demandai si ce jeune homme était seul ou déprimé en cette veille de Noël, et s'il n'avait pas d'abord recherché le réconfort de l'alcool, pour noyer quelque obscur chagrin, pour ensuite atteindre notre église on ne sait comment. Peut-être avait-il entendu la musique joyeuse de Noël à l'extérieur des murs de briques anciennes. Peut-être avait-il aperçu à travers les fenêtres l'intérieur de l'église illuminé, et les couronnes de houx qui pendaient sur les énormes portes de chêne, comme l'un de ces merveilleux et si invitants paysages de Thomas Kinkade. Peut-être quelque chose de viscéral dans son cœur l'avait-il incité à entrer à l'intérieur. Peut-être avait-il simplement besoin de la chaleureuse compagnie d'autres humains. Je me demandai qui il était et d'où il venait. Avait-il une famille ? Était-il marié ? Avait-il des enfants ?

Le prêtre s'avança vers la chaire pour prononcer son homélie de Noël. Le père prêchait depuis quelques minutes lorsqu'il interrompit brusquement son sermon. Je crus d'abord qu'il avait perdu le fil, ou qu'il marquait une pause pour un effet oratoire. Mais je remarquai alors qu'il levait les yeux vers l'assemblée des fidèles, un froncement de sourcils inquiet sur son front. Un imperceptible et curieux murmure se répandit dans l'assemblée. Tout le monde, y compris moi-même, tourna son regard dans la même direction que le prêtre. À environ quatre bancs de l'avant, sur le côté gauche, Bill, un homme âgé qui assistait fidèlement au service chaque dimanche, s'était effondré. Plusieurs membres de l'assistance lui avaient porté secours, croyant qu'il avait simplement perdu connaissance. Mais la situation était bien plus grave.

L'office s'arrêta complètement alors qu'un paroissien se hâtait de composer le 911. Plusieurs personnes étendirent Bill sur le dos sur le banc et tentèrent de le réanimer. Même si un médecin et plusieurs infirmières étaient disponibles ce soir-là, le pronostic n'était guère rassurant. Bill était inconscient, il avait cessé de respirer, et son pouls était faible. Même dans l'éclairage réduit de l'allée centrale, je pouvais voir sa peau tourner au gris.

Étonnés, la plupart d'entre nous restâmes assis ou debout à notre banc, paralysés par la peur et l'incrédulité. Un membre bien-aimé de notre communauté chrétienne était en train de mourir sous nos yeux, et subitement il ne semblait plus que c'était la veille de Noël. Je me sentais désespéré, perdu. Puis une voix retentit.

« Pourquoi ne nous agenouillons-nous pas tous et ne prions-nous pas pour le vieux monsieur », hurla une voix derrière moi. C'était notre visiteur, dont la voix était mal articulée mais forte. « Peut-être Dieu peut-il l'aider. »

Comme si nous avions reçu une gifle, nombre d'entre nous sortîmes de notre stupeur paniquée et nous agenouillâmes silencieusement, nous ralliant à la suggestion de l'homme. Comme plusieurs personnes continuaient à prodiguer des soins à Bill, qui était à l'article de la mort, le reste de l'assemblée se mit à prier avec ferveur, implorant le Ciel en silence. Je priai plus fort et plus sincèrement que je ne l'avais jamais fait, mes yeux mouillés bien fermés.

Un instant plus tard, j'entendis un brouhaha à ma gauche. J'ouvris les yeux juste comme je murmurais « Amen » et je fus stupéfait d'apercevoir Bill assis, les yeux ouverts, la pâleur de son visage disparaissant rapidement. On entendait jaillir des sanglots de joie à travers l'église ; nos prières avaient été glorieusement exaucées ! Bombardé de questions, Bill nous assura qu'il allait bien. À l'arrivée des ambulanciers qui se pressaient dans l'allée centrale avec leur équipement et une civière, il refusa de les suivre à l'hôpital, insistant pour rester afin d'assister à la fin de la messe de la veille de Noël. Dès que le calme revint, l'office se termina, de fait, sans autre incident.

Après la bénédiction finale suivie d'un chant — un retentissant « Joy to the World » —, je me tournai pour serrer la main du jeune homme, mais il avait disparu. Il était manifestement parti durant l'eucharistie alors que l'assistance se mettait en file, banc par banc, pour recevoir le pain et le vin, le corps et le sang de notre Sauveur.

J'ai plus tard découvert que personne d'autre n'avait vu l'homme quitter les lieux. On aurait dit qu'il était apparu de nulle part et qu'il s'était simplement brusquement évanoui. Personne n'était au courant de son identité ou de tout autre renseignement le concernant. Il n'était le parent, le voisin ou le collègue de personne. Personne ne le connaissait ni n'a jamais revu l'homme qui nous rendit visite en cette veille de Noël, alors qu'une église entière avait été témoin d'un miracle. Un homme mourant était revenu à la vie, sauvé de la mort par la prière lancée par un étranger, une personne comme vous et moi. Ou peut-être comme le type que nous rencontrons tous les jours dans la rue et auquel nous ne portons pas attention, un ange à l'apparence insolite qui prie pour notre santé et notre bonheur, pour la paix et la bonne volonté pour tous.

— *David Michael Smith*

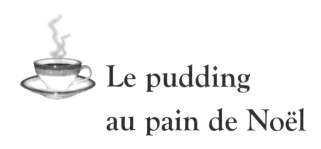# Le pudding au pain de Noël

Quand j'étais une petite fille, le plus gros cadeau sous l'arbre de Noël était toujours réservé à ma mère. Chaque année, mon père se rendait dans l'un des grands magasins du centre-ville, trouvait une vendeuse qui lui rappelait ma mère et lui demandait de l'aide pour choisir un cadeau. Plusieurs jours avant Noël, il glissait le cadeau sous l'arbre, où la boîte enveloppée au magasin avec son papier brillant et son énorme ruban faisait concurrence aux autres présents emballés maison.

Le matin de Noël, le présent de ma mère était le dernier ouvert. Il pouvait s'agir d'une nouvelle robe ou d'un tailleur, un vêtement beaucoup plus beau que tout ce qu'elle aurait acheté pour elle-même. Aussitôt qu'elle ouvrait la boîte, mon père commençait à proposer de retourner le cadeau et d'acheter autre chose. Ma mère le rassurait à maintes reprises, lui disant que c'était exactement ce qu'elle voulait.

Je savais que mon père était content du cadeau qu'il avait choisi, malgré ses questions anxieuses, et qu'il adorait ma mère. Je savais que ma mère s'inquiéterait du coût exagéré du cadeau et lui rendrait son amour. Tout ce rituel faisait partie de nos traditions de Noël.

Plus tard, quand mon père a démarré sa propre entreprise, mes parents se sont entendus pour ne pas échanger de cadeaux à Noël. Je suis certaine que ma mère était celle qui avait proposé cette économie, puisqu'elle gérait les dépenses du ménage. Elle avait probablement suggéré de réserver leur argent pour une quelconque réparation domestique ou de n'acheter que des cadeaux aux enfants. Mais le matin de Noël, un cadeau pour ma mère émergeait invariablement du coffre de la voiture de mon père. Ma mère, qui avait tenu sa partie de l'entente, s'exclamait : « Tu avais promis ! »

Ce scénario a duré pendant des années. Mes sœurs et moi avons encouragé notre mère à acheter un cadeau à notre père pour Noël.

« Non, disait-elle. Cette année, nous nous sommes mis d'accord pour ne pas nous acheter de cadeaux. »

Mais chaque année, mon père, l'homme qui avait inculqué à ses filles l'importance d'honorer leurs engagements, brisait sa promesse et offrait un cadeau à ma mère. J'en ai déduit qu'il n'était nullement obligatoire de tenir une promesse de ne pas donner de cadeau.

L'influence de mes deux parents se fait sentir aujourd'hui dans ma manière personnelle d'aborder Noël. Comme ma mère, je suis un peu grippe-sou au temps des fêtes. Je m'inquiète à propos de l'argent. Je me plains dès qu'on voit apparaître un signe précurseur de Noël avant que la dinde de l'Action de grâces n'ait été découpée. Je m'insurge contre l'encouragement à l'hyperconsommation des centres commerciaux bondés, et ma tolérance envers la musique de Noël s'épuise bien avant le 25 décembre.

Mais comme mon père, j'adore donner des cadeaux. Je me rends bien compte que mes attitudes sont contradictoires. Je possède déjà plus que le nécessaire, tout comme les personnes sur ma liste de cadeaux, et je préfère effectuer moi-même les achats importants qui me concernent. Malgré cela, je ne souhaite nullement la simplicité dans le temps de Noël.

Ce que je veux des gens que j'aime, ce sont des manifestations excessives. De mon mari, je veux des déclarations romantiques. De ma famille, je désire une acceptation inconditionnelle. De mes amis, je souhaite qu'on se souvienne de moi. En bref, je veux m'asseoir devant l'arbre de Noël, boire une coupe de bon champagne, et ouvrir des présents — pas des cartes qui annoncent des cadeaux donnés en mon nom.

L'an dernier, on a décidé que mes parents, mes sœurs et moi tirerions des noms et serions responsables d'un seul cadeau de Noël. Cette décision raisonnable tenait compte des différences de nos styles de vie et de nos obligations financières. Comme de nombreuses familles par les temps qui courent, nous ne nous voyons pas régulièrement et nous ne connaissons pas toujours nos goûts ou nos intérêts mutuels. Mais mon père et moi n'aimions pas cette idée, et nous nous téléphonions l'un l'autre chaque semaine pour nous plaindre.

« Je ne vois pas où se trouve le problème, ai-je dit. J'aime donner des cadeaux. »

« C'est la même chose pour moi, a soupiré mon père. Et franchement, j'aime en recevoir. »

L'après-midi de Noël, mon père a donné un bijou à chacune de ses filles. J'ai immédiatement mis mon collier de perles malachites, et j'ai tout de suite tiré de mon sac fourre-tout un livre de cuisine pour mon père.

Ma deuxième sœur, qui avait hérité d'un mélange différent des conceptions des fêtes de mes parents, nous a jeté un regard à tous les deux et a dit : « Vous aviez promis. »

Mais de quelle promesse s'agissait-il ? Pourquoi devrais-je être d'accord de ne pas me souvenir de toi de manière à ce que tu n'aies pas besoin de te souvenir de moi ?

Récemment, la lecture d'une recette de pudding au pain de Noël dans le livre de cuisine des Shakers m'a amenée à réfléchir à la manière dont j'abordais les fêtes. La recette se lisait comme suit :

[…]*Tranches épaisses de pain généreusement beurrées* […] *une bonne couche de confiture de raisins de Corinthe et de fraises, pas trop mince, car n'oublions pas que c'est Noël ! Versez là-dessus de la crème anglaise non bouillie confectionnée avec beaucoup d'œufs et de lait enrichi, car n'oublions pas que c'est Noël ! Cuisez jusqu'à ce que la croûte soit bien prise et que le dessus soit d'un brun doré riche et appétissant. Mangez-la en la savourant, car n'oublions pas que c'est Noël !*

Je n'aime pas beaucoup le pudding au pain. Ce qui m'avait attirée dans la recette était l'enthousiasme enfantin dont je me souviens de ces Noël d'antan quand le plus gros cadeau sous l'arbre était réservé à ma mère. Dans la confusion de nos vies quotidiennes, il est tentant de réduire nos engagements jusqu'à ce que nous nous retrouvions avec un précieux colifichet solitaire. Mais, grâce à leur amour de la simplicité, même les Shakers savaient qu'il existait un moment et un lieu pour du pain généreusement beurré et une bonne épaisseur de confiture. L'éclat et l'excès font partie des fêtes. Cette période signifie l'acceptation de l'incertitude, de l'injustice — et des cadeaux — de nos vies. Car n'oublions pas que c'est Noël !

— *Karen Ackland*

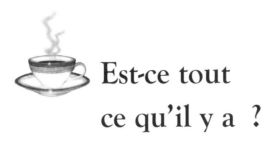

Est-ce tout ce qu'il y a ?

La mère de Sally, Ethel, vivait juste un peu plus loin sur la rue et elle savait qu'il était impossible de cacher certains secrets de famille. Son gendre était réputé dans le quartier. Un voisin l'a un jour questionnée au sujet du mariage de sa fille Sally et s'était fait répondre : « Notre Pete est un gentil garçon quand il est sobre, mais c'est un buveur et un joueur. »

« Pete s'est mis à jouer pour se récompenser la première fois qu'il a été sobre, a expliqué Ethel. Comme tous les buveurs que j'ai connus, Pete croyait qu'il avait droit à une compensation, à une récompense pour sa sobriété. Bien sûr, lorsqu'il a recommencé à boire après quelques mois, il a oublié de cesser de jouer. J'ignore comment Sally peut supporter un tel homme. »

Les gens aimaient Pete à cause de sa nature calme. C'était un grand type, ouvert et sociable, qui souriait toujours et avait toujours une blague à raconter.

La mère de Sally connaissait bien la réalité des buveurs, car elle en avait elle-même épousé un et était demeurée avec lui pendant des années. « Peter n'a jamais maltraité Sally, a avancé la belle-mère comme piètre excuse. Il leur laisse assez d'argent chaque mois pour qu'ils s'en tirent, et Sally travaille aussi. »

Ceux qui le connaissaient se rendaient compte que Pete était un type sentimental, une sorte de rêveur. Chaque année, quand arrivait le temps de l'Action de grâces, il avait déjà imaginé tout un scénario pour Noël. Chaque année, il débitait à sa famille son discours au sujet de la joie des fêtes qui approchaient.

« Ce sera différent cette année, annonçait-il. L'arbre sera magnifique. Nous aurons plus de lumières, plus de guirlandes et plus de décorations dispendieuses que vous ne pourrez jamais imaginer. Le salon, eh bien, on le remplira de magnifiques cadeaux, tous emballés avec du ruban de velours et du papier de fantaisie. Vous verrez. »

Pete était un vendeur ; c'était tout naturel pour lui d'agir ainsi.

Sally, sa femme toujours aussi patiente, ne se disputait jamais avec lui. Parfois, elle essayait gentiment de lui dire la vérité. Lorsqu'il parlait de lui acheter une nouvelle voiture, elle souriait et disait : « Pete, je prends l'autobus pour nettoyer les maisons des autres. Je ne crois pas que ça va changer avant un moment. »

Quand leur père commençait à rêver à propos de Noël, les enfants roulaient les yeux et imaginaient des excuses pour quitter la pièce.

« Les enfants, disait Pete pendant que les enfants cherchaient des raisons pour partir, ce Noël-ci sera notre plus beau Noël de tous les temps. Nous chanterons et mangerons et jouerons ensemble. […] »

Quand Sally a émis des doutes, Pete lui a dit : « Tout ce que ça va me prendre, c'est un gros gain à la table de poker au club. Je vois continuellement des gens qui quittent la pièce avec des liasses de billets. Ce sera bientôt mon tour. Je le sens. »

Bien sûr, année après année, Pete dilapidait d'abord son chèque de paie d'avant Noël, puis son bonus annuel, en se disant que c'était pour sa famille. Il ne comprenait pas qu'il ne jouait pas pour l'argent ; il jouait pour l'euphorie que le jeu lui procurait, tout comme avec l'alcool.

Année après année, après avoir laissé son argent dans les bars ou sur les tables de jeu, il finissait par voler un sapin maigrichon ou par acheter un résidu d'arbre abîmé. Il utilisait tout le crédit sur lequel il pouvait mettre la main pour acheter des cadeaux que personne ne semblait vouloir. Les jouets de mauvaise qualité des enfants se brisaient le premier jour, et le parfum qu'il avait acheté à son épouse dans un bazar se retrouvait non entamé dans un tiroir avec quinze autres bouteilles intactes.

« Pete, chaque jour de Noël, vous finissez par vous apitoyer sur vous-même parce que votre idée fantaisiste de Noël retombe toujours en poussière, lui a dit sa belle-mère. Ensuite, vous croyez que c'est bien de vous enivrer le jour de Noël. Autour de midi, vous décidez de donner une leçon à ces " marmots " — comme vous appelez vos enfants lorsque vous buvez. Vous vous mettez en colère, vous hurlez après les enfants, et vous finissez par lancer leur petit arbre dans la cour. Les voisins ignorent tout de cette pagaille, mais moi j'en entends parler, Pete. Puis Sally emmène les enfants pour passer le soir de Noël chez sa sœur, et vous, Pete, vous restez là assis à la maison à vous apitoyer sur votre sort. Si Noël arrivait plus qu'une fois par année, il y a longtemps que votre mariage serait terminé. »

Il semblait qu'il n'y avait rien que personne ne pouvait dire ou faire pour arranger les choses ou pour les redresser.

Puis, un jour de Noël, les enfants avaient grandi. L'aîné de Pete et de Sally avait dix-sept ans, et Pete ignorait totalement quel cadeau acheter à un adolescent.

« N'en parlons pas maintenant », dit son fils lorsque son père commença sa tirade sur Noël qui approchait.

« Regarde, fiston, j'essaie. Tu le sais, et je ne blague pas, dit Pete. De fait, j'ai assisté à quelques réunions des Alcooliques Anonymes, et mes périodes de sobriété durent plus longtemps. Un des types qui a un problème de jeu m'a même emmené dans une réunion des Joueurs Anonymes. »

« Fiston, dit Pete, dis-moi seulement ce qui te rendrait heureux cette année. »

Pete était sobre lorsqu'il posa cette question et c'était tout en son honneur. Lorsqu'il était sobre, il pouvait être le père aimant qu'il était quatre-vingt-dix pour cent du temps.

À la question sur ce qu'il voulait pour Noël, la réponse de son fils devant les protestations de Pete surprit ce dernier.

Le garçon dit : « Je sais que tu essaies, Papa, mais s'il te plaît, oublie tout simplement Noël. Laisse-nous nous en occuper cette année. Nous, les enfants, nous travaillons, nous avons donc de l'argent. Ne planifie rien. N'achète rien. Tu oublies simplement Noël. Laisse-nous tout préparer nous-mêmes, et tu seras notre invité. C'est le seul cadeau que nous voulons de toi. »

Dans la voix du garçon, il n'y avait aucune colère, et Pete savait que son fils avait bien pesé ses mots.

Enfants idiots, ingrats, pensa Pete. *D'accord, je vais leur montrer. Laissons-les faire pour voir. Ils vont voir à quel point c'est difficile de planifier un Noël décent.*

Fait étrange, ce Noël-là, un peu de la sagesse du programme des Alcooliques Anonymes — quelque chose au sujet de l'abandon de sa fierté et de sa volonté — s'était insufflée en Pete. Celui-ci laissa la famille écrire le scénario, et il demeura même sobre, peut-être par rancune autant que par amour.

La veille de Noël, il resta tranquillement assis pendant tout le repas, ne buvant que du café, puis il observa ses enfants qui installaient un petit arbre acheté avec l'argent qu'ils avaient gagné en effectuant de petits boulots. Son épouse les aida à décorer l'arbre avec des guirlandes de papier, des cordons de maïs soufflé et de canneberges que les enfants avaient eux-mêmes confectionnés. De gros rubans rouges fabriqués avec les restes de rubans des années passées ornaient l'arbre.

« Fameux. Du beau travail, dit Sally, admirant la scène. Maintenant, les enfants, allons chercher les cadeaux. »

Ils apportèrent leurs cadeaux emballés dans du papier blanc uni et attachés avec du ruban rouge. Le fils dit : « Il y a un seul petit cadeau pour chacun de la part de chacun de nous. Nous les avons fabriqués nous-mêmes. »

Il y avait même des cadeaux signés « Papa » pour tout le monde. Mais, bien sûr, n'étant qu'un acteur dans le scénario de quelqu'un d'autre cette année, Pete n'avait acheté ni enveloppé lui-même aucun cadeau. Emballés simplement, les cadeaux paraissaient élégants sous l'arbre.

Puis à tour de rôle, les membres de la famille lurent des extraits de « La veille de Noël ». Même Pete grommela quelques-unes des fameuses rimes. Il fut étonné lorsqu'il remarqua du coin de l'œil que ses enfants le regardaient tous avec tendresse. Il ne les avait jamais vus si heureux depuis des années.

Ce soir-là, ils chantèrent, mangèrent et jouèrent ensemble, matérialisant un scénario d'amour, bien qu'inhabituel.

Il se faisait tard en cette veille de Noël, et la sobriété commençait à incommoder Pete. « Est-ce que c'est tout ? Est-ce tout ce qu'il y a ? » voulait-il savoir.

« Non. Nous allons au service de minuit ensemble », répondit son épouse, luttant contre la peur. Certainement, pensait-elle, c'est la goutte qui va faire déborder le vase ; il va éclater d'une minute à l'autre.

Il est difficile de savoir pourquoi, mais Pete alla avec eux à l'église, et le pasteur dit quelque chose qui s'imprégna dans son esprit.

« La discipline, expliqua le pasteur, est le chemin de la liberté. Si nous suivons simplement quelques règles simples, ce que les gens appellent des rituels, alors seulement pourrons-nous percevoir le message spirituel qui inspire une cérémonie. »

À leur retour de l'église, perdu dans ses pensées, Pete marchait légèrement derrière sa famille. Tout le monde admirait l'apparence du quartier sous les lumières de Noël.

« Comment est-il possible, se demanda-t-il sans s'adresser à personne en particulier, qu'en acceptant de me soumettre à la volonté des autres, je puisse trouver ce que j'ai toujours cherché ? »

Le jour de Noël, ils ouvrirent ensemble les cadeaux. Puis, au lieu de prendre son premier verre, Pete se rendit à une réunion des Alcooliques Anonymes et revint à temps pour assister de nouveau aux offices avec sa famille. Pete se rendait finalement compte qu'il était souvent préférable d'en faire moins.

Il se souvient d'être revenu de l'église en ce premier Noël sobre et, avec un petit rire, d'avoir demandé de nouveau à sa famille : « Est-ce tout ce qu'il y a ? »

Ce qu'ils avaient fait était tellement commun, tellement ordinaire, et c'était si bon.

« Oui, dit son fils, c'est tout. N'était-ce pas assez ? »

Le père ne put répondre que par des larmes.

— *Julian Taber*

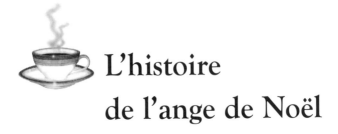# L'histoire de l'ange de Noël

Dans notre maison, l'arbre est au centre de la fête de Noël : majestueux, incrusté de joyaux, décoré, et artificiel. Des lumières rouge poinsettia brillent parmi les décorations confectionnées à la main. Ça et là, des ornements d'exception sont fièrement accrochés. Il y a le ballon de football de bois que Paul a fabriqué quand il avait sept ans. Vers l'avant, on peut apercevoir une minuscule cage d'oiseau rappelant le départ de la perruche chérie de Rachel. Tout près, se trouve le minuscule bonhomme de neige rembourré qui a marqué le premier Noël de Tim. Tout ce qui décore l'arbre est un objet fabriqué qui évoque différents aspects de notre vie.

Au sommet de l'arbre, trône notre ange de Noël. Elle détonne étrangement avec le clinquant et le scintillement du reste des décorations. Elle possède un petit visage de poupée avec des cheveux de fil tricoté jaune. Sa robe est confectionnée de toile vert avocat.

Ses ailes sont faites de velours blanc tendu sur du fil de fer. Même si ses yeux sont fermés, elle sourit comme si elle possédait un secret qu'elle ne peut attendre de révéler.

Cette année est différente. Le dernier de mes enfants a grandi, j'ai donc décidé de mettre notre ange de Noël à la retraite. À sa place, j'ai choisi d'installer une magnifique figurine dorée. C'est aussi un ange, mais avec une robe de soie blanche, un délicat visage de porcelaine et des ailes en étoffe très légère. Elle s'ajuste parfaitement à la branche du haut. Elle est la touche finale de notre arbre.

Enchantée des résultats, je me suis retournée pour voir Tim, mon plus jeune, qui la regardait. Il y a vingt-et-un ans, je l'ai ramené à la maison dans un bas de Noël. Maintenant, il mesure un mètre quatre-vingt, et est presque aussi grand que l'arbre. Les lumières se reflètent dans ses yeux.

Je bats deux fois des paupières…

Au lieu de Tim, je vois un Timothy de cinq ans regardant avec émerveillement vers le haut, faisant un gros effort pour voir le sommet de l'arbre.

« Maman, maman, a crié Timothy. Raconte l'histoire de l'ange, s'-i-l-t-e-p-l-a-î-t. »

Juste à ce moment, Rachel est apparue prestement, revêtue d'un costume de l'archange Gabriel. Son jupon blanc faisait office de robe ; des doubles guirlandes dorées lui servaient de halo. Elle a secoué ses ailes confectionnées avec une serviette de bain, se pratiquant pour notre spectacle de Noël familial.

« Oh, s'-i-l-t-e-p-l-a-î-t, Maman, pas ça encore. » C'était l'ange Gabriel qui prononçait ces mots.

« Chaque année, nous devons entendre la même vieille histoire à propos de cet ange stupide. » Elle a secoué ses ailes. « Ça suffit comme ça. »

J'ai décidé de ne pas m'en mêler et j'ai accroché une autre décoration.

Timothy a attrapé le bout de la serviette de Rachel. « Elle n'est pas stupide. » Il a donné un coup sec sur la serviette.

Rachel a tiré sur son linge en retour. « Si, elle l'est. »

À ce moment, mon deuxième enfant, Paul, est entré dans la mêlée. « Hé, regarde, si nous devons faire ça, Timothy doit mettre ceci. » Il a lancé un peignoir à son petit frère.

« Je ne veux être l'enfant Jésus encore une fois cette année. » Timothy a croisé les bras, indigné.

« Le plus petit joue toujours le rôle de l'enfant Jésus. C'est une tradition ». Paul adorait donner des ordres.

« Je suis trop vieux pour être l'enfant Jésus ! »

« Voyez, c'est ce que je veux dire à propos de l'histoire de l'ange de Noël, a dit Rachel ostensiblement. Nous sommes trop vieux pour ça. »

« Je ne serai jamais trop vieux pour ça », a répliqué notre enfant Jésus suranné. « S'il te plaît, Maman, raconte-la. »

Je les ai réunis tous les trois près de l'arbre. « D'abord, Paul, pourquoi est-ce qu'on ne se servirait pas d'une des poupées de Rachel comme enfant Jésus cette année ? »

Timothy a poussé un énorme soupir de soulagement.

« Et, ai-je continué, je raconterai l'histoire de l'ange de Noël tant qu'il y aura quelqu'un qui voudra l'entendre. »

J'ai attiré Timothy sur mes genoux et j'ai commencé l'histoire. J'ai parlé de la première année où son père et moi nous sommes mariés. Lee fréquentait encore l'université et nous vivions dans une résidence d'étudiants. Il n'était donc pas surprenant que, cette année-là, nous ne pouvions rien nous payer pour Noël. Pas de décorations, pas de cadeaux. Puis, la veille de Noël, nous avons vu le propriétaire d'un terrain d'arbres de Noël qui donnait gratuitement les quelques arbres qui lui restaient.

D'abord Paul et puis Rachel se sont approchés.

« Et les seuls arbres qui restaient étaient ceux dont personne ne voulait », a continué Rachel.

« Oui, les seuls arbres qui restaient étaient petits ou brisés, mais de toute façon nous sommes allés voir. Dans le fin fond, nous avons trouvé un arbre d'un mètre, droit et fort. »

« Mais il n'avait que cinq branches », a soufflé Paul.

« Mais de toute façon vous l'avez ramené à la maison », a ajouté Rachel.

« Puis, quoi ? », a demandé Timothy, même s'il connaissait déjà la réponse.

« Papa et moi avons rassemblé toute notre monnaie et avons acheté une décoration pour le sommet de l'arbre. »

« L'ange... », a murmuré Timothy.

« Oui, l'ange. »

Nous avons tous regardé en haut de l'arbre.

À l'unisson, nous avons dit : « Chaque année depuis, l'ange de Noël a orné le faîte de notre arbre. »

L'ange souriait les yeux baissés vers nous.

Je cligne des yeux deux fois...

Sur le sommet de l'arbre, je vois un magnifique ange doré avec des ailes en étoffe légère.

Tim baisse les yeux vers moi de sa taille d'adulte. « Où est l'ange de Noël ? »

« J'ai pensé que ce serait une bonne année pour la remiser. » Il y avait comme une boule étrange dans ma gorge.

La porte avant s'est ouverte brusquement, et la pièce a été envahie par les arrivants de l'aéroport : Rachel et son mari, Rob avec ses deux enfants, Justin et Reagan. En même temps, Paul et son épouse, Jami, sont arrivés avec leur fille Cyrah.

Les trois petits-enfants m'ont empoignée par les genoux. Tous ces baisers et toutes ces étreintes ont failli me faire tomber à la renverse. Justin a onze ans, et Cyrah vient d'avoir dix ans. C'est le premier Noël de la petite Reagan de trois ans avec nous.

Pendant que tout le monde se débat avec les valises pour les monter au deuxième étage, Rachel me fait une rapide étreinte. Paul et Tim échangent une sorte de poignée de main virile.

« Maman a acheté un nouvel ange », a annoncé Tim.

« Quoi ! » Rachel se fait incrédule. « Chaque année depuis, a-t-elle cité, l'ange de Noël a orné le faîte de notre arbre. » Elle me jette un œil pour voir si j'oserais le dénier. « C'est une tradition. »

« Oh, non, l'histoire de l'ange », a grogné Cyrah. C'est la fille de Paul tout craché, notre reine du drame. « Pas ça. »

« Moi veux histoire. » Reagan m'a forcée à m'asseoir de manière à lui laisser un genou pour qu'elle puisse se pelotonner contre moi. « Raconte, raconte ! »

« Tu dois le faire, Maman, a dit Rachel. Rappelle-toi, tu as dit : tant qu'il y aura quelqu'un qui voudra entendre l'histoire. »

Sans plus de cérémonie, Tim arrache le magnifique ange aux ailes en étoffe légère du sommet de l'arbre. Sans se faire prier, Lee rapporte le paquet enveloppé de son lieu d'entreposage. Tout le monde se retrouve autour de l'arbre. Les minuscules lumières rouges jettent des étincelles sur les décorations. Jami et Paul serrent Cyrah tout contre eux. Justin pose sa tête sur l'épaule de Rachel. Rob place son bras autour d'eux.

Je déballe soigneusement notre ange de Noël.

« *Ohhhh !* » soupire Reagan, à la vue des cheveux de fil tricoté jaune et de la robe de toile vert avocat.

Tout le monde surveille Lee qui installe l'ange à sa place initiale sur le sommet de l'arbre. Elle sourit les yeux baissés vers nous comme si elle possédait un charmant secret qu'elle ne peut attendre de révéler.

J'attire Reagan sur mes genoux et je commence l'histoire.

— *Kristl Volk Franklin*

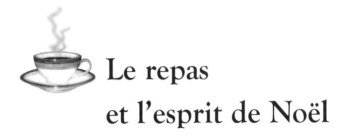

Le repas
et l'esprit de Noël

Il est presque seize heures trente. Au bureau des services sociaux, c'est le moment du départ. Mes collègues de travail commençaient déjà à prendre leurs manteaux et leurs gants pour sortir nettoyer la neige de leur pare-brise, afin de revenir à la maison pour terminer les emplettes de Noël de dernière minute et de passer la veille de Noël avec leurs êtres chers. J'étais en train de placer dans un sac le souper de Noël que j'avais acheté au magasin d'épicerie fine. Avec l'horaire mouvementé d'une mère célibataire, un repas de dinde précuisiné était préférable à rien du tout pour mon fils de quatre ans et moi-même. J'avais placé des cadeaux emballés pour Joey dans le coffre de ma voiture ainsi qu'un CD de Noël tout neuf des Chipmunks, et un lecteur portatif pour lui dans mon sac à main. J'étais prête à danser le rock pendant mes vacances de Noël avec Joey et les Chipmunks et à passer un peu de temps libre à la maison avec mon exubérant garçon.

Juste à ce moment, à seize heures trente pile, le téléphone sonna. Tous les autres étaient partis, et j'aurais pu ne pas m'en occuper. Après tout, l'heure officielle du départ avait sonné. Et les vacances de Noël commençaient. Alors, personne ne s'en serait aperçu si j'étais sortie furtivement par la porte arrière pour me diriger vers ma voiture.

Mais moi, je l'aurais su, et cette pointe de culpabilité me fit lever le récepteur. Nous étions les services sociaux, et c'était probablement une urgence.

« Allo, Tammy ? C'est le shérif. Nous avons reçu un appel de la vieille Mlle Mabel. Elle a téléphoné et a dit qu'elle avait besoin de quelqu'un pour déposer sa prescription. »

Je grognai intérieurement. *Ils appellent cela une urgence ? Ne savent-ils pas que nous faisons des enquêtes ? Des choses vraiment urgentes ? Et c'est Noël, mais enfin ! Je devrais me trouver dans le salon à danser avec mon fils sur la musique des Chipmunks. À déguster le bon souper de dinde et à placer des cadeaux sous l'arbre scintillant.*

Pourquoi ne pouvez-vous pas la déposer vous-même ? voulus-je demander. *Ou le faire faire par un adjoint ? Pourquoi est-ce moi qui dois me charger de quelque chose qu'un de ses voisins pourrait tout aussi bien faire ?*

La situation aurait pu être différente si la maison de Mabel s'était trouvée sur mon chemin vers la maison. Mais elle habitait à plus de quinze kilomètres dans la direction opposée. Et ce n'était vraiment pas mon travail. Je n'étais pas obligée d'accepter. La livraison de médicaments à des clients n'apparaissait pas sur notre description de tâches.

Mais je finis par dire, je ne sais pour quelle folle raison : « D'accord, j'irai lui porter ses médicaments. »

Ronchonnant, je raccrochai le téléphone, me jetai sur mon manteau, attrapai mon souper de dinde et quittai le bureau, en verrouillant la porte derrière moi.

Après avoir ramassé les médicaments à la pharmacie, je poursuivis mon chemin sur la route de campagne à deux voies jusqu'à la maison de Mlle Mabel. La neige mouillée qui recouvrait la route sinueuse la rendait carrément dangereuse.

Mabel vivait seule. Sa famille habitait en dehors de la région et lui rendait rarement visite. Elle pouvait être grincheuse et exigeante. Elle voulait que le service de police et les services communautaires se précipitent pour répondre à chacun de ses caprices.

Bien, je vais lui en faire moi une fête ! *Ne se rend-elle pas compte que nous avons une vie à vivre, nous aussi ? Une famille ? Des fêtes ?* Mon travail me demandait déjà d'être souvent séparée de mon fils Joey.

Sa maison était petite et négligée parce qu'elle insistait obstinément pour s'acquitter elle-même de ses tâches ménagères au lieu de laisser les services sociaux s'en charger. Elle utilisait un déambulateur, et son équilibre était précaire ; elle réussissait pourtant à prendre son bain, à cuisiner, à nettoyer, bien que de façon limitée.

Comme je pénétrais dans son allée de gravier et que j'apportais ses médicaments à la porte avant, non seulement sa maison me parut négligée, mais aussi carrément triste. Aucune lumière ne décorait sa véranda. Aucun arbre décoré ne brillait dans sa fenêtre. Pas de couronne suspendue à sa porte.

« Mlle Mabel ! appelai-je en frappant à sa porte. J'ai vos médicaments ! »

J'attendais pour recevoir une réponse. Elle était dure d'oreille, je haussai donc la voix.

« Mlle Mabel ! J'ai vos médicaments ! »

Je l'entendis frapper à l'intérieur. La connaissant depuis des années, je savais qu'elle prenait son déambulateur et qu'elle marchait vers la porte.

Parfois, je me demandais pourquoi elle ne choisissait pas de vivre dans une maison de repos. Je lui en avais parlé plusieurs fois. Elle aurait eu de la compagnie, de la supervision, des soins vingt-quatre heures sur vingt-quatre, de la sécurité. Mais elle ne voulait rien de tout cela. Et puisqu'elle n'était pas inapte, elle pouvait choisir de vivre où elle le voulait et de la façon qu'elle le voulait. D'une certaine manière, j'admirais son cran. Je ne suis pas certaine que j'aurais voulu qu'une travailleuse sociale me bouscule et me dise où je devais aller.

« Terry ! »

Elle prononçait toujours mal mon nom. Parfois, elle m'appelait Tabby, parfois Tara, parfois Tanya. Mais c'était correct. Je savais qu'elle m'avait reconnue.

« Merci beaucoup ! cria-t-elle en prenant les médicaments de mes mains. Voulez-vous entrer ? »

« Oh non, je ne peux pas. Je dois rentrer à la maison. Mon fils m'attend. »

« Juste une minute », dit-elle, me tirant par la manche de mon manteau.

Elle me traîna pratiquement à l'intérieur, j'entrai donc.

« Avez-vous tout ce qu'il vous faut ? lui demandai-je. Du mazout dans le réservoir ? L'eau n'est pas gelée ? L'épicerie ? »

« Oh, ça va bien. Le garçon d'épicerie m'a apporté mon ravitaillement aujourd'hui. Venez et assoyez-vous. »

« Non, vraiment. Je devrais y aller. »

Elle sourit, et des larmes jaillirent soudainement dans ses yeux. « Votre petit garçon, c'est ça ? »

Je fis un signe de la tête.

« J'avais un petit garçon. Qui est devenu un grand garçon. Il habite maintenant au Canada. »

Je fis un signe de tête. « George, c'est ça ? »

« Vous vous rappelez ! »

« Très bien… », haussai-je les épaules. Elle parle de lui tout le temps. Comment pourrais-je oublier ?

Je promenai mon regard autour de son salon. Tellement terne et tellement triste. Pas de cartes de Noël, pas de biscuits de Noël, pas de décorations, pas de cannes de bonbon.

« Que faites-vous pendant le temps des fêtes ? demandai-je. Est-ce que George va venir vous voir ? »

« Il ne peut pas. Il est au chômage et ne peut se payer le voyage. Mais il m'a téléphoné. »

Je hochai de nouveau la tête. Mais cette fois j'étais incapable de partir. Pas comme ça. Pas avec elle qui se tenait debout si seule dans le milieu de son salon.

« Avez-vous de la dinde ? » lui demandai-je.

« Pourquoi, non, je n'en ai pas. Pourquoi ? »

« Bien… »

Ça alors, je devrais être sur le chemin du retour. Je devrais être à la maison avec mon petit garçon, lui tendant des cadeaux pour l'arbre. Nous devrions rire en écoutant les stupides chansons des Chipmunks. Ou jouer dans la neige.

« Que penseriez-vous si nous prenions notre souper de Noël ensemble ? Je vous emmènerais dans ma maison et je vous ramènerais plus tard ce soir ? »

« Non, je ne veux pas sortir. C'est trop froid. Et j'ai peur de tomber. »

Elle marquait un point. Je pouvais avoir pas mal de problèmes pour avoir ramené une cliente chez moi.

« Que pensez-vous si j'apporte le souper de Noël chez vous alors ? »

« Qu'est-ce que vous voulez dire ? »

« Je reviens bientôt. »

Elle regardait impatiemment dans la direction de la porte avant pendant que je me frayais péniblement un chemin vers ma voiture à travers la neige qui s'accumulait.

S'il te plaît, Joey. Pardonne à Maman cette seule fois d'être en retard pour les fêtes. Je me rachèterai auprès de toi, je te promets.

Je déballai notre souper de Noël, supposant que je pourrais en racheter pour Joey et moi au retour à la maison, une carte de Noël, même le CD des Chipmunks et le lecteur portatif. Remarquant sa grosse plante en pot dans le coin, je la déplaçai en face de sa fenêtre et la couvris de lumières de Noël.

« Tasha ! Que c'est beau ! »

Nous rîmes et mangeâmes la dinde, la purée de pommes de terre, le maïs, les petits pains et la tarte à sa table de cuisine. Elle parla de George, et je parlai de

Joey. Je n'agis pas ainsi pour me mériter une palme de martyre, mais plutôt parce que j'avais l'impression qu'il s'agissait de la bonne chose à faire. Je ne voyais pas comment j'aurais pu aller dormir ce soir-là avec l'image de cette malheureuse vieille femme toute seule dans sa maison dénuée de l'esprit de Noël.

Au moment de mon départ, sur le pas de la porte, elle me donna un baiser sur la joue.

« Merci. Joyeux Noël, Tammy. »

— *Tammy Ruggles*

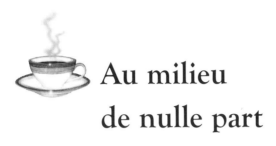

Au milieu de nulle part

La petite fille de sept ans était tranquillement assise sur les marches de béton du vieil immeuble gris, attendant que sa maman et son papa en descendent avec les derniers objets qui pourraient loger dans leur vieille Ford délabrée. Elle avait placé sa couverture bleue déchirée et tachée autour de ses épaules potelées et serrait son clown fait main contre sa poitrine. Elle prit une profonde inspiration et laissa échapper un soupir résigné, en observant son souffle chaud qui se transformait en cristal au contact de l'air des petites heures du matin.

Nous partons encore, pensa-t-elle. *Un autre voyage pour on ne sait où.*

Ses yeux d'un bleu brillant foncèrent alors que ses parents se dépêchaient de descendre les escaliers, n'emportant que quelques objets avec eux.

« Où est M. Fuzzy Teddy ? » demanda-t-elle.

Sans un mot, Maman installa doucement la fillette sur le siège arrière de la voiture. L'enfant s'assit les bras croisés. Elle savait qu'un autre jouet venait d'être abandonné, parce qu'« il n'y avait pas de place » pour lui. Elle avait entendu tant de fois cette expression qu'elle se demandait pourquoi elle posait encore la question. Lors du dernier déménagement, il lui avait fallu renoncer à sa poupée favorite. La fois d'avant, c'était son cheval berçant appaloosa. Et la fois précédente, c'était le tour de son serpent vert en peluche de plus d'un mètre couvert de taches couleur arc-en-ciel.

Chaque fois que quelque chose était laissé derrière, elle avait l'impression qu'on tranchait une partie de son cœur avec un grand couteau affilé. Ses jouets étaient ses compagnons, car elle était enfant unique et n'avait pas d'amis. Les perdre lui fendait l'âme, mais elle souffrait en silence. Si elle avait protesté, Papa aurait simplement eu mauvaise conscience et il aurait été encore plus silencieux qu'à l'accoutumée. C'était beaucoup plus difficile de supporter la froideur de son père que la fissure de son cœur.

Comme le véhicule s'éloignait, une larme roula sur son visage rose et potelé pendant qu'elle regardait par la fenêtre les lumières rouges et vertes clignotantes. C'était la veille de Noël, et ils avaient encore pris la route. Elle avait vraiment cru qu'ils auraient cette année un « vrai » Noël. Elle et Maman avaient dressé un petit arbre menu et décharné qu'elles avaient trouvé dans le champ. Elle avait aidé à le décorer avec du maïs soufflé et des étoiles de papier. Elles avaient même placé un minuscule bébé de paille sur l'une des branches.

Maintenant, ils roulaient loin des promesses de Noël. Elle n'était pas certaine du lieu où ils se rendaient ; elle savait seulement qu'ils se dirigeaient vers la Californie. Ils prenaient toujours le chemin de la Californie quand l'argent s'épuisait. Une sœur de Papa demeurait dans cet État, à qui il pouvait toujours « emprunter » de l'argent, et chez qui ils pouvaient habiter pendant quelques jours jusqu'à ce que Papa puisse « se remettre sur pied ».

La journée venteuse s'écoulait, et la fillette jouait sur le siège arrière avec sa couverture, son clown confectionné à la main et une corde à danser en plastique vert clair dépourvue de poignées. Assise sur le bord de la banquette déchirée de la Ford, elle avait fait passer la corde à travers un trou rouillé du plancher juste sous ses pieds. À l'aide de ses doigts, elle avait agrandi le trou juste assez pour qu'elle puisse observer la corde qui dansait et qui sautait lorsque le bout frappait la route qui défilait. Ce jeu l'avait tenue tranquille pendant des heures.

À mesure que la journée s'effaçait dans la nuit orageuse, son estomac se nouait de plus en plus. Noël était presque arrivé, et il n'y avait ni arbre, ni foyer, ni endroit où loger pour que le père Noël puisse la trouver. Elle demeurait pourtant silencieuse. Les mots ne servaient à rien quand il s'agissait de Papa.

À la nuit tombée, ils s'arrêtèrent dans un relais-routier très fréquenté pour le repas. Ils commandèrent deux « spéciaux » qui, en l'honneur des fêtes, consistaient en des tranches de dinde, de la farce, des pommes de terre en purée et de la sauce. Tout goûtait si bon pour elle. Elle put même partager un morceau de tarte à la citrouille avec Maman et Papa. Peut-être que cette veille de Noël sur la route n'était pas si mal après tout. Au moins, ils étaient tous ensemble.

Lorsqu'ils eurent fini de souper, il était déjà tard. Ils se lavèrent dans la salle de bain et prirent à nouveau la route. L'enfant fatiguée s'allongea sur le siège arrière, se pelotonna sous sa couverture bleue, et se mit à imaginer le Noël de l'année suivante. Elle se représenta une grande maison avec assez de pièces pour que tout le monde puisse en avoir une à soi. Elle imagina un gros arbre de Noël étincelant de ses centaines de lumières vertes, jaunes, rouges et bleues. Des guirlandes argentées ornaient chacun des rameaux et des chaînes de maïs soufflé et de papier entouraient les branches maîtresses. Sous l'arbre, il y avait des douzaines de paquets colorés, dont un bon nombre étaient marqués à son nom. Elle s'imaginait en train d'ouvrir le plus gros paquet et d'en ressortir un ours panda d'un mètre. La fillette s'endormit, un sourire sur le visage et une larme sur la joue.

Le matin sembla arriver tôt, et ils roulaient toujours. En s'éveillant, elle sentit la fraîcheur de l'air glacial à l'extérieur qui pénétrait par le trou du plancher de la voiture et par les fenêtres qui fuyaient. Elle resserra la couverture sur ses épaules, s'assit et croisa ses jambes sous elle pour que ses pieds demeurent bien au chaud. Après avoir bâillé et effacé les traces de sommeil de ses yeux, elle se retourna pour regarder par la fenêtre.

Là, juste à côté d'elle, il y avait une petite poupée chauve enveloppée dans une couverture rose, un livre à colorier tout neuf de Mickey Mouse et une boîte neuve de huit crayons Crayola. Sans dire un mot, elle ramassa les jouets et les regarda simplement pendant un moment.

« Maman », chuchota-t-elle finalement.

« Oui », chuchota aussi sa mère.

« D'où viennent ces cadeaux ? » demanda-t-elle.

« Le père Noël les a apportés », dit-elle.

« Mais comment ? »

« Le père Noël trouve toujours les bonnes petites filles et les bons petits garçons même lorsqu'ils sont au milieu de nulle part. »

La fillette s'adossa contre son siège et joua tranquillement avec ses nouveaux jouets pendant des heures.

Cette petite fille, c'était moi. J'ai découvert bien des années plus tard que mon papa et ma maman s'étaient arrêtés dans un petit magasin et avaient utilisé les derniers deux dollars qui leur restaient pour acheter ces jouets. Ce Noël qui aurait pu être le pire de ma vie a fini par devenir le plus beau de tous, car mes parents m'avaient offert bien plus que des cadeaux. Ils m'avaient appris à croire aux miracles.

— *Candace Carteen*

La figurine d'amour

Chaque été, notre rencontre familiale annuelle se clôt avec le tirage rituel pour l'échange de cadeaux de Noël. Les membres de la famille présents tirent des noms d'un chapeau, et Maman tire un nom par procuration pour ceux qui sont absents. Ce tirage nous permet de disposer de beaucoup de temps pour acheter le cadeau de Noël parfait à l'intention de notre destinataire.

Le tirage de Noël a fait l'objet de nombreuses discussions au cours des années, étant donné que les membres de notre famille ne jouissent pas du même niveau de revenu. Les enfants les plus jeunes et même les jeunes mariés sont nettement désavantagés au plan financier lorsqu'ils doivent acheter un cadeau qui ne paraît pas dérisoire comparé à celui offert par un frère ou une sœur plus aisés. Pour cette raison, nous avons limité la somme d'argent à dépenser pour un cadeau.

Cette année, quelqu'un a suggéré que nous élevions la limite de prix.

Alors que nous débarrassions la table après avoir pris notre dernier repas ensemble, j'entrai dans la cuisine pour trouver ma mère qui regardait avec nostalgie une petite figurine de caoutchouc. Vieilli et craquelé, le personnage trônait sur le rebord de la fenêtre depuis plus de trente ans. C'était un objet puéril et je me demandais pourquoi elle le gardait à cet endroit. Façonnée de caoutchouc moulé rose et bleu, la figurine représentait un jeune garçon portant une casquette de baseball de travers et un bâton de caoutchouc à moitié caché derrière son dos. Peut-être est-ce à cause de ce regard sur le visage de ma mère ou à cause de notre récente discussion sur les cadeaux de Noël, mais subitement, un déluge de souvenirs m'envahirent, et je compris finalement pourquoi la figurine de caoutchouc était demeurée pendant toutes ces années au-dessus de l'évier.

J'ai huit ans de plus que mon frère, et à l'âge vénérable de treize ans, j'avais l'impression de savoir si un cadeau convenait ou ne convenait pas à ma mère. D'un autre côté, les petits garçons de cinq ans n'avaient pas la moindre idée de ce qu'était un cadeau convenable. Les poches bourrées de nos épargnes durement gagnées, mon frère et moi avons entrepris une expédition de magasinage pour acheter ce qui, à mon avis, constituerait deux cadeaux parfaits pour Maman. Après avoir soigneusement examiné maintes étiquettes de prix, j'ai finalement choisi un objet qui m'avait coûté toutes mes économies. Par contre, rien de ce que voyait mon frère ne le satisfaisait.

Le hasard a voulu que, en revenant à la maison, nous ayons dû attendre à un arrêt d'autobus devant un magasin de marchandises d'occasion, et là, dans la vitrine, il a aperçu le parfait cadeau pour Maman. J'ai essayé de faire pression sur lui, mais rien ne pouvait le dissuader d'acheter la petite figurine de caoutchouc représentant un petit garçon qui tenait un bâton de baseball. Selon lui, Maman aimait le regarder jouer à la balle, et elle aimait la couleur bleue. Il savait donc qu'elle aimerait ce présent. D'un autre côté, j'étais vexée de voir qu'il ne dépenserait que vingt-cinq sous pour acheter le cadeau de notre mère.

Le matin de Noël, il lui a tendu son cadeau, tout rouge de fierté. Les yeux brillants, il a surveillé chaque mouvement de ses mains pendant qu'elle enlevait soigneusement les épaisseurs de papier froissé qui recouvraient la figurine. Quand le papier a été complètement enlevé, il n'a pu retenir plus longtemps son excitation et il a sauté et tourné autour d'elle en criant : « Est-ce que ce n'est pas extraordinaire ? » Je ne comprenais pas pourquoi Maman pouvait être si heureuse de recevoir un cadeau aussi idiot, et j'ai été surprise lorsqu'elle a placé l'objet sur le rebord de la fenêtre au-dessus de l'évier.

Je ne me souviens plus de ce que j'ai acheté à ma mère ce Noël-là, et je suis certaine qu'elle ne s'en rappelle pas non plus. Ce que je garde en mémoire, c'est que j'avais choisi mon cadeau pour sa valeur monétaire, croyant que le prix sur l'étiquette en faisait un cadeau convenable.

D'un autre côté, mon frère, dans son innocence enfantine, ne s'était pas du tout préoccupé du prix. Il avait donné pour la joie de donner, et sa joie avait décuplé la valeur du cadeau. Ce Noël-là, ma mère n'avait pas reçu une petite figurine de caoutchouc en cadeau, mais plutôt le présent de l'amour de son fils, de son excitation et de son enthousiasme face à la vie, tous des sentiments incarnés dans une statuette de plastique offerte par un heureux petit garçon, un peu comme s'ils étaient siens.

Plus tard, la vie de mon frère s'est compliquée à cause d'une série de mauvais choix, et nous l'avons rarement vu dans les réunions de famille. Je suis certaine que la petite figurine sur le bord de la fenêtre a été conservée à cet endroit pour rappeler ce temps où l'enfant de ma mère a ressenti, et transmis, une telle joie grâce à un cadeau dont il était impossible de mesurer la valeur en argent. Seulement en amour.

— *Rita Y. Toews*

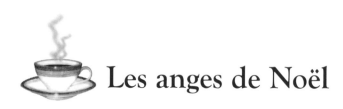# Les anges de Noël

Papa avait commencé tôt à célébrer le temps des fêtes et était absent de la maison depuis deux jours. Anticipant son retour, la petite Maggie courait à la fenêtre chaque fois qu'elle entendait un bruit à l'extérieur.

« Papa est à la maison avec notre arbre de Noël ! Je savais qu'il tiendrait sa promesse. »

Même si nous, ses sœurs, avions l'habitude des promesses non tenues de notre père, Maggie gardait encore une foi inébranlable en sa parole et le défendait farouchement.

« Ce n'était pas lui, mais il va arriver d'une minute à l'autre. »

Ahnna gratta un petit cercle de glace sur la fenêtre avec une lame de rasoir pour que Maggie puisse continuer à surveiller son arrivée. Maggie pressait son visage sur la vitre, embrumée par sa respiration chaude, qu'elle essuyait chaque fois avec un morceau de papier hygiénique.

Nous nous étendions souvent sur la minuscule moquette en face du poêle à mazout placé dans un coin du salon et regardions les flammes qui dansaient derrière sa vitre de mica. Des vents froids en provenance du Canada charriaient une neige lourde et mouillée au-dessus du lac Érié, forçant le petit poêle à ronfler sans arrêt.

Recroquevillée sous une couette de plumes, Maman était couchée sur le sofa. Toute la semaine, elle avait promis que nous cuisinerions des biscuits aujourd'hui, mais il était presque midi et rien n'indiquait qu'elle se lèverait. Nous nous approchâmes timidement d'elle, mais Ahnna et moi craignions de lui parler et demeurâmes là à l'observer en silence.

« Qu'est-ce que vous regardez comme ça, vous deux ? Qu'est-ce que vous voulez ? » Maman semblait fâchée, et nous ne voulions pas l'irriter.

Maggie quitta sa place devant la fenêtre et nous rejoignit. « Nous voulons faire les biscuits de Noël, Maman. Viens. Lève-toi pour que nous puissions commencer. Papa sera là bientôt avec notre arbre et ensuite nous serons trop occupées.

Ahnna ajouta rapidement : « Tu as promis, et nous avons attendu toute la journée. »

Elle prit un air renfrogné et laissa échapper : « Je suis incapable de me lever. Je suis malade. Les biscuits ne sont pas si importants, n'est-ce pas ? Voulez-vous que je sois plus malade, juste pour que vous puissiez avoir des biscuits ? »

Elle ne paraissait pas malade. Elle avait les joues roses, et les yeux perçants et clairs, dépourvus de larmes. Un peu plus tôt, elle était allée dans la salle de bain et en était ressortie avec les cheveux coiffés et une couche de rouge sur les lèvres.

M'avançant, je dis : « Maman, tu n'as pas l'air malade. Vraiment. »

Ahnna approuva et dit sur un ton rassurant : « Maman, Catherine a raison. Nous ne voulons pas que tu tombes malade en faisant des biscuits, mais tu as l'air bien. Est-ce que tu ne peux pas te lever juste un petit moment ? Tu t'assoiras sur une chaise et tu nous diras comment faire. Nous ferons tout le travail. »

Maman était catégorique. « J'ai dit que je suis malade. Vous ne connaissez rien. Vous n'êtes que trois petites idiotes. Non ! Je suis incapable de me lever, même pour un petit instant. »

Nous nous sentîmes tout de suite coupables, et la mitraillâmes de questions. « Est-ce qu'on devrait appeler un voisin ? Ou un médecin ? Qu'est-ce qu'on peut faire pour t'aider ? » Maggie pleurait en même temps qu'elle se pressait sur le sofa et essayait d'étreindre Maman.

« Non ! Ne faites rien. Je peux prendre soin de moi. » Repoussant Maggie si durement qu'elle la fit tomber sur le sol, Maman s'assit et nous regarda en face. « Vous devez savoir la vérité. Il n'y aura pas de célébrations ici. Papa est parti boire et ne m'a pas donné d'argent pour Noël. Maintenant, allez-vous-en et cessez de me harceler. »

Refusant de croire ce qu'elle disait, nous demeurâmes là immobiles comme des pierres, comme elle s'étendait à nouveau en tirant la couette sur sa tête.

Maggie retourna à son poste d'observation près de la fenêtre, pendant qu'Ahnna et moi nous réfugions dans la cuisine. Assises tranquillement à la table, nous étions toutes les deux plongées dans notre propre misère. Mon esprit était assailli de pensées horribles qui tourbillonnaient et s'entrechoquaient dans ma tête. *Pas de Noël ? Pas de biscuits ? Il doit y avoir une célébration pour l'anniversaire de Jésus. Pas de cadeaux pour Maggie ? Je ne peux le croire. Maman nous joue un tour. Elle doit plaisanter.*

Les cris excités de Maggie me tirèrent de mes pensées angoissantes. « Papa est à la maison ! Je l'entends ! Je l'entends ! »

Ouvrant la porte toute grande, les espoirs de Maggie s'évanouirent lorsque le facteur vint à sa rencontre.

« Joyeux Noël, petite fille. C'est une bonne chose que le père Noël et son renne puissent voler dans le ciel. Ils auraient de la difficulté avec toute cette neige s'ils devaient faire le trajet en voiture. »

Prenant le courrier, Maggie laissa échapper : « Mon père va rapporter notre arbre et il va bientôt arriver à la maison. »

Une des enveloppes était destinée à Ahnna. Elle l'ouvrit en la déchirant et un billet de cinq dollars tomba sur le plancher. C'était une carte écrite à la main de la part de sa marraine, tante Stéphanie.

Chère Ahnna,

Je te souhaite un merveilleux Noël. Sers-toi de ceci pour t'acheter quelque chose de spécial.

Avec tout mon amour.

Tante Stéphanie

Même si Maggie demeura à son poste de veille, à cinq heures, Papa n'était toujours pas arrivé.

« C'est correct, annonça-t-elle. Le père Noël va apporter notre arbre lorsqu'il viendra avec nos cadeaux. »

Sa détermination démesurée mais puérile nous déchirait le cœur ; Ahnna et moi ne pouvions que nous regarder tristement l'une l'autre. Nous savions depuis des années que le père Noël n'existait pas, mais Maggie avait seulement quatre ans et y croyait encore.

Soudainement inspirée, Ahnna se leva, prit ma main, m'attira dans sa chambre et me murmura à voix basse.

« Maggie aura son Noël. J'ai tout cet argent de tante Stéphanie. La pharmacie est encore ouverte, et peut-être pouvons-nous aussi trouver un arbre. Viens, allons coucher Maggie. N'en parle pas à Maman. »

Je jurai de ne pas dire un mot. « Croix de bois, croix de fer. Si je mens, je vais en enfer, je le jure. »

Nous aidâmes rapidement Maggie à enfiler son pyjama, et nous nous étendîmes de chaque côté de notre petite sœur et fîmes mine de dormir. Elle voulait parler du père Noël, mais nous fîmes semblant d'être fatiguées et insistâmes pour qu'elle ferme les yeux. Bientôt, le rythme lent de sa respiration nous renseigna qu'elle dormait. Nous nous glissâmes hors du lit, et quittâmes silencieusement la pièce et mîmes nos manteaux et nos foulards.

Très préoccupées d'éviter une confrontation émotive avec Maman, nous traversâmes précipitamment le salon vers la porte avant. Ahnna s'arrêta brièvement et se retourna vers elle.

« Maman, nous allons au petit magasin. Maggie dort. Nous revenons tout de suite. »

Émergeant de sa stupeur somnolente, Maman railla : « Cet argent te brûle les poches, Ahnna ? Tu vas tout le dépenser en bonbons ? Tu es tout le portrait de ton père. »

Nous sortîmes rapidement avant qu'elle ne puisse nous en empêcher.

La neige continuait de tomber et il faisait très sombre, mais les vents violents s'étaient calmés. Les mains enfouies bien au chaud profondément dans nos poches, nous nous dépêchâmes pendant qu'Ahnna me communiquait ses réflexions.

« Nous trouverons une poupée qui dit " Maman " pour Maggie. Penses-tu qu'elle aimerait ça ? »

J'imaginais la charmante image de Maggie étreignant et berçant sa poupée. « Oh, oui, Maggie adorerait recevoir une poupée. »

Malgré le froid, nous étions déterminées dans notre quête. Pour éviter les trottoirs encore couverts de neige, nous nous engageâmes dans la rue et suivîmes les traces de pneus. Après avoir passé devant trois pâtés de maisons, nous grimpâmes sur un banc de neige pour suivre un sentier étroit qui conduisait à une pente escarpée. Marchant péniblement dans la neige épaisse et fraîche, nous arrivâmes essoufflées au petit centre commercial.

Martelant le sol pour enlever la neige de mes souliers et grelottant de froid, je jacassai : « Nous étions tellement pressées de partir que j'ai oublié de recouvrir les trous de mes souliers de carton neuf. »

Ahnna grogna : « Mes bas sont trempés, et mes pieds sont gelés aussi, mais nous pouvons nous réchauffer dans le magasin. Viens-t-en, courons. La dernière arrivée fait la vaisselle du dîner ! »

Nous courûmes ensemble en riant et arrivâmes juste comme le gérant verrouillait la porte.

La plupart des lumières étaient fermées et nous pouvions voir une aide à l'intérieur qui mettait son manteau. Nous frappâmes frénétiquement sur la porte jusqu'à ce que le gérant l'entrebâille et nous gronde.

« Nous sommes fermés. Que faites-vous par une nuit pareille ? Ne savez-vous pas que c'est la veille de Noël ? Retournez à la maison. »

Des paroles désespérées jaillirent en désordre de nos bouches lui expliquant notre situation. Ahnna lui montra l'argent pour lui prouver que nous ne mentions pas, pendant que nous continuions à le supplier de nous permettre d'entrer. À ce moment, l'aide s'approcha et nous essayâmes ardemment de la convaincre de nous aider. Les deux nous regardaient silencieusement. Soudain, avec un grand sourire, le gérant ouvrit brusquement la porte.

« D'accord, d'accord. Entrez. Mais vous devez vous dépêcher pour que nous puissions tous retourner à la maison dans nos familles. »

L'aide prit un panier à provisions et nous suivit, tandis que le gérant nous aidait à choisir une poupée pour Maggie, de l'eau de Cologne pour Papa et du parfum pour Maman.

Lorsque nous nous inquiétâmes de ne pas avoir assez d'argent pour payer autant de choses, le gérant dit à Ahnna : « Bien sûr que vous avez assez d'argent. Vous en avez plus qu'il n'en faut. »

Au moment où elle pensait que je ne la voyais pas, Ahnna me montra du doigt et murmura : « Ma sœur Catherine aussi ».

Je fis discrètement la même chose avec elle.

Souriant et faisant un clin d'œil au gérant, l'aide se dépêcha de se rendre à la caisse où elle emballa secrètement le tout dans du papier des fêtes aux couleurs gaies. Pendant ce temps, le gérant nous attira rapidement à côté, sous prétexte qu'il voulait nous montrer la réserve d'arbres.

Installé sur une table, il y avait un minuscule arbre décoré avec des petites cannes de bonbon, des boules colorées et des lanières de guirlandes argentées. Perché à sa cime, un ange magnifique souriait les bras étendus.

L'arbre était impressionnant et nous dîmes au gérant que c'était le plus bel arbre que nous n'avions jamais vu.

« Votre arbre de Noël est-il déjà installé ? demanda-t-il. Je gage que le vôtre est magnifique aussi. »

Évitant son regard et mal à l'aise, nous nous agitâmes sur nos pieds. Puis, parlant toutes les deux en même temps, nous dîmes : « Oh, oui, le nôtre est magnifique », puis « Non. Nous n'avons pas d'arbre cette année. »

Ahnna était embarrassée et me lança un regard qui voulait dire : *Ne le lui dis pas*. Mais le chat était déjà sorti du sac.

Le gérant nous regarda avec attention et dit : « Les filles, voulez-vous me faire une grande faveur ? Nous avons beaucoup de décorations dans le magasin qui prennent trop d'espace, et nous avons besoin de faire de la place. Croyez-vous que vous pourriez vous arranger pour apporter cet arbre à la maison ? »

Sa question nous stupéfia, mais nous recouvrîmes vite la parole. Très excitée, Ahnna parla pour nous deux : « Oui, oui ! Nous apporterons l'arbre. Maggie va l'adorer. Nous l'aimons beaucoup. Merci. Merci beaucoup ! »

Quand nous eûmes fini de placer toutes les décorations de l'arbre dans un sac de papier, l'aide nous appela pour venir chercher nos cadeaux.

« Ça fait un total de quatre dollars et cinquante sous. Voici votre monnaie. » Après avoir glissé une pièce de cinquante cents dans la main d'Ahnna, ils nous poussèrent vers la porte. Nous nous étreignîmes et nous dîmes au revoir parmi des « Joyeux Noël » retentissants, puis nous quittâmes le magasin avec notre précieuse cargaison.

Avec précaution, Ahnna porta les sacs de décorations et les cadeaux, pendant que je tenais fermement l'arbre contre ma poitrine pour éviter qu'il touche le sol. Inconscientes du froid et de nos pieds mouillés, légères comme des plumes, nous nous dirigions avec enthousiasme vers la maison et Maggie.

« Je ne peux croire ce qui est arrivé, Catherine, s'exclama Ahnna. Maman nous a toujours dit de nous méfier des gens, mais elle n'a jamais rencontré personne comme eux. »

S'arrêtant brusquement, elle se tourna vers moi et murmura : « Catherine, peut-être que ce n'était pas du tout des gens. »

Confuse, je répondis : « Qu'est-ce que tu dis, Ahnna ? Bien sûr que c'étaient des gens. »

Penchant sa tête en arrière et tournant ses yeux bleus vers le ciel, elle répondis doucement : « Ce n'étaient pas des gens. C'étaient des anges. »

— *Patricia Lugo*

 # Ho ! Ho ! Attendez une minute !

J e ne le ferai pas cette année. Je ne me mettrai pas dans tous mes états, tout cela pour procurer un Noël mémorable à ma famille. Je garderai le contrôle des cadeaux, et je mettrai un frein à tous les préparatifs, les menus, les fêtes, et à tout ce qui me plongerait au lit la veille de Noël en proie à la grippe.

Je ne peux croire que c'est moi qui dis tout cela. Qu'est-il arrivé à la jeune femme aux yeux brillants dont le cœur était plus léger que les nuages de neige des meringues qu'elle confectionne chaque année ? Qu'est-il arrivé à son énergie inépuisable et à ses débordements de joie chaque fois qu'elle entendait des sons rappelant le moindrement Noël ? N'était-ce pas moi qui portais un nouvel ensemble pour chaque occasion de réjouissances, qui plaçais une petite branche de gui au-dessus de chaque porte, et qui remettais un petit présent, pourtant emballé avec soin, à tous les facteurs, coiffeurs et lanceurs anonymes de journal, ou, d'ailleurs, à tous ceux qui m'avaient démontré un tant soit peu de gentillesse durant l'année ?

Je vous raconterai ce qui est arrivé.

Je suis devenue mère. Et maintenant, c'est moi qui demande une trêve aux fées domestiques de Noël qui me hantent dans mes tentatives tourmentées de dormir chaque nuit. Elles gagnent. Je ne jouerai pas le jeu cette année. Et ma famille finira par s'en trouver heureuse, j'en suis convaincue.

Il existe un moment saillant pour moi, qui est le parfait exemple d'un moment où je suis allée un peu trop loin avec cette folie des fêtes. C'était l'an dernier. J'avais emmitouflé mon petit garçon de quatre ans et ma fille de dix-huit mois dans leurs manteaux d'hiver moelleux, leurs chapeaux et leurs mitaines. L'air était vivifiant (d'accord, c'était glacial), mais pourtant, je les ai traînés jusqu'au beau milieu d'une grande cour où trônait un pin géant magnifiquement décoré.

Mais voilà un décor parfait pour notre photographie des fêtes ! a chuchoté la muse de Noël à mon oreille.

Naturellement, mes enfants ont plutôt résisté à l'idée de se tenir dans le vent près d'une énorme chose remplie d'épines, à plus forte raison de se tenir par la main et de sourire. Alors qu'est-ce que j'ai fait ?

« M'ENTENDEZ-VOUS ? J'AI DIT… " SOU-RIEZ " ! »

Le type dans le film *Full Metal Jacket* n'aurait pu mieux s'exprimer. Nul besoin de dire que la carte de Noël de l'an dernier n'avait rien de rockwellien[4].

Maintenant une voix différente bourdonne à mon oreille. […]

Je n'ai pas besoin de confectionner des croûtons en forme d'étoile.

Je n'ai pas besoin de confectionner des croûtons en forme d'étoile.

Je n'ai pas besoin de confectionner des croûtons en forme d'étoile.

Personne ne s'attend réellement à ce que je plante un paquet de clous de girofle dans des grenades et que je les répartisse à travers la maison dans des bols d'argent fraîchement astiqués. Il n'est nullement nécessaire que chaque pièce possède son propre arbre de Noël, qu'un sachet de pots-pourris à la cannelle soit glissé sous chaque oreiller, et mon mari continuera d'accueillir avec un enthousiasme plutôt tiède ses pyjamas en flanelle, même si je les emballe dans une tour de boîtes à chapeau antiques.

Comme la saison ne fait que commencer, je m'oblige à me rappeler ce que je ressentais lorsque j'attendais que les enfants soient endormis avant le réjouissant emballage des cadeaux — quand il fait noir comme du charbon à l'extérieur et que je suis penchée comme une bossue au-dessus du lit dans ma chambre d'invités à tenter de fabriquer la parfaite boucle de ruban. À ce moment de la journée, on ne devrait permettre à aucune mère de s'approcher d'objets tranchants, à plus forte raison de faire tournoyer des ciseaux de coiffeur émoussés comme un samouraï las de la guerre.

Voilà les images de la réalité que j'invoque pour modérer mes ardeurs cette année.

---

4. Norman Rockwell (1894-1978) est un peintre américain et illustrateur bien connu et très prolifique dont les œuvres ont dépeint des aspects traditionnels et quotidiens de la vie américaine.

Si je ne peux prendre la parfaite photographie de famille, les gens vont comprendre. Spécialement les quelques centaines d'étrangers que j'ai choisi de garder sur ma liste d'envoi de cartes, même si je ne leur ai pas parlé depuis que je leur ai fait parvenir la « parfaite » (non !) photographie de famille de l'an dernier. En y songeant bien, peut-être est-ce le moment de couper les liens avec mon professeur de piano du collège. Et puis, est-ce que la mère de mon petit ami du collège a vraiment remarqué à quel point mes enfants étaient jolis et même téléphoné à son fils en Californie pour le lui dire ? Est-ce que mon stupide ancien patron a regardé mes enfants dans les yeux et s'est rendu compte de la réalité : *Alors, voici la raison de ses deux congés de maternité en trois ans ?*

Tout ce que je veux réellement, c'est de faire en sorte de recréer les expériences mémorables que j'ai vécues dans mon enfance. De la pure magie. Du chocolat chaud et des anges sur la neige. Un tour de voiture la veille de Noël pour voir le traîneau du père Noël dans le ciel. De la musique, et de l'amour, et des biscuits.

Des biscuits. Je suppose que je peux me permettre une fournée ou deux de biscuits. Le père Noël et son renne. Des lutins et des anges. Des feuilles de houx avec de petits bonbons forts à la cannelle qui ressemblent à des baies. Oh, bonne idée ! [...] Les bonbons rouges pourraient servir de nez pour Rodolphe. Et si ma main ne tremble pas trop, je réussirai probablement à supprimer la minuscule moustache glacée pour différencier le bonhomme en pain d'épice de la bonne femme en pain d'épice. Ils ont aussi besoin d'une maison, avec des sucettes torsadées à la menthe tenant lieu de fenêtres. Et un arbre de Noël avec de minuscules barres de chocolat mousse en guise de cadeaux. Hé. Attendez une minute... et si j'utilisais des bâtons de cannelle, ça me ferait une parfaite pile de bois, saupoudrée de sucre glacé pour évoquer la neige, bien sûr.

Oh, qu'est-ce qui m'arrive ?

Joyeuses fêtes à tout le monde, quel que soit votre degré de participation à l'événement. De toute façon, j'ai toujours eu l'impression qu'il était préférable de passer la veille du Jour de l'An sur le sofa. Depuis que je suis devenue mère, devrais-je dire.

— *Julie Clark Robinson*

# Le chandail rouge de Papa

Il y a bien des années, à l'occasion de Noël, ma mère a donné à mon père un chandail rouge à encolure en V. Il paraissait si beau dans ce chandail avec ses cheveux noirs et ses yeux brun foncé que je croyais, à presque seize ans, qu'il devait être la personne la plus merveilleuse sur terre et j'éprouvais une immense fierté qu'il soit mon père.

J'étais l'aînée de la famille et j'avais l'habitude d'emprunter son chandail rouge. Il s'harmonisait bien avec ma jupe noir et gris. Papa ne refusait jamais.

Maman avait aussi pris l'habitude de le porter parfois, spécialement lorsqu'elle se tenait au-dessus du calorifère en train de manger de la crème glacée au beau milieu de l'hiver.

À mesure que mes sœurs et mes frères ont grandi, le chandail est aussi devenu l'un de leurs objets préférés à emprunter. Comprenons-nous bien, nous laissions Papa porter son chandail chaque fois qu'il le voulait, mais je ne me souviens pas qu'aucun de nous n'ait dû l'enlever pour cette raison.

Le chandail a fini par tomber dans les mains de mon plus jeune frère Andy. Il l'a apporté à l'université et l'a gardé quand il a atteint l'âge adulte. Tous les cinq enfants, nous avons poursuivi notre chemin dans la vie adulte, et le chandail rouge est devenu un souvenir de notre jeunesse, une source de plaisanteries et d'histoires lors des réunions de famille.

Comme c'est le cas pour quantité de pères, il était difficile d'acheter des cadeaux de Noël pour Papa. Mais le jour de Noël 1989, avec Papa qui était devenu de plus en plus handicapé et replié sur lui-même en raison d'une série d'attaques qui l'avaient rendu invalide, Andy s'est retrouvé devant un dilemme : Qu'offre-t-on à une personne âgée qui est confiné chez elle et qui choisit de vivre modestement ?

La réponse nous est apparue comme une révélation. Le matin de Noël, Papa a de nouveau reçu son chandail rouge de Noël, soigneusement enveloppé dans le plus bel emballage de Noël — vingt et un ans après que ma mère le lui avait offert pour la première fois.

Lorsque Papa est décédé en août 1991, ma belle-mère m'a demandé si je voulais quelque chose qui lui avait appartenu.

« Oh, oui. S'il vous plaît, puis-je avoir le chandail rouge de Papa ? »

Je ne pouvais imaginer de perdre ce trésor familial. Elle me l'a gracieusement offert.

Je savais que je ne devais pas être égoïste si je gardais le chandail juste pour moi, même si je dois

admettre que je me suis posé la question. Honnêtement, je me demandais pour quelle raison personne
d'autre n'avait pensé réclamer le chandail. Et je me
demandais s'il n'avait pas été plus important pour moi
que pour mes autres frères et sœurs.

Cette année-là, en guise de cadeau pour ma sœur
Joanne, j'ai placé le chandail dans une boîte de Noël
avec une étiquette où il était inscrit : « Pour Joey — de
Papa. » À l'intérieur de la boîte, j'avais écrit un
message l'invitant à le garder pendant un an, puis à le
passer l'année d'après à Ray, le suivant par ordre de
naissance. Ray l'a passé à Jean, puis Jean l'a remis à
Andy, le plus jeune. L'année où Maman avait offert le
chandail à Papa pour Noël, Andy devait célébrer son
premier anniversaire trois jours plus tard.

Comme je n'ai pu revenir à la maison l'année suivante pour Noël, Andy a dû conserver le chandail
pendant deux ans. Lorsque j'ai reçu encore une fois la
boîte et le chandail, il me fallait trouver quelque chose
de nouveau. J'ai placé le chandail dans une vieille boîte
du grand magasin Diamond avec ma carte de crédit de
Diamond à l'intérieur. Le Diamond était fermé depuis
plusieurs années et nous rappelait à tous de chers souvenirs. J'ai ajouté un poème et j'ai dit à Joey qu'elle
devait ajouter un autre souvenir spécial dans la boîte.
Elle n'a eu aucun problème à décider quoi ajouter : une
photographie de Papa revêtu du chandail rouge,
tenant dans ses bras ses deux bébés à elle.

Comme les fêtes approchaient, Joey et moi avons
discuté de ce que nous ferions pour Noël. Bien sûr, la
conversation a porté sur le chandail rouge.

« Je me demande pourquoi nous n'avons pas acheté nos propres chandails rouges », ai-je fait remarquer. Nos yeux se sont allumés comme ceux des personnages de bande dessinée à la tête coiffée d'une ampoule.

« Des chandails rouges pour Noël ! » avons-nous dit à l'unisson.

« Puis, a-t-elle dit, nous n'en avons jamais acheté pour nous-mêmes parce que nous n'en avons jamais eu besoin. Nous pouvions toujours emprunter celui de Papa. »

Il fallait nous procurer six chandails rouges identiques.

Je l'ai appelée au travail. « J'en ai trouvé deux et je les ai achetés. Je crois que je peux visiter d'autres magasins, si tu penses que c'est une bonne idée. »

« Vas-y », a-t-elle dit.

J'ai dû faire deux autres voyages, mais j'avais maintenant six chandails rouges identiques en ma possession.

J'étais tellement excitée qu'il m'a été difficile d'attendre qu'on se réunisse tous les six et que chacun déballe son chandail.

Joey a donné à Ray la boîte qui avait contenu le chandail de Papa. Il l'a ouverte et a dit : « Je crois bien que je pourrais le porter en quelque occasion cette année. »

« Je ne crois pas ». Joey a tendu les paquets à tout le monde pour qu'ils les ouvrent.

Jean a commencé à pleurer. Andy s'est esclaffée de joie. Ray riait de plaisir et a dit : « Je me demandais justement si je pouvais trouver six chandails rouges pour tout le monde pour l'année prochaine ! »

Maman a dit : « Vous m'en avez trouvé un aussi ! »

« Bien, Maman, tu devais en recevoir un puisque c'est toi qui a commencé toute l'affaire », lui a rappelé l'un de nous.

Joey a pris des dispositions pour que nous nous rendions dans un studio de portraitiste où elle travaillait à temps partiel afin de faire prendre une photographie de groupe. Le jour après Noël, nous nous sommes tous rencontrés au centre commercial pour la séance de photographie. Il y avait deux portraits de groupe, et des photos individuelles pour chacun de nous, et quelques-unes en groupe vêtus du chandail de Papa. Elles étaient toutes très réussies.

Puis Joey a eu une autre idée. « On pourrait en faire encadrer une grande et l'offrir à Maman pour son anniversaire. »

Nous avons tous accepté de garder le secret pendant un mois, ce qui n'était pas chose facile dans notre famille, et de lui donner la photographie pour son soixante-dix-huitième anniversaire le 25 janvier.

Maman a été estomaquée lorsqu'elle a vu le portrait de groupe. Il était magnifique. Nous l'avons accroché au-dessus du sofa dans son salon.

La fille de Jean, Malinda, a aidé Ray à accrocher la photographie. « D'accord, maintenant, nous nous plaçons tous derrière le sofa et nous prenons une photographie de tout le monde avec la photographie », a-t-elle suggéré.

« Bonne idée ! », a dit tout le monde à l'unisson, alors que nous retirions le sofa et que nous nous placions dans la « bonne position » pour être photographiés à nouveau.

Nous avons déjà tous partagé avec d'autres nos nouveaux chandails rouges. La femme de Ray l'a porté ; le petit ami de Joey a porté le sien. Ma fille voulait savoir quand elle pourrait emprunter le chandail original de Papa.

Mon père nous a quittés depuis maintenant dix ans, mais son amour et son souvenir nous unissent tous chaque année à Noël. Le chandail rouge de Papa est devenu le vibrant symbole d'un père travailleur et généreux qui nous a appris la joie du partage et de la famille.

— *Lynn R. Hartz*

 # Des cartes de Noël de Winston

Dans mon bureau, il y a un tiroir rempli de « bric-à-brac » qui recèle maints trésors apparemment sans valeur. On y trouve un presse-ail que m'a légué ma belle-mère au décès de sa mère, des bouchons de liège provenant des vins les plus délicieux que j'ai goûtés, et des tas de gommes usées que mes enfants ont ramenées de l'école chaque mois de juin et que j'ai toujours gardées. Autres choses dignes d'être conservées : les cartes de Noël que je reçois chaque année d'un « garçon » nommé Winston.

Il y a quarante ans, j'ai rencontré Winston lorsqu'il est déménagé dans la maison voisine de celle de mon enfance. Chaque année, sa carte de Noël se retrouve dans mon tiroir à bric-à-brac. Je suis tout simplement incapable de la jeter.

Sur sa carte de l'an dernier, Winston a cité un axiome de Nietzsche qu'il a tiré de *Conan le Barbare* : « Tout ce qui ne nous tue pas nous rend plus fort. » Il faisait allusion, je crois, à ma propre vie avec trois fils qui grandissaient. Winston vit seul, ou avec sa dulcinée, je ne suis pas certaine de qui il s'agit, mais je sais qu'il n'a pas d'enfants. Il a souvent fait allusion aux différences de nos deux vies : la mienne, celle d'une mère de trois enfants, mariée, menant une vie urbaine dans le New Jersey non loin de Manhattan, lui vivant dans un minuscule village quelque part dans le New Hampshire, où il est inutile de connaître le nom des rues, et où on doit rouler plusieurs kilomètres pour trouver ne serait-ce qu'une pointe de pizza.

Je chéris les cartes de Noël de Winston. Les fêtes nous donnent une raison de reprendre contact avec les personnes que nous apprécions. Et ses cartes me rappellent à quel point ma vie paraît merveilleuse pour quelqu'un dont le chemin a tellement divergé du mien. De même, ses bons vœux des fêtes me donnent un aperçu des grâces dans la vie de Winston et me révèlent un monde fascinant que je ne connaîtrais pas autrement. Je ne lui ai jamais rendu visite dans le New Hampshire et il est probable que je ne le ferai jamais, mais je l'imagine marchant dans une allée bordée de roses jusqu'à sa boîte aux lettres, assis dans un jardin de marguerites jaunes, ou en train de construire (parce que c'est un menuisier) ou d'étudier (parce que c'est un universitaire) quelque chose, ou appréciant tranquillement la nature. Je suis intriguée par sa vie tranquille et solitaire parmi les fleurs sauvages, tout comme il est fasciné par ma vie avec ma famille colorée et cacophonique. Pourtant, il n'y a aucune envie entre nous deux. Nous nous réjouissons du bonheur de l'autre.

Sans cartes de Noël, nous n'aurions jamais établi de semblables liens. Nous avons essayé de nous envoyer des courriels, mais pour des enfants qui se sont rencontrés dans les années 1950, la joie éprouvée était de courte durée. Les conversations téléphoniques étaient aussi compliquées. Après tout, je suis mariée, et même si j'étais en quatrième année quand j'ai eu un béguin pour lui, mon mari se méfierait si je lui téléphonais régulièrement.

Mais les cartes de Noël, et les lettres que nous y insérons, nous semblent juste la bonne manière de « nous rattraper » durant cette saison de partage. Comme nous ne nous écrivons qu'une seule fois par année, nous ne nous attendons pas de ce contact qu'il change nos vies quotidiennes, même s'il enrichit certainement notre vie intérieure. Dans cette carte annuelle, nous n'attendons de l'autre que de l'honnêteté. Nous parlons de nos réussites et des étapes importantes de notre vie, aussi bien que de nos tragédies : par exemple, quand Winston a perdu son frère et que j'ai perdu ma mère. Nous nous transmettons nos nouvelles découvertes de l'année précédente sur la vie et sur l'amour et sur nous-mêmes. Avec le papier et l'encre, nous explorons les grandes questions : *Me suis-je trompé(e)? De quoi ai-je peur ? Qu'est-ce que je veux ? Suis-je satisfait(e) ou mécontent(e)? Suis-je réellement heureux (ou heureuse)?*

Quand j'ai connu Winston, c'était un garçon de dix ans. Il m'écrivait des lettres codées, avec de l'encre fabriquée avec du jus de citron pâle, qu'on ne pouvait décrypter qu'en allumant une chandelle sous le mince papier blanc. Nous faisions voler des avions de papier

dans les cornouillers en fleurs qui bordaient nos propriétés avec des notes inscrites sur les ailes : « Quand
rentreras-tu à la maison après l'école ? » « Est-ce que tu
m'aimes bien ? »

Au cours des nombreuses années depuis ces jours
d'innocence, nous avons appris à abandonner le cryp-
tage et, dans l'esprit de Noël et au nom de notre amitié,
à confier avec candeur et confiance nos pensées et nos
vérités au papier. Il ne s'agit pas de simples vœux de
bonheur du temps des fêtes. Nous creusons plus profondément, racontant les heurs et les tribulations dans
nos vies comme dans nos cœurs. Et le message en fili-
grane — que nous nous soucions encore, après toutes
ces années, de l'autre, et de nos espoirs, et de nos rêves,
et de nos réussites mutuels — ne diffère jamais.

À mes yeux, Noël signifie de nombreuses et magnifiques choses. Parmi les plus merveilleuses, il y a cette
carte annuelle que m'adresse Winston. La carte finira
par atterrir dans mon tiroir à bric-à-brac, son message
ayant rempli mon cœur à jamais.

— *Kathryn E. Livingston*

# L'arbre parfait

J e me tenais à la fenêtre de notre ferme de Wisconsin Rapids, en train de regarder l'averse de neige qui ajoutait quelques centimètres de blancheur à la campagne, et je m'inquiétai :

Comment ferons-nous pour passer à travers toute cette neige pour aller couper notre arbre de Noël ?

Traditionnellement, deux jours avant Noël, mes frères, ma sœur et moi traversions la rivière et nous rendions dans nos bois en traîneau à chevaux pour choisir le parfait sapin. Mais cette année-là, avec la neige dans le champ qui faisait déjà plus d'un mètre seulement trois jours avant Noël, nous tous, les treize enfants, étions en proie à l'anxiété.

« Papa, ne pouvons-nous pas atteler les chevaux et aller couper notre arbre aujourd'hui ? » demandai-je.

Papa, qui se nettoyait les ongles avec son canif, leva les yeux et dit : « Nous n'pouvons courir le risque que Nick et Betsy se r'trouvent pris dans un banc de neige. Nous devrons attendre qu'les routes soient praticables et nous rendre en ville pour aller chercher un arbre. »

« Mais qu'arrivera-t-il si les chevaux ne peuvent pas non plus nous mener à la ville ? » demanda ma sœur Donna. C'était une question vraisemblable, du fait que nous habitions à quelque huit kilomètres de nos plus proches voisins dans une direction, et à quelque huit kilomètres du magasin le plus près dans l'autre.

« Finalement, je crois que nous n'aurons pas d'arbre cette année, dit Papa. Après tout, quand on exploite une ferme, y'a des choses plus importantes à s'inquiéter et à s'occuper qu'un arbre de Noël. »

« Pas d'arbre ? » gémîmes-nous à l'unisson.

« Les enfants, gronda Maman, allez jouer. Votre père en a assez dans la tête sans que vous en ajoutiez. »

Le matin suivant, avant le chant du coq, je me glissai hors du lit pour voir si la neige avait cessé. Elle continuait de tomber. La neige nous paralysait même encore plus que la journée d'avant. De fait, le beuglement de la radio matinale annonçait que la tempête prendrait de l'ampleur à la tombée de la nuit, apportant des vents élevés et possiblement du verglas.

La tristesse envahit mon cœur de dix ans. Maintenant, c'était certain : nous n'aurions pas d'arbre pour Noël.

Ce soir-là, je me préparai pour aller au lit et je fermai les lumières. Je me sentis alors poussée à me rendre à la fenêtre de ma chambre, à m'agenouiller et à élever la voix pour implorer le Ciel. Dans ma chambre silencieuse, le cœur chaviré, essuyant les larmes qui coulaient de mes yeux et de mon nez avec la manche de ma robe de nuit, je suppliai Dieu.

« Mon Dieu, s'il vous plaît ! Si vous nous envoyez un arbre pour Noël — et il ne doit pas être parfait — je ne demanderai pas qu'on m'achète d'autres cadeaux dans les magasins, je le promets. »

Comme j'ouvrais la bouche pour terminer ma prière en utilisant la fin appropriée, j'entendis le son d'une douzaine de voix qui disaient « A-a-a-men ! »

Surprise, j'ouvris les yeux et me retournai. Dispersés dans les ombres de ma chambre, tous mes frères et sœurs, incluant les plus vieux, étaient agenouillés les mains croisées en prière.

Le matin suivant, la veille de Noël, je fus éveillée par le bruit de friture de la radio et le cliquetis des bols de verre que l'on disposait sur la table pour notre gruau. Je me levai de mon lit et me précipitai vers la fenêtre.

Là, comme par miracle, bien droit dans la neige, était érigé un arbre magnifiquement sculpté qui n'attendait que les décorations.

« Maman, Papa ! criai-je en dévalant les marches en direction de la cuisine. Regardez par la fenêtre avant. Dieu nous a donné un arbre pour Noël. »

Me lançant un regard incrédule, Papa se leva de table, se dirigea vers la fenêtre et dit : « Bien, j'en reviens pas. Elle a raison. Ça semble être le sommet de ce vieux pin de quarante ans qui a été arraché pendant la tempête la nuit dernière, et s'est présenté à nous comme l'arbre *parfait*. »

— *Sylvia Bright-Green*

 # Les leçons d'une affreuse chemise

Sur le plan de la mode, c'était assez affreux : une chemise de denim bleu, coupe western, avec des boutons de perle violets. Les gens polis l'auraient simplement qualifiée de tape-à-l'œil. Mais pour deux nouveaux diplômés du collège testant leur premier semestre à l'université, c'était le summum du confort et du style. Le branché incarné dans un monde de jeans et de tee-shirts.

La chemise appartenait à mon camarade de chambre, David. Et parce que je lui avais permis d'utiliser mon système de son à volonté, il me prêtait sa chemise. Parfois. Quand il ne la portait pas. Et puisque nous savions que la chemise avait le pouvoir de rendre folles les femmes de l'université (*Note* : nous étions quelques types de l'université aux hormones déchaînées qui parlaient plus qu'ils n'agissaient), il était difficile de céder un tel pouvoir à quelqu'un d'autre. Même au propriétaire.

Mais nous partageâmes la chemise, et comme le semestre avançait, nous nous racontâmes nos histoires de cœur. David étudiait grâce à des bourses et à des subventions. Il était intelligent. Je m'en étais tout de suite aperçu dès notre première rencontre. Il aimait la bonne musique (Charlie Daniels et Asleep at the Wheel), les bons films (*Smokey and the Bandit*), la bonne littérature (les romans de lecture facile de Harland Ellison et Doc Savage), et il connaissait l'intrigue de toutes les bandes dessinées de Bugs Bunny jamais publiées. Il comprenait aussi des choses comme le calcul différentiel et intégral et la géométrie, et pouvait lire le français lorsque l'occasion se présentait.

Il travaillait fort pour continuer de recevoir ses bourses ; sinon, il aurait été forcé de laisser ses études et de retourner à la ferme. Il avait toujours l'impression qu'il était à un relevé de notes d'un retour à la maison. Et dans la maison de David, il y avait toujours juste assez d'argent pour arrondir les fins de mois. Son père était décédé quand il avait douze ans, et sa mère travaillait comme infirmière. Elle faisait assez d'argent pour faire fonctionner la ferme familiale, mais il en restait peu pour les extras.

Parfois, David parlait de son père, de ses manières agréables et de son rire bon enfant. Ce type de conversation avait habituellement lieu tard dans la soirée, au retour d'un repas au domicile de mes parents, ou dans notre chambre de la résidence d'étudiants juste avant d'aller dormir. L'entretien se terminait toujours dans les larmes qui coulaient d'un déluge de souvenirs et de nostalgie. Des souvenirs d'un père ravagé par le cancer au moment où son fils commençait tout juste à être autonome. Nostalgie à cause des occasions manquées, parce que la maladie ne comprend pas le lien entre un père et son fils. Même qu'elle s'en moque.

Le jour avant qu'il ne parte pour l'université, sa mère l'avait emmené à son restaurant préféré pour manger de la pizza, puis elle lui avait offert un présent magnifique. Un cadeau merveilleusement extravagant. Certains auraient dit qu'il était affreux ; les gens plus polis s'en seraient tenus au qualificatif tape-à-l'œil. Mais une bonne mère reconnaît le vrai style lorsqu'elle l'aperçoit. Et une bonne mère sait que certains cadeaux en disent long. Même une chemise de denim bleu, coupe western, avec des boutons de perle violets. C'était son cadeau de remise des diplômes. En retard. Et certainement pas dans les limites du budget familial. Mais l'amour s'en inquiète-t-il ?

Deux jours plus tard, David et sa chemise tape-à-l'œil étaient entrés dans ce qui deviendrait notre monde pour la prochaine année.

Comme ce premier semestre approchait de la fin, toutes les pensées convergeaient sur les examens, puis vers le retour à la maison pour Noël. Le retour à la maison primait par-dessus tout, les examens ne constituant que l'obstacle incontournable que tout le monde devait franchir avant le trajet vers la maison.

En ce jour particulier de Noël, nous préparâmes ce qui serait connu comme la « fête de Noël sur invitation de Thomas et Dave ». C'est vrai, notre seul invité était Rick de la chambre voisine, mais chaque fête devait avoir un thème. Connaissant la situation financière de David, Rick et moi nous chargeâmes des divertissements et des rafraîchissements, alors que David s'occupait des décorations.

La fête fut un franc succès. Nous regardâmes *Frosty le bonhomme de neige* sur un petit téléviseur portatif noir et blanc, nous prélassant à la lueur de notre cèdre décoré avec les anneaux-tirettes provenant d'un semestre d'achats de canettes Pepsi et Mountain Dew, quelques décorations maison, et une boîte de guirlandes. Et puis nous eûmes droit à un vrai festin : des pommes de terre frites, des biscuits aux pépites de chocolat, des trempettes aux fèves, des petites saucisses fumées, des cornichons et des gâteaux *Little Debbie Christmas Tree*. Rien que d'y penser vous donne l'eau à la bouche.

David emballa même quelques boîtes avec du papier du département des arts et les plaça sous l'arbre juste pour l'effet. Nous mangeâmes, Frosty ressuscita, Rodolphe sauva Noël, et tout fut pour le mieux dans le meilleur des mondes (sauf pour la partie de la trempette aux fèves… pas une bonne idée). Lorsque la fête se termina, nous nous dîmes tous bonne nuit, gagnâmes nos lits respectifs, et rêvâmes de la maison.

Le matin suivant, Rick vint nous dire au revoir, et David lui offrit un petit paquet. De nombreuses personnes auraient pu croire qu'il ne s'agissait que d'un vieux roman de science-fiction standard format poche. Mais pour un fan de la science-fiction qui connaissait les ressources limitées de David, c'était plutôt un véritable cadeau.

Après maintes étreintes, tapes dans le dos et expressions de gratitude, Rick se dirigea vers la maison, et David et moi finîmes de charger nos voitures. J'en étais à mon dernier voyage en haut dans notre chambre de la résidence quand j'aperçus le paquet sur mon lit. J'étais planté là à le regarder lorsque David entra.

« Qu'est-ce que c'est ça ? » Il posa la question et s'assit sur le bout de son lit. Je lui dis que je l'ignorais. Je l'avais juste trouvé là.

« Bien, dit-il. Ouvre-le. Ce pourrait être un cadeau. »

« Tu crois ? » Je déchirai le papier d'emballage et m'assis sur mon lit. Il y avait une carte de Noël dans la boîte. Avec une note écrite à la main :

Thomas. Il m'est impossible d'assez te remercier pour ton amitié. Le semestre a été difficile, et tu as été plus qu'un ami. Merci de m'avoir écouté. Merci pour tout.
Joyeux Noël.
David

J'écartai le papier de soie dans la boîte et me mis à pleurer. Mes larmes tombèrent sur une chemise de denim bleu, coupe western, avec des boutons de perle violets. Celle que sa mère lui avait offerte.

Je l'ai toujours gardée. Elle a pâli avec le temps, et des plis se sont incrustés dans le tissu. Et je vous prie de croire que la leçon qui m'a été léguée s'est aussi incrustée à jamais en moi.

— *Thomas Smith*

Le sac orné de perles

Mame, mère de dix enfants, était assise dans la vieille berceuse dans la cuisine, son sac orné de perles sur les genoux. Quelques heures auparavant, elle avait donné le bain aux plus jeunes et les avait bordés dans leur lit. Elle avait ensuite aidé son mari à vérifier les œufs sous la lumière et à les nettoyer pour leur mise en vente le matin suivant, puis avait baratté un pot de beurre. L'odeur du pain frais en train de cuire dans le four lui plaisait. Elle poussa un soupir. Après une journée affairée à la ferme, la nuit lui appartenait.

L'horloge sonna. Mame leva les yeux sur Lenora, l'aînée de ses filles qui habitait à la maison. « Nora, dit-elle, après m'avoir aidée à faire la traite et avoir rattrapé ton retard dans tes études, je croyais bien que tu dormais. »

Lenora sourit. « Tu sais que je suis incapable de dormir quand tu es encore debout. »

« Je le sais. » Elle enfila trois ou quatre perles brillantes bleu cobalt dans son aiguille et les cousit en place. « C'est bon d'avoir de la compagnie. »

« Ça prend beaucoup de temps pour poser les perles, Maman. »

Maman rit. « Je ne suis pas capable de travailler longtemps ; je finis par tomber endormie », répliqua-t-elle, en défroissant son tablier pour qu'elle puisse voir toutes les perles posées sur ses genoux. « Si je commence à somnoler, lis-moi quelques pages de ce *Huck Finn* que tu étudies, d'accord ? J'ai toujours eu un faible pour Mark Twain. »

« Toi, et aussi la sœur de Papa, tante Vilate. Te souviens-tu quand j'avais neuf ans et qu'elle m'a donné *Tom Sawyer* pour mon anniversaire ? »

Mame hocha la tête. « Elle est tellement adorable, dit-elle en enfilant de nouvelles perles. Chaque année, Vilate m'invite dans sa luxueuse maison de Salt Lake City pour y passer deux jours. Même à notre âge, nous rions encore comme des collégiennes, à nous remémorer ces jours du passé. »

« C'est une vraie sœur, pas vrai ? »

« Oh, oui. » Maman porta son regard nostalgique sur les couleurs pastel bleues, vertes, jaunes et violettes de la peinture florale de Vilate accrochée au-dessus de la table de cuisine. « Ta tante est vraiment une artiste accomplie, tu sais. Elle peint comme les grands maîtres. » Maman fit une pause. « Mais, ce qui est encore plus important, c'est que Vilate a bon cœur et éprouve une grande joie à rendre les autres heureux. » Elle retira le mouchoir dissimulé dans sa manche et s'essuya les yeux.

« Nora, peux-tu vérifier le pain pour moi ? Je prendrais bien un bon croûton de pain avec du beurre et du miel. »

« Et une tasse de lait froid ? »

« Exactement. »

Plus tard, alors que ses mains abîmées continuaient à enfiler les perles brillantes et à les coudre sur le sac, Mame sourit au souvenir de sa dernière visite chez Vilate.

« Viens avec moi », avait dit Vilate, attrapant la main de Mame.

« Où est-ce qu'on va ? »

« Au centre-ville. »

Mame avait retenu son souffle. « Mais je ne peux me payer… »

Vilate l'avait étreinte très fort. « Ne t'inquiète pas. Tu es mon invitée, et je t'ai préparé une surprise spéciale ! »

Au salon de beauté, la styliste avait arrangé les magnifiques cheveux auburn foncés de Mame en une coiffure de grand style, un vrai luxe. Peu après, les yeux sombres de Mame avaient brillé en apercevant son reflet dans le miroir du grand magasin. Oh quelle adorable robe de brocart bleu ! Mame savait bien qu'elle n'aurait jamais pu en acheter une si belle avec le maigre revenu de la ferme de Kimball.

« Tu es tout à fait royale, comme une reine, avait dit Vilate, tournant sans arrêt autour de Mame. Maintenant, la touche finale. »

« La touche finale ? »

Vilate avait hoché la tête. « Un sac orné de perles ajoutera cette exquise touche finale à ton nouvel ensemble, lui avait-elle dit. Tu choisis les perles, et je te montrerai comment confectionner le sac. »

Le jour suivant, leurs deux têtes appuyées l'une contre l'autre devant un foyer ardent, Vilate avait donné des instructions à Mame pour l'enfilage des perles.

À ces souvenirs, Mame sourit et soupira. *Vilate ne serait-elle pas surprise*, pensait-elle, *si elle savait que je suis en train de confectionner le sac à son intention ? Si seulement je peux le terminer à temps pour Noël.*

Son aiguille entrait et sortait, puis rentrait et ressortait. Les perles bleues miroitaient sur le motif en relief du sac. Tout était silencieux, sauf le *tic, tic, tic* de l'horloge grand-père. Les yeux de Mame se faisaient lourds.

« Maman ? » Lenora lui donna une petite tape sur l'épaule. « Voilà, je vais t'aider. »

Un mois passa, puis deux, puis trois. Des accès de varicelle commencèrent à apparaître chez un premier enfant, puis un suivant, en même temps que des inquiétudes inimaginables et un total désarroi. Entre les bains au bicarbonate de soude pour soulager les démangeaisons et les serviettes froides pour arrêter la fièvre, il ne restait que peu de temps — même pas en ces petites heures de la nuit ; pourtant, nuit après nuit, Mame travaillait à son sac orné de perles. Souvent, elle accueillait le matin en même temps que le coq.

« Mon Dieu, Nora, dit Mame un soir. Je n'ai jamais imaginé qu'il y avait autant de perles sur un seul sac. » Elle rit un peu. « Bien, j'ai cousu la doublure fleurie en taffetas à la main et j'ai fabriqué une poche pour le miroir. » Elle tendit le sac ouvert à Lenora. « Qu'est-ce que tu en penses ? Est-ce que je devrais ajouter une ruche sur la bordure supérieure de la doublure ? »

« Ça paraîtrait bien, dit Lenora. Vas-tu recouvrir le miroir ? »

« J'y ai pensé — peut-être un morceau de taffetas assorti ? »

« Un sac orné de perles élégant pour une femme élégante », dit Lenora, en étreignant Mame.

« Je suis d'accord. Mais rappelle-toi, dit Mame, en plaçant son doigt sur ses lèvres et en lui faisant un clin d'œil. C'est notre secret. »

Lenora sourit : « Tu vas le terminer pour Noël, je le sais. »

« Je crois que oui. Après avoir fini la doublure, je veux ajouter sept rangées de glands en guise de perles aux extrémités. »

« J'aurais aimé ne pas devoir partir pour l'université la semaine prochaine », dit Lenora, en faisant courir ses doigts sur les minuscules fleurs gravées dans l'armature argentée sur le dessus du sac. « Après tout le travail que tu y as mis, j'aimerais voir le résultat final. »

« Tu le verras le jour de Noël, quand tante Vilate viendra souper. » Mame embrassa sa fille sur la joue. « Merci pour ta compagnie, et merci de me garder éveillée. »

Ce soir-là, Mame était couchée quand elle fut éveillée par un son rauque, suivi d'un accès de toux.

« Crozier, qu'est-ce que c'est ? » cria-t-elle, en soulevant la tête de son mari.

« J-j-e ne peux… plus respirer… appelle… le médecin. » Il était couché les bras immobiles, le visage aussi blanc que la mort.

« Nora ! hurla-t-elle. Viens vite ! C'est ton père ! »

Mame donna un coup de poing sur sa poitrine, le retourna, massa son dos. Il haletait. Des sons bruyants sortaient de sa poitrine et semblaient remonter dans sa gorge.

« Appelle le docteur Whiting, Mora ! Dis-lui de se dépêcher ! »

Mame aida Crozier à se rendre à sa chaise rembourrée, le recouvrit d'un afghan et s'assit à côté de lui, en lui tenant la main. Après un moment qui lui avait semblé une éternité, elle entendit le *teuf-teuf* de la voiture du médecin qui s'engageait dans l'allée de terre.

« Bronchopneumonie, diagnostiqua le docteur Whiting. Gardez-le au chaud et au lit. Il fait de la fièvre. Une lampée de whisky ne ferait pas de tort. S'il empire, appelez-moi. »

Malgré ses soins vigilants, la condition de Crozier s'aggrava.

« Peut-être devrais-je attendre pour commencer l'université, Maman, dit Lenora. Tu pourrais avoir besoin d'aide pour les plus jeunes, et… »

« Ton père et moi ne voulons pas en entendre parler, interrompit Mame. Le Seigneur me donnera la force nécessaire pour porter ce fardeau. » Elle remplit un bol d'eau froide du robinet de la salle de bains et mouilla le visage de Crozier. « Fais tes valises, Nora. Ton frère sera là pour t'emmener en un clin d'oeil. »

Après que Lenora eut quitté la pièce, Crozier dit d'une voix rauque : « Où est-ce qu'on va trouver l'argent pour payer le reste de ses frais de scolarité à l'Utah State University ? »

« Le Seigneur y pourvoira », répondit Mame.

Plus tard ce soir-là, elle finit de poser le dernier gland sur le sac orné de perles et le tint sous la lumière. Les perles jetaient une faible lueur et scintillaient. Mame serra le sac contre sa poitrine pendant que des larmes roulaient sur ses joues.

« Je sais à quel point tu l'aurais aimé, Vilate, dit-elle à voix haute. C'était pour te remercier de tout ce que tu as fait pour moi au cours des années. Mais Nora doit étudier. Je sais que tu comprends. »

Elle s'assit à la table, et écrivit à son fils aîné, Eddie :

Depuis que ton père est tombé malade, l'argent s'est fait rare. Lenora a payé ses frais de scolarité pour l'université, sauf quinze dollars. Pourrais-tu s'il te plaît apporter ce sac orné de perles à la fête de bienfaisance catholique et le mettre en vente ? Certainement que ça vaut quinze dollars !

Avec tout mon amour.

Maman

Elle glissa la note dans le sac, trouva une boîte convenable et emballa amoureusement son cadeau dans du papier de boucherie. L'attachant solidement avec de la corde, elle déposa le paquet sur la table, où Reid n'oublierait pas de le poster sur le chemin vers l'école. Les quinze dollars arrivèrent à temps.

Trois mois plus tard, Crozier avait recouvré la santé et la famille célébrait Noël. Comme Mame ouvrait son cadeau spécial, des larmes tombèrent sur l'emballage. Elle essaya de parler, mais aucun mot ne vint.

« Nous n'avons pas été capables de nous en départir, Maman, dit Eddie en s'essuyant les yeux. Nora m'a parlé de toi, de tante Vilate et du sac orné de perles — à quel point tu as travaillé, nuit après nuit jusqu'aux petites heures du matin. »

« Chacun de nous a donné ce qu'il pouvait, expliqua Reid, même les plus jeunes. »

Tour à tour, Mame étreignit chacun de ses enfants : « Merci, murmura-t-elle à chacun. Merci. »

Cet après-midi-là, Mame et sa famille virent les yeux d'une autre personne se remplir de larmes.

« Oh, Mame ! dit Vilate, en tenant le sac orné de perles. C'est le plus beau cadeau que j'ai jamais reçu ! Comment pourrais-je jamais te remercier ? »

Mame avait l'impression que son cœur allait éclater. Ses yeux scrutèrent les visages de ses dix enfants, de son cher mari, et de sa bien-aimée Vilate. « Tu viens juste de le faire », murmura-t-elle.

— *Mary Chandler*

« The Beaded Bag » a initialement été publié dans la revue *GRIT*, le 13 décembre 1998.

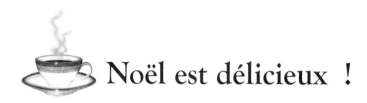# Noël est délicieux !

Nous étions tellement excités et heureux de faire notre premier voyage au Radio City Music Hall avec notre fils Michael. Le fameux *Christmas Spectacular* était de retour dans la ville de New York et ce serait une merveilleuse expérience pour nous tous. Mon mari n'avait jamais vu le spectacle lorsqu'il était enfant ; ce serait donc une première pour les deux hommes de ma vie. La température était froide et piquante, et la ville brillait de décorations des fêtes et de lumières clignotantes. Revêtus de nos chandails colorés rouge et vert, nous partîmes pour notre grande aventure.

L'école prématernelle du centre-ville de Manhattan que fréquentait notre fils avait planifié une sortie éducative pour cinquante d'entre nous, accompagnés de nos enfants de deux et trois ans. Nous avions acheté une liasse de billets pour la représentation. Même si j'avais grandi dans la ville, je n'avais pas vu le spectacle de Noël depuis mes dix ans. J'étais impatiente de revoir le superbe immeuble art déco, cette fois à tra-vers les yeux de Michael qui venait tout juste d'avoir trois ans.

Alors que nous nous dirigions vers le théâtre, des souvenirs d'enfance me revinrent. Étant l'aînée de trois filles, mon père m'avait choisie pour l'accompagner à notre « rendez-vous » annuel père-fille à Radio City. Je pouvais encore me rappeler certaines parties du spectacle de Noël et de ma joie d'avoir été manger après le spectacle dans un restaurant de fruits de mer dispendieux en compagnie de mon père. J'espérais que Michael se souviendrait de ce jour et qu'il l'évoquerait avec tendresse une fois devenu adulte.

Michael était excité simplement à se tenir en ligne pour assister à la représentation de cinq heures. Il avait rarement vu la ville le soir et était fasciné par la circulation, les lumières de Noël brillantes, et la foule des enfants et des adultes. Il ne cessa de bavarder avec excitation pendant toute la durée de notre attente.

« Où est le père Noël ? » demanda-t-il.

« Est-ce que tous ces gens sont des assistants du père Noël ? »

Michael charmait tout le monde dans la file et nous présenta fièrement aux gens devant et derrière nous. Nous attendîmes à l'extérieur dans le froid sans une plainte, dans l'atmosphère contagieuse de ce qui ressemblait à une fête.

Nous fîmes l'arrêt habituel pour casser la croûte et acheter des souvenirs avant de nous rendre à nos sièges dans la deuxième corbeille. Nous avions dépensé une somme presque équivalente au paiement initial sur une maison pour des bonbons à cinq dollars, des sodas à cinq dollars, des programmes à dix dollars, et des babioles des fêtes onéreuses. Michael choisit un Rodolphe le renne au nez rouge en peluche comme animal de compagnie pendant le spectacle. Une sorte de fièvre animait le hall d'entrée, alors que les parents et les enfants se précipitaient pour faire des achats avant d'aller prendre leur place.

Notre groupe était réparti sur presque six rangées de sièges, et nous étions une bande d'amateurs de théâtre bruyants et surexcités. Lorsque les lumières s'éteignirent, de beaux hommes et de superbes femmes traversèrent la scène sur leurs patins en effectuant un mouvement de rotation. Nous fîmes des *oohs* et des *aahs*. Les couleurs ! Les costumes ! Sur la scène, juste devant nous, la beauté de la saison des fêtes et le récit de l'histoire de Noël se déployaient. Tout le long du spectacle, les camarades de classe de Michael étaient très occupés à glisser de leur siège pour bavarder avec des amis ou pour faire remarquer des éléments d'intérêt communs. Il me sembla que je passais autant de temps à inviter les tout-petits à regagner leur siège qu'à regarder le spectacle.

Les yeux de Michael brillaient de joie et d'excitation. Avant ce jour, il n'avait visité qu'un seul grand magasin où se trouvait un père Noël, événement qui l'avait à la fois enthousiasmé et terrifié. Maintenant que les danseurs arrivaient sur la scène, il devenait de plus en plus excité et nous montrait du doigt tout ce qu'il voyait. Il faisait des commentaires sur les personnages et nous demanda s'il pouvait descendre pour toucher les bonshommes de neige. Je lui expliquai que l'auditoire ne participait pas à ce spectacle, comme c'était le cas dans *Sesame Street*. Il maintint quand même un débit constant d'heureux babillage, inconscient des *Shssshs* sourds qu'on lui adressait affectueusement. Dieu merci, nous nous trouvions dans une ambiance adaptée aux enfants, alors que ses exclamations excitées se mêlaient à celles des autres tout-petits.

Quand le spectacle se poursuivit avec la scène de la Nativité, les yeux de Michael s'ouvrirent grands comme des soucoupes. Il nous demanda de lui nommer les personnages, et je lui expliquai qu'il s'agissait de Marie, de Joseph et de bébé Jésus, accompagnés des Rois mages et de ses animaux favoris en chair et en os : des chevaux, des vaches, des chèvres et des agneaux. Michael comprenait bien ce qu'était l'amour parents-enfant, et je veillai à ce que mes explications demeurent simples, utilisant des mots et des expressions qu'il était en mesure de comprendre.

Aussitôt que les mots « bébé *Jesus*[5] » sortirent de mes lèvres, Michael se leva subitement de son siège et cria : « J'aime les bébés cheeses[6] ! Et le fromage suisse ! Et le fromage Bonbel et le fromage en tranche jaune aussi ! »

(À cette époque, nous traînions du fromage en ficelles partout où nous allions. Certains enfants avaient leur doudou ; Michael, lui, avait son fromage.)

Immédiatement après qu'il eut crié les mots, les parents des rangées avoisinantes se mirent à rire de façon hystérique. La superbe acoustique du hall amplifiait les commentaires de Michael, et sa voix exubéran-

5. NDT : Jésus prononcé à l'anglaise.
6. NDT : Mot anglais pour fromage, dont la prononciation s'apparente à celle de *Jesus*. Les *Baby Cheeses* en anglais sont des petits fromages enveloppés individuellement.

te avait porté jusqu'à la scène, comme s'il avait parlé dans un microphone. On pourrait même affirmer qu'il avait arrêté le spectacle, car nous remarquâmes que les épaules de Marie et de Joseph étaient secouées d'un rire muet.

Lorsque j'expliquai à Michael qu'il s'agissait de « *Jesus* » et non de « *cheeses* », il fut un peu déçu. Mais il se ressaisit rapidement et déclara qu'il aimait « bébé Jésus et les bébés fromages aussi ». Le spectacle fut interrompu pendant presque cinq minutes pour permettre à tout le monde de se remettre de leurs émotions avant de continuer avec les réjouissances. Nous mîmes personnellement beaucoup plus de temps à retrouver notre calme pour pouvoir apprécier le reste de la représentation. Une fois que j'eus clarifié les choses avec Michael, il s'assit heureux, en mâchant son cher fromage. Il en offrit même à bébé Jésus. « On dirait qu'il a faim, lui aussi. »

Les merveilles et les joies de l'enfance sont tellement simples, mais si riches. En essayant de fabriquer des souvenirs de Noël pour Michael, j'avais oublié que parfois les meilleurs s'improvisent et ne se planifient pas. Je ne me doutais pas que, sans le vouloir, mon petit garçon de trois ans pourrait créer un moment joyeux pour toute une assistance et pour moi-même. Quelle façon délicieuse et inoubliable de célébrer cette saison des fêtes !

— *Robin E. Woods*

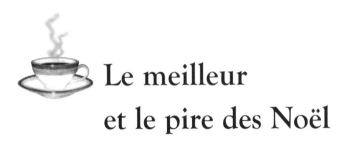 Le meilleur
et le pire des Noël

Papa partait pour la ville — tout seul ! À cette époque, quand on demeurait à plus de trente kilomètres de la ville, et que notre voiture n'allait pas plus vite que soixante-cinq kilomètres à l'heure, un tel voyage constituait un événement majeur, et habituellement toute la famille s'y joignait.

Chacun de nous avait de bonnes raisons d'y participer. Papa conduisait la voiture. Maman avait la responsabilité de la boîte de crème et de la caisse d'œufs qui servaient de monnaie d'échange contre des produits d'épicerie. Mon frère Bert et moi étions intéressés à les accompagner, car l'entente de troc avec la crémerie incluait deux gobelets Dixie, c'est-à-dire un petit contenant de papier rempli de glace à la vanille et une minuscule cuillère de bois. Cette gâterie exceptionnelle valait bien le long trajet vers la ville, et les heures d'attente pour la conclusion de l'opération de troc et la cueillette des marchandises.

Mais en ce matin de décembre, Papa arriva à la maison tout de suite après la traite des vaches. Il prit un bain, se rasa et mit ses meilleures salopettes à bavette, fraîchement empesées. Puis il se dirigea vers le Modèle A et partit.

Indignés, Bert et moi nous tournâmes vers Maman pour une explication. Maman tournait le manche du séparateur de crème et elle n'avait apparemment pas remarqué qu'il se passait quelque chose d'inhabituel. Si elle connaissait la raison du comportement de Papa, elle n'en parla pas.

Papa revint quatre heures plus tard. Apparemment, les questions de Maman étaient urgentes, ce qui les rendait tous les deux un peu moins discrets que d'habitude. Nous entendîmes par hasard quelques bribes de conversation que nous rassemblâmes plus tard dans la salle de jeux du grenier : « Quelque chose qui pousse sur l'os »… « on ne peut l'opérer ici »… « un hôpital à Minneapolis »… « ne pleure pas »…

« Minet-a-police ? » Le mot était tellement long et peu familier que j'avais de la difficulté à le prononcer. « Mais comment pourrait-il jamais la trouver ? »

« Il va se servir d'une carte. Minneapolis est une ville importante, et c'est indiqué sur toutes les cartes routières. » Bert m'avait destiné cette bravade, mais cela nous réconfortait tous les deux.

Le samedi, il y eut un autre voyage en ville. Cette fois-là, nous y allâmes tous. Maman acheta tellement de provisions que Bert et moi avions de la difficulté à nous tailler une place entre le sac de farine et les boîtes. Nous aurions dû nous réjouir de l'inhabituelle abondance, mais ce changement de routine nous troublait beaucoup.

Le lundi, lorsque nous revînmes à la maison après l'école, Papa était déjà parti. Maman appuyait sur la pâte à pain pour en exprimer l'air avec une intensité farouche.

« Quand va-t-il revenir, Maman ? » Nous n'osions pas en demander plus.

« Quand ils lui auront enlevé son cancer », dit Maman. Elle avait prononcé le mot terrible, celui dont personne ne parlait lorsque l'oncle Ted était tombé malade et que les enfants ne pouvaient lui rendre visite.

Après le souper, nous nous attardâmes à la table pour planifier nos horaires. Maman ferait la traite. Bert apporterait du foin aux vaches, ainsi qu'à May et à King, nos gentils chevaux de trait. Puis il nettoierait les loges de l'étable. Je ramasserais les œufs et laverais la vaisselle. Maman s'attendait à ce que Bert se plaigne d'être obligé de se lever tôt pour accomplir toutes ses tâches avant l'école. Bien sûr, si c'était arrivé, je l'aurais interrompu en lui parlant de la poule revêche dans le nid du milieu qui me donnait toujours des coups de bec. Personne ne prononça une seule parole.

« Bien, alors. » Maman s'éclaircit la gorge. « Je suppose que nous devons nous y mettre si nous voulons dormir un peu. »

Une semaine passa en silence, puis une deuxième. Si nos responsabilités étaient plus grandes, nos privilèges l'étaient aussi. Plus besoin de cajoler ou de supplier Maman pour écouter nos dramatiques préférées à la radio. Maman nous permettait d'ouvrir la radio, même à la table au souper, ce qui nous enlevait tout notre plaisir. Certains jours, nous étions tellement épuisés après nos tâches que nous ne pensions même pas à *Lone Ranger* ou à *Sky King*.

Maman nous parlait à peine. Elle s'assoyait dans sa berceuse avec sa boule à repriser et un assortiment de bas sur ses genoux. Si nous la regardions, elle baissait la tête et fixait attentivement ses points. Nous imaginions qu'elle devait avoir les yeux fatigués ; ils étaient rouges lorsqu'elle revenait de sa chambre le matin et ils l'étaient encore quand nous revenions de l'école l'après-midi et de nos tâches le soir.

Noël arrivait à grands pas. Bert et moi savions déjà que ce serait le pire Noël de tous. Nous pouvions durer des mois avec notre réserve de pommes de terre, de porc et de légumes en conserves. Par contre, les denrées périssables achetées lors de notre dernier voyage en ville étaient épuisées. Nous regardions avec mélancolie les sacs à lunch des enfants des voisins plus fortunés : bananes, raisins, même du pain acheté au magasin avec de la mortadelle de luxe. Nous conservions soigneusement nos sandwiches à la gelée de cerises sous nos pupitres entre les collations. Après le lunch, les autres enfants nous régalèrent avec des descriptions des magnifiques jouets qu'ils avaient trouvés dans le catalogue Sears. Nous les connaissions déjà ; nous avions nous aussi un catalogue. Mais comme la boîte de crème et la caisse d'œufs n'avaient pas bougé du sous-sol depuis que Papa était parti, nous savions que le porte-monnaie de Maman était vide.

Bert et moi nous moquâmes : « C'est juste bon pour des enfants. »

Nous avions décidé de concentrer nos efforts pour que Maman réussisse à passer à travers les fêtes. Nous décorâmes la maison avec des étoiles et des cloches découpées dans des boîtes de céréales, et des cannes argentées confectionnées avec des anneaux-tirettes de boîtes de café. Au début des vacances scolaires de Noël, le professeur nous permit de rapporter l'arbre de Noël à la maison. Ce n'était plus le même arbre après qu'il eut passé deux semaines dans la classe chauffée et que nous l'ayons traîné pendant plus d'un kilomètre dans la route terreuse. Mais la maison sentait bon.

Finalement, la veille de Noël arriva. Maman fit du *romegrot* (un porridge confectionné avec de la crème pure), mais il n'y avait pas de *lutefisk* (du poisson suédois trempé dans la saumure) qui habituellement honorait notre table des fêtes. Il y avait du porc avec de la sauce au lait, tout comme les autres jours. Nous nous dépêchâmes de terminer le repas, puis Bert et moi persuadâmes Maman de passer au salon, avec l'intention de lui offrir une sérénade de tous les chants de Noël que nous avions appris pour la représentation de l'école. Cela ne semblait pas fonctionner. À la moitié de « Sainte nuit », Maman s'excusa et partit dans sa chambre. Nous pouvions l'entendre pleurer doucement.

Elle ne nous avait pas vraiment dit d'aller nous coucher, mais de toute façon, nous ne pouvions imaginer autre chose à faire. Le temps que l'obscurité s'installe, la maison était devenue silencieuse.

Il devait être à peu près minuit quand nous fûmes réveillés par une lumière brillante qui clignotait sur le mur de la chambre. Nous savions ce que cela voulait dire. Quelqu'un traversait le pont près de l'école. Nous nous précipitâmes vers la fenêtre et regardâmes la voiture qui tournait sur notre chemin.

Nous surgîmes dans la chambre de Maman. « Maman, maman ! Il y a une voiture qui arrive sur la route en bordure du fossé. »

Mais Maman était déjà debout, plongeant la main dans le fond de sa garde-robe pour en retirer la robe noire qu'elle n'avait jamais portée. « J'ai vu les lumiè-res », dit-elle.

Maman enfila la robe noire et les bas de soie, et se fit un chignon. Puis elle s'assit sur le sofa et replia ses mains sur ses genoux.

« Maman ! Ils viennent ici ! Nous aurons de la compagnie ! Est-ce qu'on ne devrait pas sortir et voir qui c'est ? »

« Je sais qui c'est, soupira Maman, et ils trouveront leur chemin vers la maison. »

Nous mîmes du temps à comprendre que ce n'était probablement pas une bonne chose d'avoir de la com-pagnie au milieu de la nuit. Nous demeurâmes silen-cieux, examinant Maman dans sa robe noire, prenant conscience de ce que cela signifiait. Je commençai à gémir, et Bert me tira dans la cuisine.

Nous surveillâmes la voiture alors qu'elle s'enga-geait dans la cour de la ferme et se dirigeait vers la maison. Il y eut un bruit de pas traînants sur les marches, mais le coup attendu sur la porte n'arriva jamais. Au lieu de cela, la porte s'ouvrit lentement et, là, se tenait Papa les bras remplis de paquets.

Bert se précipita dans le salon. « Maman… viens… s'il te plaît. Viens… maintenant », bégaya-t-il.

Maman s'arrêta sur le palier de la porte et regarda Papa comme s'il s'agissait d'une apparition. Il laissa tomber les paquets et la prit dans ses bras, l'embrassant juste là devant nous.

« J'ai apporté des cadeaux », dit Papa.

« C'est toi mon cadeau », murmura Maman.

— *Doris Olson*

 # Une histoire de Noël américaine

Voici notre histoire de Noël, une partie de la tradition orale de ma famille. Il s'agit d'un conte urbain, quelque peu flamboyant et primaire. Peut-être que certaines grands-mères vivent près de la rivière et dans les bois, mais pas la mienne. Peut-être que la vôtre n'y vivait pas non plus.

Mes grands-parents maternels habitaient sur l'avenue Lagonda, à Springfield, en Ohio, une ville industrielle près de Dayton. Leur maison était une construction à ossature en bois de deux étages nichée près d'une allée dans un quartier de maisons anciennes, de magasins et de bars. Jour et nuit, on y entendait le grondement de gros poids lourds, car l'avenue Lagonda était une route nationale, une voie rapide importante à cette époque. Aussi loin que je puisse me rappeler, nous nous rendions chez mes grands-parents la veille de Noël. Nous arrivions toujours pour le grand jour. Mon père et mon grand-père se

détendaient en sirotant des whisky soda ou de minuscules verres de ce qu'ils appelaient « des petites
gorgées de whisky » à la table de cuisine, pendant que
ma mère et ma grand-mère mettaient la touche finale
au souper.

Chaussée de ses habituels talons aiguilles, ma
grand-mère portait ses pantalons coutumiers, un
tablier de Noël solidement noué autour de la taille, et
un corsage bien ajusté sur sa large poitrine. Grand-
maman était le centre de l'univers familial, une femme
qui avait des nerfs d'acier et le giron fait pour le dur
travail. Mon grand-père se tenait à l'écart, avec ses chemises de flanelle et ses lunettes à monture métallique.
Les deux avaient travaillé fort toute leur vie sur des
fermes rocailleuses infertiles, mon grand-père dans
des fonderies et des mines de charbon. Après la retraite de mon grand-père, ma grand-mère a hébergé des
locataires et mon grand-père a travaillé comme garde
de sécurité pour une usine de la ville. Étant donné
leurs origines, leur lieu de résidence était pas mal du
tout.

La maison avait des allures de réjouissances, avec
de la neige en fibre de verre, une crèche sur le dessus
du téléviseur et des cartes de Noël collées le long du
cadre de porte. Des chandelles électriques brûlaient
dans les fenêtres avant, les flammes jaunes tachant la
neige sur leurs rebords.

Mon frère, ma sœur et moi rôdions autour de
l'arbre de Noël brillant argenté de Grand-mère comme
des papillons de nuit autour d'une flamme. L'arbre
était éclairé par un projecteur muni d'une roue tour-
nante de plastique coloré. L'arbre étincelait de rouge,
ruisselant vers le doré, puis le vert. Cet arbre-caméléon

nous fascinait, tout comme les mystérieux paquets empilés dessous. Ils contenaient, bien sûr, des pyjamas et des vêtements, mais il devait sûrement y avoir un cadeau de tante Doris qui habitait en Californie et qui semblait toujours savoir ce que les enfants aimeraient recevoir. Peut-être avait-elle envoyé un *National Geographic* à mon frère qui adorait les cartes et les contrées éloignées.

À mesure que la soirée s'avançait, l'atmosphère se chargeait d'un nuage de promesse et d'impatience. Nous, les enfants, guettions par les fenêtres avant et ouvrions d'un coup sec la porte de la petite véranda non chauffée. La dinde du jour de Noël se dessinait dans la pénombre fraîche, pelotonnée dans sa rôtissoire, près des casseroles et des tartes à la crème. Nous faisions les cent pas devant la porte avant, puis retournions à notre poste d'observation près des fenêtres. Le guet pour l'arrivée de tante Hope avait commencé.

Hope était la plus jeune sœur de ma mère. Elle n'avait jamais eu de chance avec les hommes, ou peut-être qu'ils n'avaient jamais eu de chance avec elle. De toute façon, elle était la mère célibataire de quatre fils de deux pères différents. Hope travaillait à l'usine International Harvester (un bon travail syndiqué, disait mon grand-père). Peut-être était-elle obligée de travailler tard la veille de Noël, ou était-ce difficile de préparer quatre garçons pour les rendre présentables. Ça nous était égal. Les enfants étant de nature plutôt égocentrique, tout ce que nous savions, c'est que tante Hope était toujours en retard et qu'il n'y aurait ni souper ni cadeaux avant son arrivée. Lorsqu'elle finit par apparaître, poudrée et parfumée, sur son trente-et-un, ses garçons dans son sillage et un sac de provisions rempli de cadeaux dans les bras, le père Noël lui-même n'aurait pu être accueilli avec plus d'enthousiasme.

Nous souhaitâmes la bienvenue à nos cousins avec la réserve gênée octroyée à cette parenté que nous ne voyions qu'aux fêtes. Nous tirâmes des chaises supplémentaires autour de la table de cuisine, nous battant pour savoir qui s'assoirait sur le tabouret, puis notre souper de la veille de Noël commença. Il y avait deux sortes de viandes, la salade spéciale aux pommes de terre de Grand-maman, des légumes, des hors-d'œuvre, de mystérieux condiments maison et deux sortes de tarte. Comme il s'agissait d'une occasion spéciale, nous, les enfants, avions la permission de boire du coca-cola pendant le repas.

Puis nous nous installâmes dans le salon. Ma grand-mère retira un par un les cadeaux sous l'arbre, examina les étiquettes et nous les distribua. Je me souviens d'une année où j'avais acheté une paire de boutons de manchette pour mon père (qui n'avait jamais porté de poignets mousquetaire), une bouteille d'un litre de lotion après-rasage parfumée au lilas pour mon grand-père et un anneau rouge en verre taillé pour ma grand-mère (ajustable à toutes les tailles). De véritables cadeaux des Rois mages. Tous les avaient acceptés avec beaucoup d'enthousiasme.

Nous fîmes circuler le fudge au chocolat et le fudge blanc envoyé par tante Beulah en Illinois. Nous chantâmes en chœur des chants de Noël : « Dans cette étable », et « We Three Kings », et finîmes, comme toujours, par « Sainte nuit ». À la fin de la soirée, je me sentais débordante de prospérité et de bonne volonté. Alors que je luttais pour m'endormir sur le lit pliant du salon, je savais que cachés sous l'arbre argenté de ma grand-mère, il y avait de l'eau de toilette, du talc et une poupée Tressy avec des cheveux qui s'allongeaient. Autour de moi, ma famille sommeillait en respirant doucement pendant que dehors les semi-remorques faisaient un bruit de tonnerre.

Je ne m'étais jamais sentie si riche.

Je me souviens de notre dernier Noël à Springfield. Ma grand-mère était étendue sur un lit dans un centre de soins, confuse et diminuée par la douleur et la chimiothérapie. Pour faciliter sa respiration, on l'avait relevée avec des oreillers, et sa peau parcheminée contrastait avec les draps d'hôpital. Mon grand-père était affalé dans une position inconfortable sur la chaise des visiteurs, cherchant quelque chose à faire avec ses mains usées par le travail. Lorsque ma sœur et moi arrivâmes, Grand-maman nous accueillit avec des yeux momentanément illuminés.

« Bien, bonjour les filles, où sont ces guitares ? »

Elle avait toujours adoré la musique, et nous avions apporté nos guitares avec nous pour accompagner les chants de Noël. Lorsque nous fûmes prêtes à jouer, elle venait encore de s'égarer dans cet endroit qu'elle visitait de plus en plus souvent. Les infirmières nous suggérèrent de chanter dans le hall et elles feraient diffuser la musique à travers l'interphone de chaque chambre. Nous chantâmes « Adeste Fideles » et « Sainte nuit », les larmes peignant nos visages et tombant doucement sur nos genoux.

Mes grands-parents sont morts maintenant, mes parents aussi. Tante Hope a aimé et perdu au moins un ou deux autres maris. Les photographies en couleur que nous avons prises de ces Noël d'antan exhibent des nuances curieusement brillantes typiques de cette époque. Ce sont des instantanés, maladroits, décentrés, inédits — contrairement à mes souvenirs de ce temps-là. Dans mes souvenirs, un verre de vin inhabituel a teinté de rose le visage de ma mère. Ma grand-mère, chorégraphe de festins, préside la table qui ploie sous le poids de la nourriture. Mon père, aux larges épaules et ayant recouvré sa force, chante de sa voix de ténor, les cigarettes Chesterfields qui l'ont tué logées en lieu sûr dans la poche de sa chemise. Ils sont les fantômes qui viennent nous visiter pendant les fêtes, mais ce sont des fantômes amicaux.

Les souvenirs de Noël peuvent être pour certains plus traditionnels, plus religieux, certainement plus élégants. Peu importe. Voilà l'histoire de Noël de notre famille, car qu'est-ce qu'une famille sinon des gens qui présentent des histoires partagées ? Mon frère, ma sœur et moi continuons à nous réunir avec nos familles la veille de Noël. Les enfants tournent autour de l'arbre et se tortillent sans arrêt tout le long du souper. Ma sœur vérifie les étiquettes et distribue les cadeaux. Nous chantons des chansons à l'unisson. Et nous continuons à placer des chandelles dans nos fenêtres à l'intention des fantômes.

— *Cinda Williams Chima*

 Les meilleurs mensonges se disent à Noël

« Q uand est-ce que le père Noël va mourir ? me demanda mon neveu de quatre ans, Jonathan.

« Il ne mourra pas », répondis-je en l'observant pendant qu'il construisait un château de Lego sur la véranda arrière de la maison de ses parents juste à l'extérieur de Copenhague, par un après-midi humide de juillet. Nous avions abordé le sujet parce que notre prochaine rencontre aurait lieu pendant le temps des fêtes.

« Pourquoi pas ? Maman dit que tout le monde meurt. »

« Bien, le père Noël ne mourra pas parce qu'il est magique. »

Il réfléchit pendant un moment, puis, avec tout le scepticisme d'un petit garçon qui écoute du hip-hop, il demanda : « Comment le sais-tu ? »

« Je suis la voisine de son cousin. »

Jonathan sait que je vis en Amérique, un endroit où il n'est jamais allé, mais qui peut très bien être peuplé par les cousins de figures mythiques ; il accepta donc ma réponse. Tout cela mis à part, je suis totalement persuadée que le père Noël ne mourra pas.

Je me souviens d'avoir posé une question semblable à ma mère lorsque j'étais très jeune. Nous avions récemment déménagé dans un nouveau quartier, et je m'inquiétais à l'idée que le père Noël me cherche au mauvais endroit. Juchée sur le comptoir de la cuisine, les jambes pendantes, j'ai questionné ma mère pendant qu'elle enfonçait une aiguille à tricoter dans une fournée de biscuits au gingembre et à la cannelle en train de cuire dans le four, pour vérifier s'ils étaient prêts.

Elle m'a raconté que tous les enfants naissaient avec une minuscule étoile d'argent dans leur tête : l'outil de navigation du père Noël. De cette façon, il ne perd la trace de personne. Je la croyais, car les Noël de notre famille étaient remplis de mystères et de miracles. Chaque composante de cette fête nous excitait, à partir du magasinage de cadeaux, jusqu'à la fabrication des boulettes de Noël au rhum.

L'arbre était particulièrement important. Au Danemark, où j'ai grandi, les conifères abondaient, mais il nous fallait tout de même trouver la bonne sorte. La sorte magique. Nous ne choisissions que des sapins majestueux ou des épinettes blanches, à cause de leurs aiguilles vert foncé odorantes et douces, et leur agréable forme de pyramide, qui nous faisait penser à des robes de bal de femmes aristocrates de l'époque victorienne. Les autres familles que nous connaissions se procuraient l'arbre le plus grand qu'il était possible d'installer dans leur salon. Mais ma mère accordait plus d'importance aux détails qu'au volume, et comme les grands arbres ont souvent l'apparence d'un adolescent dégingandé, notre arbre n'atteignait guère plus d'un mètre et demi. La même philosophie s'appliquait aux décorations. Nous les voulions délicates avec une certaine douceur à l'ancienne, comme la fragile trompette d'argent que nous avions conservée de l'époque de ma grand-mère.

Chaque année à l'approche de Noël, les écoles consacraient une journée à la fabrication des décorations de l'arbre et tous les enfants du Danemark confectionnaient d'interminables guirlandes avec du papier multicolore bon marché. C'était aussi mon cas, mais les miennes n'étaient jamais destinées à décorer l'arbre ; elles allaient plutôt rejoindre les tas de babioles de Noël qui couvraient nos murs et nos étagères pendant toute la période de Noël : des pères Noël souriants en carton avec des barbes en laine de coton, des cerfs en paille jaune avec des rubans de soie rouge attachés autour de leurs bois, et des centaines de poupées de papier *nisser*. Les *nisser* sont de petits vieillards munis de barbes grises et de chapeaux rouges, des sortes de lutins malicieux qui, croit-on, vivent dans les greniers des Danois, et qui surgissent à Noël pour manger des bols de gruau mis de côté par de gentilles personnes.

Quoi que nous suspendions autour de la maison, l'arbre était sacré, et ma mère et moi passions les après-midi d'hiver sombres à siroter du vin chauffé et épicé et à former des anges, des étoiles et des cœurs de papier tressé avec du papier de soie prune. Chaque année, nous réservions la cérémonie de décoration de l'arbre pour le matin de Noël, le 24 décembre au Danemark. Nous étalions toutes les décorations sur la table en chêne massif de la salle à dîner : des globes indigo et de minuscules cloches argentées, des cœurs en sucre disposés dans des paniers miniatures, des cygnes immaculés sertis de perles de verre à la place des yeux, des pommes de pin peintes en blanc et saupoudrées de brillant, des gâteaux en forme de père Noël aux barbes faites de glaçage. Puis nous nous approchions de l'arbre nu comme une bande de stylistes venus pour habiller une vedette d'Hollywood.

« Qu'en pensez-vous, *musling* ? » demandait ma mère, en reculant pour admirer nos efforts. (Ses noms favoris pour moi étaient tous liés à de la nourriture. À ce jour, j'ai été une moule, [*mussel* en anglais, *musling*], une saucisse, un raisin, une génoise.) « N'est-elle pas magnifique, n'est-ce pas ? »

Lorsque tout était en place, nous parsemions l'arbre de chandelles blanches en cire. Le soir, une fois allumé, notre arbre ressemblait à une reine des fées, sa robe scintillant et chatoyant de tous les angles, animé par la lumière.

Les mères de certains de mes amis croyaient que Noël ne valait pas la peine de tout ce travail. Ma mère n'en faisait jamais assez. C'était pour elle un terrain de jeu rempli de merveilles et d'abondance, où les adultes pouvaient redevenir des enfants.

Ma mère a passé son enfance dans la pauvreté — la sorte de pauvreté qui exigeait de quêter du pain rassis dans les boulangeries à la fin de la journée et de se promener sur les berges du lac pour trouver des carpes laissées par les pêcheurs qui déchargeaient leur filet. Il n'est pas surprenant que, à l'âge adulte, elle ait donné dans la manie de la récupération, faisant des réserves de choses utiles, comme de la nourriture, des vêtements, des draps et de la vieille vaisselle. Elle est aussi devenue celle qui stimulait et entretenait l'imagination des enfants, une tâche dont elle s'acquittait si bien que, à l'âge de onze ans, alors que nous étions au courant de l'histoire du père Noël, je croyais fermement aux lutins et vaguement aux loups-garous.

Voilà pourquoi, lorsque mon neveu m'interrogea sur l'espérance de vie du père Noël, j'aurais contrevenu à toutes les règles si je lui avais dit la vérité. Car sa grand-mère veillera à ce que ma sœur et moi passions le flambeau. Elle nous a élevées à être les gardiennes de la prochaine génération des rêves des enfants, et nous faisons de notre mieux pour nous montrer à la hauteur. Pour nous faciliter la tâche, nous avons réparti les responsabilités. Ma sœur mitonne le mets traditionnel danois — un double chaudron de canard et de porc rôti, suivi d'un pudding au riz rempli de noix hachées. Et je collectionne les décorations d'arbre de Noël provenant de tous les coins du monde et j'invente des histoires mettant en scène les personnages de Noël.

C'est pourquoi je crois très certainement que le père Noël ne mourra pas. Ma mère ne le permettra jamais.

— *Rikke Jorgensen*

L'être saint
de Kevin

« **D**emain, à l'émission, il y aura un père Noël pour les enfants spéciaux. À bientôt. »

Ce mot de la fin attira mon attention. Je levai la tête de mon livre et je remarquai une image d'un père Noël qui saluait de la main sur l'écran du téléviseur, en même temps que le générique des nouvelles défilait. Mon cœur commença à battre. Serait-ce le père Noël que je cherchais ?

Je décrochai le téléphone et j'appelai la station. « Ce père Noël qui sera invité demain, est-ce qu'il peut communiquer avec les enfants sourds ? » demandai-je.

Par-dessus le grondement de la salle de nouvelles, j'entendis : « Oui, c'est un enseignant retraité qui communique en langage des sourds-muets. Il ne donnera pas son nom, mais il est prévu qu'il sera au centre commercial de Memphis demain. Nous rapporterons l'histoire par le biais de notre station de nouvelles affiliée.

« Memphis ? Vous voulez dire Tennessee, pas en Floride ? »

« Oui. Puis-je vous aider pour autre chose ? »

« Non, merci. » Je raccrochai, déçue.

Juste à ce moment, Jessica entra dans le bureau. Son visage changea en voyant mon expression. « Qu'est-ce qui ne va pas ? »

« Tu sais que j'aime ton fils comme si c'était mon neveu, d'accord ? »

Elle sourit. « Bien sûr, tu es sa baby-sitter préférée. »

« Bien, demain, j'aimerais l'emmener au centre commercial de Memphis au Tennessee. Il y aura là un père Noël qui connaît le langage des signes. »

« C'est vraiment gentil de ta part de penser à Kevin. Mais il a six ans. Il n'a plus besoin de rendre visite au père Noël. Et je préfère plutôt lui inculquer la véritable signification de Noël, la naissance de Jésus et pas seulement l'échange de cadeaux. »

Je plaidai ma cause, voulant qu'elle saisisse ce que cela signifierait pour Kevin. Il n'avait jamais rencontré un père Noël qui pouvait le comprendre. L'an dernier, lorsque nous l'avons emmené à notre centre commercial, il avait signé son nom à l'intention du père Noël.

« Oui. Je te l'apporterai », avait répondu le père Noël.

Kevin avait pleuré pendant des heures. Il avait décidé que le père Noël ne donnait pas de cadeaux aux enfants qui ne pouvaient entendre ni parler. *Ce n'est pas acceptable*, pensai-je, *pas pour Kevin*. Il mérite un père Noël qui peut vraiment communiquer avec lui.

« Tu veux vraiment rouler tout ce chemin juste pour qu'il puisse lui dire qu'il veut un Pokemon ? »

« Le père Noël n'est pas seulement un homme vêtu d'un habit rouge, expliquai-je. C'est le symbole de la générosité. Il est l'assistant de Jésus, répandant sa joie à toutes les petites filles et à tous les petits garçons, même à ceux qui sont sourds. Pour la première fois, Kevin croira que le père Noël sait qui il est. »

Elle hocha la tête. « Bien, d'accord, nous irons ce soir. Apporte une carte et ta caméra. »

Plus tard dans la soirée, Kevin monta dans la mini fourgonnette, en tenant fermement son oreiller.

Sa mère lui dit en langage des signes. « Ne veux-tu pas voir le père Noël ? »

Kevin bougea les doigts. « Il ne m'aime pas sauf si j'écris. »

« Ce n'est pas vrai », articula silencieusement sa mère.

Bientôt, Kevin se pelotonna dans son lit sur le siège arrière pendant que s'enfilaient les kilomètres. Les palmiers et les dionées cédèrent la place à l'argile rouge. Nous roulâmes jusqu'à ce que l'air devienne frais et la campagne vallonnée.

Lorsque nous arrivâmes au centre commercial l'après-midi suivant, Jessica signa à son fils qui avait les yeux écarquillés : « Nous y sommes. »

Se tortillant avec anticipation, il répondit avec ses doigts : « Est-ce que tu crois que le père Noël se soucie que je sois venu ? »

Je regardai toutes les voitures autour et j'en sus assez pour faire oui de la tête.

Kevin sauta de la mini fourgonnette et prit la main de sa mère et la mienne. Ensemble, nous marchâmes à travers les allées bondées jusqu'à la cour ouverte. Là, sur une plateforme, il y avait un vieux monsieur avec de vrais cheveux gris. Sa poitrine était rembourrée avec un oreiller, mais à la couleur de son costume, on ne pouvait s'y méprendre. Il était assis sur un trône près d'un arbre de Noël scintillant et décoré.

Sa mère le désigna à l'aide de signes. « C'est lui, directement du pôle Nord. »

Le visage de Kevin rougit d'excitation devant toute la scène de Noël. Il gravit les marches en sautant et s'immobilisa en face du père Noël. Sa mère et moi trottinâmes derrière pour le rattraper. Au moment où nous arrivâmes à la chaise du père Noël, Kevin forma en langage des signes : « Je suis Kevin Johnson, d'Orlando en Floride. »

« Allo, Kevin. Tu vis près de Disney World », lui répondit le père Noël dans le même langage. Qu'est-ce que tu aimerais pour Noël ? Un Pokemon ? »

Je savais que tous les petits garçons avaient probablement demandé ce cadeau au père Noël, mais les yeux de Kevin s'éclairèrent comme si le père Noël l'avait connu personnellement.

« Tu es le vrai père Noël », signa Kevin.

« Tu veux autre chose ? » demanda le père Noël aux joues rosées.

Kevin bougea rapidement ses mains pour les croiser sur sa poitrine.

S'exécutant, le père Noël étendit ses bras pour lui donner une grosse étreinte. Des larmes me vinrent aux yeux alors que j'élevais ma caméra pour capter le moment.

Tous les enfants sont spéciaux, je le sais, mais pour ce qui est des simples joies de l'enfance, les enfants « spéciaux » comme Kevin ne reçoivent pas toujours leur dû. Vraiment, ce père Noël anonyme de Memphis — un enseignant retraité qui donne son temps et son cœur aux enfants qui ont besoin de communiquer à leur propre façon — est l'incarnation même de la générosité.

— *Michele Wallace Campanelli*

 # Collaborateurs

Karen Ackland (« Le pudding au pain de Noël ») habite à Santa Cruz, en Californie, avec son mari qui donne toujours de merveilleux cadeaux de Noël. Karen conçoit du matériel de marketing pour les petites entreprises et pour des entreprises de technologie. Ses nouvelles et ses essais ont paru dans plusieurs publications en ligne et imprimées, incluant *Une tasse de réconfort : le livre de cuisine.*

Teresa Ambord (« Un jour de Noël mémorable ») habite à Anderson, Californie, avec son fils adolescent et sa petite amie, ainsi que sa fidèle chienne Annie. De plus en plus, elle s'adonne à l'écriture à la pige. Elle est versée dans plusieurs genres, mais trouve son bonheur à l'écriture de textes humoristiques.

Susanna Anderjaska (« Beautés argentées ») a grandi à Chicago, où Noël signifie de la neige, du chocolat chaud devant un feu crépitant et des moufles chaudes. Elle habite et écrit maintenant à Phoenix, en Arizona, où Noël signifie soleil, thé glacé et maillots de bain. Elle a appris que les choses extérieures n'étaient pas importantes ; ce qui importe, c'est l'amour au fond de chaque cœur.

Andria Anderson (« Et si on donnait un bas de Noël à Maman ? ») a enseigné la musique à Chicago pendant vingt-neuf ans. Elle et son mari ont en commun deux fils adultes, une fille adolescente, et la restauration de leur maison victorienne de cent vingt ans. Elle cherche actuellement un éditeur pour ses romans, et ses textes plus courts ont paru dans plusieurs livres et sur des sites Internet.

Helen E. Armstrong (« L'amour doit s'exprimer ») est originaire de Milwaukee, au Wisconsin, et a enseigné l'anglais à l'école secondaire. Depuis qu'elle a déménagé dans le secteur de Colorado Springs, elle a été reporter pour un journal et a codirigé The Compassionate Friends, un groupe de soutien pour parents endeuillés. Helen est mariée depuis trente-trois ans.

Christy Lanier-Attwood (« Une affaire de cœur ») habite à Austin, au Texas, avec son mari Randy. Ensemble, ils ont quatre merveilleux enfants et une précieuse petite-fille. Christy est agent immobilier, mais la passion de sa vie est l'écriture. Elle a obtenu son diplôme de journalisme du St. Edward's University et a récemment terminé son premier roman mystère.

Leisa Belleau (« Juste un petit extra ») vit avec sa famille à Newburgh, dans l'Indiana, une ville historique sur la rivière Ohio. On la retrouve dans le *Who's Who Among American Teachers* et elle enseigne l'écriture et la littérature. Elle a publié de la poésie, de la fiction et des œuvres non romanesques.

Mauverneen (Maureen) Blevins (« Mon beau sapin ») est une pigiste de la région de Chicago. Mère de trois filles, elle aime aussi beaucoup voyager, apprécie l'humour et est l'auteure de photographies primées. Décidant de « travailler comme si vous n'aviez pas besoin d'argent », elle a quitté son emploi régulier et poursuit sa passion autant pour l'écriture que pour la photographie.

Petrea Burchard (« Les choses ») est une actrice et auteure qui vit dans la vallée de San Fernando dans le sud de la Californie. Entre ses représentations théâtrales et ses apparitions comme invitée à la télévision (*The Guardian*, *Providence* et *Strong Medicine*), Petrea travaille sur des scénarios, des articles, des essais, et la deuxième version d'un premier roman.

Michele Wallace Campanelli (« L'être saint de Kevin ») a écrit neuf best-sellers à l'échelle nationale et plus de vingt-cinq livres de nouvelles et nombre de romans. Son travail a aussi été publié dans des anthologies. Son éditeur personnel est Fontaine M. Wallace.

Candace Carteen (« Au milieu de nulle part ») habite à Battle Ground, Washington. Elle est une mère au foyer, parente-enseignante, et auteure publiée. Elle et son mari, George Blakeslee, ont adopté un fils et espèrent lui adopter une petite sœur.

Mary Chandler (« Inestimable et éternel » et « Le sac orné de perles ») habite à Rancho, Santa Fe, en Californie. Son travail a été largement publié dans les magazines nationaux, les anthologies, les journaux, les revues littéraires, et sur Internet. Elle adore voyager (particulièrement si l'opéra est au programme), aime les visites à sa famille et à ses amis et ne demeure jamais sans un bon livre.

Cinda Williams Chima (« Une histoire de Noël américaine ») a changé quinze fois d'orientation à l'université et a fini par obtenir un diplôme en philosophie. Aujourd'hui, elle est diététiste et écrit fréquemment des articles sur la santé et les questions portant sur la famille. Mariée et mère de deux fils, elle habite Strongville, en Ohio.

James Robert Daniels (« Une bonne danse du soir ») est un auteur pigiste de Seattle, Washington. Sa première nouvelle « The Crushmakers » a paru dans le *Mason County Journal* en 1976. L'éditeur Henry Gay a soutenu qu'il s'agissait du seul texte de fiction jamais paru dans sa page éditoriale. « Une bonne danse du soir » a mérité une mention honorable du *ByLine Magazine.*

Barbara L. David (« Simplement magique ») vit à Cincinnati, en Ohio, avec son mari, Geoff, et leurs cinq enfants. Elle a obtenu la clé honorifique de la Phi Beta Kappa Society durant ses études collégiales et a enseigné l'anglais, le journalisme et les études cinématographiques avant de devenir une mère au foyer. Barbara aime beaucoup œuvrer à titre d'écrivaine pigiste, entre l'aide aux devoirs et les changements de couches.

Ann Downs (« Avec amour, papa ») est une enseignante de cinquième année en arts du langage et en création littéraire à l'école d'arrondissement Oakfield-Alabama, une communauté rurale située à l'ouest de New York qu'elle a toujours considérée comme son foyer.

Barbara Williams Emerson (« Le gardien de mes frères ») a travaillé dans l'enseignement supérieur pendant plus de trente ans et est la présidente d'Emerson Consultants, spécialisés en gestion en milieu scolaire, affaires étudiantes, et diversité. Auteure, activiste et conférencière internationale, elle détient des diplômes d'études supérieures de la Columbia University. Elle est l'exécutrice testamentaire de son défunt père, Hosea Williams.

Sarah Thomas Fazeli (« Un son joyeux ») habite dans le sud de la Californie avec son mari Alex. Elle aspire à devenir romancière et scénariste, et détient une maîtrise en beaux-arts du California Institute of the Arts. Elle se passionne pour la pratique et l'enseignement du yoga, de la méditation, et autres thérapies du corps et de l'âme.

Kristl Volk Franklin (« L'histoire de l'ange de Noël ») écrit et publie des ouvrages de fiction et de non-fiction créatives qui ont reçu des prix dans les genres drame psychologique et inspiré. De plus, elle écrit et produit pour l'écran et la scène. Elle habite à The Woodlands, au Texas, avec son époux, Lee.

Pat Gallant (« Les soldats de plomb ») est une New-Yorkaise de quatrième génération et la mère d'un enfant. Elle a reçu en 1999 et 2002 le New Century Writer's Award et ses textes ont été publiés dans le *Saturday Evening Post*, *Writer's Digest*, *New Press Literacy Quarterly*, ainsi que dans plusieurs anthologies.

Sylvia Bright-Green (« L'arbre parfait ») écrit depuis vingt-cinq ans et a publié plus de 500 articles, chroniques et textes originaux dans des publications locales et nationales. Elle est coauteure de plusieurs livres, a été animatrice à la télévision et a donné de la formation lors de congrès et dans des collèges dans son État natal du Wisconsin.

Shelley Divnich Haggert (« Les enfants, le casino et Noël ») est une auteure pigiste dont les essais et les articles ont été publiés dans des douzaines de magazines régionaux et nationaux. Elle habite à Windsor, en Ontario, où elle est la rédactrice en chef du *Windsor Parent Magazine* et où elle est entourée de sa famille.

Lynn R. Hartz (« Le chandail rouge de Papa »), une psychothérapeute retraitée, écrit maintenant à plein temps dans sa maison de West Virginia. Son premier roman, *And Time Stook Still* – l'histoire de la sage-femme qui a accouché Jésus Christ –, a été lancé à l'été 2003.

Rikke Jorgensen (« Les meilleurs mensonges se disent à Noël ») est une auteure pigiste qui essaie de concocter les mensonges les plus raffinés sur Noël. Elle vit à San Francisco.

Kathryn E. Livingston (« Des cartes de Noël de Winston ») est une auteure pigiste qui vit à Bergen County, au New Jersey, avec sa famille. Coauteure de *The Secret Life of the Dyslexic Child* et de *Parenting Partners*, elle a aussi publié des articles dans les magazines nationaux et travaille (toujours) sur un roman.

Patricia Lugo (« Les anges de Noël »), originaire d'Erie, Pennsylvania, habite dans une cabane en bois rond qu'elle et son époux, Bob, ont construite à Page Township, au Minnesota. Elle considère qu'avoir élevé ses quatre enfants, tous des adultes remarquables, est sa plus grande réalisation. Cette grand-mère retraitée de quatre petits-enfants et ancienne participante à des courses de traîneaux à chiens exploite une manufacture de matériel pour chien de traîneau et une entreprise de commandes postales depuis vingt ans.

Carole Moore (« Sainte nuit ») est un ancien officier de police qui écrit une chronique dans un journal et habite sur la côte de la Caroline du Nord avec son mari, ses deux enfants et ses chatons.

Doris Hays Northstrom (« Un enfant les mènera ») trouve son inspiration dans sa famille, chez ses amis, et dans les montagnes et le ciel de son État natal de Washington, où elle enseigne la création littéraire dans un collège public. Inviter le monde entier à célébrer la vie est sa passion.

Janet Lynn Oakley (« La source d'eau de Noël ») est conservatrice en éducation au Skagit County Historical Museum à LaConner, Washington. Elle a publié des programmes d'études scolaires et muséologiques aussi bien que des articles dans des journaux historiques et des magazines populaires, a terminé quatre romans et un livre d'illustrations, et apprécie une bonne histoire de famille.

Teresa Olive (« Une chanteuse de chants de Noël peu enthousiaste ») est mère au foyer de cinq enfants (de neuf à vingt-cinq ans), femme de pasteur, professeur de piano et écrivaine à la pige. Ses textes d'inspiration religieuse incluent de nombreux articles publiés et cinq livres d'histoire de la Bible pour enfants. Elle demeure dans l'ouest de Washington, où elle apprécie les animaux, le jardinage et le chant sous la pluie.

Doris Olson (« Le meilleur et le pire des Noël ») est une cadre retraitée résidant à Red Wing, au Minnesota. Elle se rappelle affectueusement son enfance dans une communauté rurale scandinave du nord du Minnesota, où le sacrifice partagé ajoutait une riche texture à son style de vie bucolique.

Carol Tokar Pavliska (« L'étoile miraculeuse ») vit avec son mari et ses quatre enfants dans une ferme de Floresville, au Texas, où elle écrit une chronique humoristique sur la famille pour le journal local. Élever ses enfants et leur faire l'école à la maison est sa première occupation et son centre d'intérêt.

Julie Clark Robinson (Ho ! Ho ! Attendez une minute ! ») était trop absorbée à confectionner des immeubles en pain d'épice pour écrire une bio convenable au moment d'aller sous presse. Disons seulement qu'elle est une personne du type A qui a publié dans quelques magazines et quelques anthologies, mais que ce ne sera jamais assez pour elle. Sa famille doit tout supporter d'elle à Hudson, en Ohio.

Tammy Ruggles (« Le repas et l'esprit de Noël ») vit dans la petite ville rurale de Tollesboro, au Kentucky, et est mère célibataire d'un adolescent. En 2001, elle a pris sa retraite comme travailleuse sociale alors qu'elle est devenue aveugle, mais profite d'une seconde carrière comme écrivaine pigiste.

Elaine L. Schulte (« Un Noël swahili ») est l'auteure de trente-six romans et de centaines d'articles et de nouvelles autant pour les adultes que pour les enfants. Elle a vécu en Europe et a beaucoup voyagé, mais son « Noël swahili » a fini par devenir les meilleures vacances de sa vie. Elle et son mari, Frank, ont deux fils et deux petits-enfants.

Bluma Schwarz (« Pure et simple ») est une conseillère en santé mentale semi-retraitée et une écrivaine pigiste, qui habite la Floride. À soixante-neuf ans, elle a publié sa première histoire *Iowa Woman*. Ses histoires ont depuis paru dans *Potpourri, Potomac Review, AIM,* d'autres volumes de la série *Une tasse de réconfort,* et ailleurs.

Junella Sell (« Notre boîte spéciale d'amour ») est née et a grandi dans les montagnes Allegheny de la Pennsylvanie. Jeune mariée, elle est déménagée en Ohio, où elle continue à vivre avec son mari, Denny, depuis cinquante et un ans. Ils ont trois enfants, Cindy, Gregory et Christopher, huit petits-enfants, et dix arrière-petits-enfants. Deux de ses cinq enfants, Donetta et Randy, sont retournés au Seigneur.

Barbara Hazen Shaw (« Joey et le terrain d'arbres de Noël ») est sculpteure de ferraille, astronome amateur, kayakiste et gestionnaire immobilière à Eugene, en Oregon. Elle adore sortir de la routine et voyager dans des endroits exotiques ; à ce jour, elle a exploré cinquante et un pays.

Alaina Smith (« Grand-mère, Grand-père, et Karen ») a une passion pour l'écriture. Ses histoires vraiment inspirées ont été publiées dans des anthologies, et elle a terminé un roman. Elle habite près de Portland, en Oregon, avec son mari Frank.

David Michael Smith (« Miracle à Georgetown ») est un résidant depuis toujours de Georgetown, au

Delaware, et vit un mariage heureux avec son épouse, Geralynn. Son « travail de jour » consiste à élaborer des programmes de formation dans une banque importante. Il a publié deux livres et des nouvelles dans plusieurs autres.

Thomas Smith (« Les leçons d'une affreuse chemise ») est un journaliste de la presse écrite qui a gagné des prix, un producteur de télévision, un écrivain et un essayiste. Ses écrits ont paru dans des publications à partir de *Pulpit Digest* jusqu'au magazine *Haunts*. Marié à la femme qui a décroché la lune, il partage son temps entre Raleigh et Surf City, en Caroline du Nord.

Pat Snyder (« Les lumières de la Hanoukka font des miracles à Noël ») est avocate, écrivaine et mère de trois enfants, qui vit à Colombus, en Ohio, et écrit une chronique humoristique mensuelle « Balancing Act » sur l'équilibre travail-famille dans un style léger.

Mary Helen Straker (« Le roi David ») habite six mois à Zanesville, en Ohio, et six mois à Bonita Springs, en Floride. Diplômée de la DePayw University, elle a travaillé pour un journal de Zanesville et *The Seattle Times*. Elle est la mère de quatre enfants et la grand-mère de six petits-enfants.

Patty Swyden Sullivan (« Le cadeau de Noël ») vit à Overland Park, au Kansas. Elle a publié dans des anthologies, des journaux et des magazines. Sa fille, Katie, est une femme remarquable qui a excellé à l'université et continue à inspirer sa mère avec des points de vue rafraîchissants sur la vie.

Julian Taber (« Est-ce tout ce qu'il y a ? ») est un psychologue clinique retraité qui s'est spécialisé dans les comportements de dépendance et est une autorité reconnue en matière de problèmes de jeu. Il écrit des ouvrages non romanesques et des nouvelles satiriques, et vit à Whidbey Island au nord de Seattle, Washington.

Rita Y. Toews (« La figurine d'amour ») habite à East St. Paul, Manitoba, au Canada, avec son époux et le chat obligatoire de l'écrivain. Elle a publié deux romans et trois livres d'enfants, et travaille actuellement à la rédaction d'un roman historique.

Kenya Transtrum (« Les gens de la véranda ») habite à Boise, en Idaho, où, en compagnie de son époux de trente-deux ans, elle a élevé leurs six enfants. Elle est la grand-mère de onze petits-enfants, qui lui apportent beaucoup de plaisir. Elle apprécie la lecture, les voyages et la plongée autonome. Elle est auteure et rédactrice en chef des acquisitions pour une maison d'édition nationale.

Kathryn O. Umbarger (« Le dernier et le meilleur cadeau ») a découvert la joie de l'écriture à cinquante ans et depuis, elle a gagné trente-sept prix d'écriture. Elle a publié dans les domaines de la fiction, des essais, de la poésie et de l'allégorie, mais sa passion est d'écrire pour les enfants. Elle habite avec son époux en bordure de la rivière Snake dans le sud-est de Washington, où elle apprécie ses petits-enfants, le camping et le kayak.

Peggy Vincent (« C'est ça l'amour »), une sage-femme retraitée qui a « recueilli » plus de 2 500 bébés, est l'auteure de *Baby Catcher : Chronicles of a Modern Midwife*, un mémoire. Elle vit en Californie avec son mari de trente-sept ans et son fils adolescent. Deux de ses enfants adultes habitent tout près.

Donna Volkenannt (« Le père Noël porte des bottes de cowboy ») habite à St. Peters, au Missouri, avec Walter, son époux de trente-cinq ans. « Le père Noël portait des bottes de cowboy » est dédié à la mémoire de son fils bien-aimé, Walter Erik, dont l'amour et les rires leur manquent.

Robin E. Woods (« Noël est délicieux ! ») est un ancien professeur en art, musique et expression corporelle du niveau maternelle qui habite à Montclair, au New Jersey. Contribuant fréquemment à des publications destinées aux parents, elle espère que ses écrits, qui reprennent les impressions innocentes et parfois pleines d'humour de ses enfants, à la fois les passionneront et les embarrasseront un jour.

Au sujet
de Colleen Sell

Colleen Sell partage une immense et vieille maison victorienne sur une ferme de lavande de quarante acres bordant les montagnes Cascade en Oregon, avec son mari T.N. Truden, un menuisier qui est en train de rénover leur maison de rêve. Éditrice de plus de soixante livres publiés et ancienne rédactrice en chef de deux magazines primés, Colleen a aussi été la coauteure et l'écrivaine anonyme de plusieurs livres, et a publié des centaines d'essais et d'articles. Elle écrit de la fiction, des scénarios, des ouvrages non romanesques plus sérieux, et des ouvrages non romanesques créatifs.

Dans la même collection
aux Éditions AdA

Pour obtenir une copie
de notre catalogue
veuillez nous contacter :

AdA

1385, boul. Lionel-Boulet
Varennes, Québec
J3X 1P7
Fax : 450.929.0220
info@ada-inc.com
www.ada-inc.com